HOROSCOPE
2015

GINETTE BLAIS

HOROSCOPE
2015

ÉDITIONS
LASEMAINE

Une société de Québecor Média

LES ÉDITIONS LA SEMAINE
Une division de Québecor Média inc.
1055, René-Lévesque Est, bureau 205
Montréal (Québec) H2L 4S5

Directrice des éditions:.Annie Tonneau
Directeur artistique: Bernard Langlois
Coordonnateur aux éditions: Jean-François Gosselin

Maquette de la couverture: Bernard Langlois
Infographie: Echo International
Réviseures-correctrices: Marie Théorêt, Luce Langlois, Audrey Faille

Photographe: Simon Normand
Maquillage et coiffure: Simon Normand
Styliste: Karine Lamontagne

L'éditeur bénéficie du soutien de la Société de développement des entreprises culturelles du Québec pour son programme d'édition.

Nous reconnaissons l'aide financière du gouvernement du Canada par l'entremise du Fonds du livre du Canada pour nos activités d'édition.

Remerciements
Gouvernement du Québec — Programme du crédit d'impôt pour l'édition de livres — Gestion SODEC.

© Charron Éditeur Inc.
Dépôt légal: troisième trimestre 2014
Bibliothèque et Archives nationales du Québec
Bibliothèque et Archives Canada
ISBN: 978-2-89703-182-4

Introduction

Chers lecteurs et lectrices,

Cette année encore j'ai voulu vous faire plaisir en vous dévoilant « le signe lunaire » qui vous accompagnera durant toute l'année 2015. Cet ajout merveilleux vous permettra surtout d'obtenir des prédictions complémentaires à celles de votre signe astrologique. Par exemple, imaginons que vous soyez Gémeaux et que votre date de naissance soit le 6 juin. Vous n'avez qu'à consulter la liste des dates de naissance et vous découvrirez alors que votre signe lunaire pour cette année est celui du Cancer. Consultez cet ascendant lunaire, il vous donnera des prédictions supplémentaires pour l'année 2015 et au fil des mois de janvier à décembre. Vous pouvez même faire d'une pierre trois coups et consultez aussi votre ascendant au natal si vous le connaissez.

Vous trouverez une nouvelle présentation de chacun des signes du Zodiaque plus complète avec des prédictions générales de l'année 2014, qui se sont avérées exactes, les prédictions nationales et internationales pour l'année 2015, les éclipses lunaires et solaires, les rétrogradations planétaires, les alertes astrales, plus, vous trouverez vos prédictions qui ont été développées par secteurs de vie : le climat général du mois, l'amour, la spiritualité, les arts, la carrière et l'argent pour chacun des signes et pour les 12 mois de l'année 2015. Le spécial de l'année est la lune bleue, la lune du Grand Esprit : cette « lune bleue » a aussi le pouvoir de matérialiser nos vœux pour nous faciliter la vie. J'ai élaboré un rituel juste pour vous!

L'année 2015 nous promet de grands coups de théâtre partout dans le monde. Le courant écologique et environnemental nous obligera à faire des prises de conscience plus importantes encore. La « mort assistée » fera parler d'elle. L'Organisation internationale des Nations Unies (ONU) a proclamé 2015 comme « l'année Internationale de la Lumière et des Techniques utilisant la Lumière. » L'ONU reconnaît l'importance des techniques utilisant la lumière qui apportent des solutions aux grands défis contemporains que sont l'énergie, l'éducation, l'agriculture et la santé. Une éclipse solaire totale est prévue pour le 20 mars 2015, le jour même de l'équinoxe vernal. Il s'agit ici d'une coïncidence très rare qui fait déjà couler beaucoup d'encre sur certains sites Internet scientifiques et religieux. La prochaine marée du siècle est prévue le 21 mars 2015 (coefficient 118 ou 119 selon certains sites).

À suivre...

Astrologiquement vôtre, Ginette Blais...

Mes prédictions qui se sont avérées exactes pour 2014

Le domaine des affaires et de l'économie

Prévisions faites pour 2014

Le manque de logements abordables reviendra souvent sur le tapis, cette année. Certains secteurs manufacturiers se retrouveront devant des fermetures d'entreprises (industrie automobile, vêtement, forestière, pétrochimique, pharmaceutique, etc.). Par exemple, l'absence de mesures concrètes concernant la mise en place d'un nouveau régime pour appuyer l'industrie forestière dans sa transformation. Les coûts d'approvisionnement élevés qui empêchent cette industrie d'être plus compétitive sur le marché international.

Pour vous éviter une longue énumération des prédictions déjà énoncées, je vous invite à consulter l'adresse suivante : http://affaires.lapresse.ca/economie/fabrication/201405/20/01-4767986-secteur-manufacturier-plaidoyer-pour-une-reforme.php, article publié le 20 mai 2014 à 6 h 34 dans le journal *La Presse*.

De nombreux scandales feront encore la une!

Prévisions faites pour 2014

> Les nombreux scandales dont nous avons été témoins en 2012 et 2013, ainsi que leurs rocambolesques rebondissements aussi déconcertants que renversants (au sens propre comme au figuré, puisque bien des têtes sont tombées), ont permis à la **réalité** de nous rattraper au pas de course.

La commission Charbonneau a encore fait la lumière sur d'autres manigances frauduleuses, corruptions et abus de pouvoir en 2014.

L'industrie du camionnage

Prévisions faites pour 2014

> Elle joue un rôle fondamental dans notre économie et il y a fort à parier que la **mobilité** des camions soulèvera de sérieuses préoccupations en 2014.

Veuillez consulter le site Internet : Journal L'Avantage.qc.ca, mai 2014. L'article commence comme suit : « Surcharge, non-respect du Code de la sécurité routière, heures de conduite trop nombreuses. Bon an, mal an, les contrôleurs routiers du Québec donnent aux camionneurs délinquants plus de 30 000 constats d'infraction, révèlent des documents obtenus par TC Media via la Loi sur l'accès à l'information. En six ans, ce sont près de 200 000 *tickets* qui ont été délivrés sur les routes québécoises. »

Les routes et les ponts

Les routes et ponts sont en très mauvais état, alors si les routes devenaient de plus en plus impraticables, comme cela risque de se produire en 2014, des lumières rouges vont s'allumer et un sérieux cri d'alarme va retentir dans les oreilles des grands décideurs gouvernementaux. Il pourrait en résulter un vaste programme de réformes qui fera parler de lui. Les idées inventives auront préséance aux yeux du gouvernement.

Les nombreux nids-de-poule – du jamais-vu! Sur le site CAA-Québec, une page Web nous invite à les informer des problèmes routiers de type nids-de-poule! « Il pourrait y avoir environ **55 000 nids-de-poule** cette année à Montréal, comparativement à **35 000 habituellement** », indiquait Philippe Sabourin, porte-parole de la Ville de Montréal dans le *Journal de Montréal* du 22 avril 2014.

La fameuse poutre du pont Champlain a fait couler beaucoup d'encre. Mais plus encore, les débats au sujet d'un train ou bus rapide sur le pont Champlain et je vous épargne toute la controverse qui a fait rugir bien des décideurs.

La science, les découvertes et l'environnement

Prévisions faites pour 2014

Le secteur des sciences et des découvertes se retrouvera sous haute tension compte tenu des défis environnementaux, religieux, scientifiques et médicaux qui se profilent de plus en plus à l'horizon ici et ailleurs dans le monde. Heureusement, de grands cerveaux innoveront et se démarqueront avec brio. Une crise pourrait éclater dans le domaine de la science, un peu comme si les structures établies nécessitaient une sorte de modernisation pour se maintenir en vie. Nous entendrons parler de désastres causés par la montée des eaux, le réchauffement planétaire, les étranges et imprévisibles changements de la température, la culture des agrocarburants, qui dévastent nos forêts, les émissions de gaz carbonique, les polluants, l'enfouissement des déchets, l'épuisement des ressources naturelles, la fonte des glaciers et la hausse du niveau d'eau des océans et l'érosion de la biodiversité.

Il s'est produit une hausse des dépenses et des besoins, mais aussi une forte réduction de la marge de manœuvre budgétaire. Dans un article publié sur le site Internet http://www.arcticnetmeetings.ca/ac2014/index-fr.php, vous trouverez des informations importantes et très pertinentes, dont celle-ci : « ArcticNet regroupe plus de 140 chercheurs du domaine des sciences naturelles, des sciences de la santé et des sciences sociales rattachées à 30 universités canadiennes et des partenaires d'organisations inuites, du gouvernement et de l'industrie. Tous visent un objectif commun : étudier les effets des changements climatiques et de la modernisation dans l'Arctique canadien côtier. » Une rencontre aura lieu au Centre des congrès d'Ottawa du 8 au 12 décembre 2014. Elle sera une des plus importantes conférences internationales données par ArcticNet sur la recherche arctique multisectorielle jamais tenues au Canada.

L'écologie ou l'environnement

Prévisions faites pour 2014

1) Se pourrait-il que les installations d'Hydro-Québec subissent l'usure du temps et qu'elles provoquent une instabilité des lignes ou corridors électriques?

Pour ne donner qu'un seul exemple, voici un extrait de l'article que vous trouverez sur le site Internet http://www.hydroquebec.com/projets/poste-belanger.html : « Situé dans l'arrondissement de Saint-Léonard, à la limite de l'arrondissement de Rosemont–La Petite-Patrie, le poste Bélanger alimente actuellement en électricité près de 44 000 clients.

« Construit en 1955, il atteindra bientôt la limite de sa capacité et plusieurs de ses équipements sont vieillissants. Ainsi, pour répondre aux besoins actuels, tout en s'assurant de combler les besoins futurs, Hydro-Québec doit accroître la puissance de ses installations. Pour ce faire, on construira un nouveau poste intérieur à 315-120-25 kV sur le site actuel, ce qui permettra de remplacer les anciens équipements par d'autres, plus performants. »

Prévisions faites pour 2014

2) Assurément, encore cette année, les fleuves, les lacs et les rivières seront sujets à de dangereux débordements et plusieurs causeront des dommages importants. D'autres glissements de terrain enlèveront des vies.

Sur le site Internet de TVA nouvelles, http://tvanouvelles.ca/lcn/infos/faitsdivers/archives/2014/04/20140415-131753.html, première publication le 15 avril 2014 à 13 h 17, vous trouverez cette information importante : « En tombant dans le lac, la terre a causé une **importante vague** qui a brisé la couche de glace qui se trouvait encore sur le lac. La vague et les morceaux de glace ont emporté **deux autres résidences, l'une qui se trouvait sur une île et l'autre de l'autre côté du lac.** » Ceci n'est qu'un exemple parmi tant d'autres.

L'art et la culture

Prévisions faites pour 2014

> 1) Plusieurs de nos artistes performeront sur les scènes du monde et s'y démarqueront avec brio. Pensons à Véronique Dicaire qui fait un tabac en France et à Las Vegas. Ce n'est là qu'un exemple parmi tant d'autres à venir. Bref, le capital artistique québécois et canadien est exportable et il ouvrira de nouveaux horizons. Un peu comme si les artistes du Québec et du Canada devaient se produire à l'international.

Le réalisateur québécois Xavier Dolan a remporté le Prix du jury pour son film *Mommy* lors du 67e Festival de Cannes. Bravo, Xavier!

Prévisions faites pour 2014

> 2) Le secteur de l'art et de la culture bénéficiera de plusieurs appuis politiques et financiers importants en 2014.

Le site Internet http://www.mcc.gouv.qc.ca/index.php?id=124 présente : Prix et concours — Arts visuels, architecture et métiers d'art.

Concours culturels des Jeux de la Francophonie

« Célébration internationale du sport et de la culture, les Jeux de la Francophonie, qui se déroulent tous les quatre ans, visent le rapprochement des peuples francophones. Parmi les épreuves culturelles qui y sont présentées, mentionnons la chanson, le conte, la danse de création, la littérature – la nouvelle, la peinture, la photographie, la sculpture-installation et la création numérique. Les prochains Jeux se dérouleront en 2017, à Abidjan, en Côte d'Ivoire. »

Prévisions faites pour 2014

> 3) Dans un autre ordre d'idées, l'art tel que le chant, la musique ou la danse aidera plusieurs jeunes intellectuellement déficitaires à reprendre du mieux, à s'intégrer plus facilement. Un projet pourrait voir le jour à cet effet et les résultats étonneront vraiment.

http://www.ophq.gouv.qc.ca/partenaires/semaine-quebecoise-des-personnes-handicapees-2014/les-muses-partenaire-dhonneur.html :
« La participation sociale des personnes handicapées est au cœur de la

mission de notre école, qui offre une formation professionnelle en théâtre, danse et chant à des artistes vivant une situation de handicap. »

Le domaine de la santé

Prévisions faites pour 2014

1) Une grande réforme se produira dans le secteur de la santé. Malheureusement, la lune noire s'y déploiera et elle adore lever le voile sur les secrets bien gardés et, tout comme cela s'est produit dans le domaine de la politique l'année dernière, de nombreux scandales feront la une et des têtes vont tomber.

Sur son site Internet http://www.iedm.org/files/cahier0114_fr.pdf, «l'IEDM (Institut économique de Montréal) propose six idées concrètes pour réformer le système de santé au Québec qui s'inspirent de l'expérience de ces pays. Ces propositions de réforme, toutes interreliées, seraient susceptibles d'améliorer sensiblement l'accès et la qualité des soins offerts aux patients ».

Prévisions faites pour 2014

2) Le domaine de la santé implique aussi celui de la pharmaceutique. Ici aussi, dans ces secteurs importants, des révélations feront en sorte que nous irons de déception en déception, de désillusion en désillusion après avoir découvert qu'il ne s'agissait au fond que d'une belle mascarade bien rodée. La bonne nouvelle est qu'après la grande marée qui nous attend, un vent de renouveau soufflera.

Sur le site Internet http://www.liberation.fr/societe/2014/02/03/un-medecin-au-service-des-labos-vide-son-sac_977624, vous lirez que dans son livre intitulé *Omerta dans les labos pharmaceutiques. Confessions d'un médecin,* le Dr Bernard Dalbergue, 55 ans, dénonce les « pratiques douteuses » d'une industrie où il a passé deux décennies, dans plusieurs firmes différentes. C'est la première fois en France, note l'article, qu'un ancien cadre dissèque de l'intérieur, documents et histoires vécues à l'appui, la manière dont les labos manipulent les médecins, voire les autorités. Il décrit une industrie obsédée par « l'argent »,

servie par une « armée » de salariés « conditionnés » pour faire grimper les ventes, en passant sous silence les effets secondaires. « Nos
médicaments n'ont que des qualités, inutile de parler des aspects
moins glorieux : il n'y en a pas. [...] Voici comment faire pour inciter
les médecins à prescrire », écrit-il.

Prévisions faites pour 2014

3) Le suicide assisté qui deviendra une source de discussion importante sur plusieurs plateformes en 2014.

Sur le site Internet http://www.ledevoir.com/politique/quebec/
397548/la-cour-supreme-se-penchera-sur-le-suicide-assiste, vous trouverez l'article suivant paru le 17 janvier 2014 : *La Cour suprême se pen-
chera sur le suicide assisté*, sous-titré : *Québec ne craint pas d'impact sur
son propre projet de loi sur l'aide médicale à mourir.*

L'éducation

Prévisions faites pour 2014

1) La planète Jupiter qui se promènera dans le signe du Cancer,
selon l'astronomie, m'indique que les financements ou la gestion
des finances des écoles, universités et collèges se retrouveront
sous la lorgnette sévère du gouvernement, cette année.

Sur le site Internet http://quebec.huffingtonpost.ca/news/philippe-
couillard-education/, vous trouverez un article : *Couillard abolirait 100
postes par année au ministère de l'Éducation*, publié en mai 2014.

Prévisions faites pour 2014

2) La patience des professeurs sera mise à dure épreuve durant
le déroulement de l'année 2014. Un problème de langage, de lecture ou de compréhension ou un sérieux déficit d'attention de
plusieurs élèves (comme s'il s'agissait d'une contamination virale,
selon l'astrologie) compliquera ou fera régresser leur façon
d'enseigner.

Sur le site Internet du *Journal de Montréal*, http://www.journaldemon-
treal.com/2014/05/17/record-deleves-en-difficulte-dans-nos-ecoles,

vous pourrez lire : « Même si elles sont de moins en moins fréquentées, les écoles publiques du Québec accueillent de plus en plus d'élèves en difficulté, a appris *Le Journal*. Plus d'un jeune sur cinq fait désormais partie de cette catégorie, ce qui constitue un record. À la fin de la dernière année scolaire, le réseau public comptait 20,8 % d'élèves "handicapés ou en difficulté d'adaptation ou d'apprentissage" (EHDAA), révèlent des données obtenues grâce à la loi sur l'accès à l'information. »

Prédictions générales pour le Canada

Les problèmes sociaux qui ont fait la manchette en 2014

- Le suicide assisté deviendra une source de discussion importante, puisque Neptune voyagera dans le 12e secteur du grand zodiaque. Il stimulera nos questionnements sur la vie après la mort et notre foi en la vie.

- La violence, le taxage et le suicide chez les jeunes.

- L'accroissement de la violence sociale.

- La dépression qui est un profond mal de vivre.

- Nous ne nous en sortons toujours pas, la vitesse au volant enlèvera encore bien des vies.

- Les peines de prison trop réduites.

- L'inflation démesurée ou hausse généralisée des prix.

- Les caisses de retraite et débats sur la retraite progressive (ça revient puisque rien n'a encore été réglé).

- Encore d'autres scandales financiers, politiques et sexuels s'étaleront au grand jour en 2014. Mais aussi des scandales dans le domaine de la pharmaceutique (se rendre malade à force de se médicamenter)

et du système médical (la mauvaise gestion des hôpitaux et le dys-
fonctionnement du système) feront malheureusement la une.

• La dépravation sexuelle et les prédateurs pédophiles ont la main
longue; ce fléau s'étend au Québec, au Canada, certes, mais il a fait
son nid à l'échelle internationale.

• La dépression chez les hommes et maintenant de plus en plus chez les
femmes qui les poussent à commettre l'irréparable ou à se suicider.

• Le rejet des personnes âgées par notre société. Les soins inadéquats
et un système qui ne sont pas prêts pour la prochaine entrée des
« bébés boomers » dans les centres CHLD et CHSLD puisque rien
n'a encore été réglé.

• Le départ à la retraite de la génération du baby-boom.

• La déglaciation et son effet domino sur la planète.

• La montée du déficit d'attention chez les jeunes qui continuera de
battre des records.

• Des renversements des alliances au sein de certains pays en guerre.

Prédictions nationales et internationales pour 2015

Avant de vous donner mes prédictions pour l'année 2015 concernant le Québec, j'aimerais vous exposer ma vision d'astrologue à propos des dernières élections au cours desquelles madame Pauline Marois a littéralement été éclipsée de la scène politique.

Quatre éclipses lunaires totales vont se profiler dans le ciel en 2014 et en 2015. Ce groupe des quatre est appelé « tétrade ». Les quatre dernières éclipses lunaires totales ont eu lieu en 2003 et 2004.

1. Tétrade : 2003-2004
2. Tétrade : 2014-2015

L'ampleur de la première éclipse lunaire totale qui s'est produite le 15 avril 2014

D'abord, récapitulons les événements : la fin du scrutin a eu lieu le 7 avril 2014 et les résultats annonçaient presque la disparition du Parti québécois. Une douche glaciale pour ne pas dire frigorifique a saisi les membres du parti!

Tous les astrologues vous le diront : n'entreprenez jamais, comme ce fut le cas ici, de donner le coup d'envoi à une campagne électorale dont la date de tombée doit avoir lieu une semaine avant ou après l'arrivée d'une éclipse lunaire **totale**. Une éclipse de cette envergure « ÉCLIPSE TOUT » sur son passage. Il s'agit d'une vague de fond de type tsunami. Ensuite, cette même éclipse lunaire totale a enfoncé le clou lorsque Pauline Marois a remis les clés du pouvoir à l'occasion d'une rencontre avec le nouveau premier ministre élu Philippe Couillard, le mercredi fatidique où se produisait justement l'éclipse lunaire totale, soit le 15 avril 2014. Autant de coïncidences donnent à réfléchir et se passent de commentaires!

La veille de la manifestation de l'éclipse lunaire totale, Bernard Drainville répondait aux critiques sur l'impact qu'a eu la charte des valeurs sur la défaite cuisante du Parti québécois. Selon la planète Uranus, elle a eu son rôle à jouer dans l'affaiblissement du parti, certes, mais c'est l'hypothèse référendaire qui aurait replongé la société québécoise dans une profonde insécurité et qui a provoqué cette légendaire volte-face chez les électeurs.

La question qui tue est la suivante : est-ce que les élections auraient connu une autre finalité si elles avaient eu lieu à une date ultérieure – le 8 mai, fête de la Victoire et de la fin de la guerre en 1945, par exemple? Selon la date de naissance du Parti québécois, il apparaît que oui, mais attention… au prix d'une sérieuse remise en question référendaire.

D'abord, l'éclipse lunaire totale a fait s'activer la planète Uranus (foudroiement) alors qu'elle faisait un carré avec la planète Pluton (destruction, perte de pouvoir). L'analyse astrologique de cette élection explique en ces termes la cuisante défaite, non pas uniquement de Pauline Marois, mais du parti lui-même : « Cette éclipse totale d'avril engendrera un état d'instabilité entraînant dans son sillage des circonstances défavorables qui feront tomber des têtes. La pression exercée par l'ensemble de la société ne sera pas entendue ni reconnue. La phase la plus difficile de cet enlignement planétaire pour les dirigeants sera de prendre le temps de **redéfinir l'idéal nouveau** de la société. S'ils décidaient de rester sur leur position […] alors qu'ils savent très bien à l'intérieur d'eux-mêmes qu'ils risquent de tomber, ils affronteraient une sérieuse débâcle. Les vieilles croyances du passé doivent être revues et corrigées; l'avenir de cette personne (le parti québécois représenté par Pauline Marois dans ce cas-ci) ne peut se construire que sur de nouvelles convictions **qui tiendront compte des besoins plus actuels** des gens qu'elle est appelée à servir. Si rien de cela n'est mis en action, la personne (le Parti québécois dans ce cas-ci) ne pourra pas vraiment lutter, le réveil et les solutions arriveront trop tard. S'il y a un Yang (le masculin) d'impliqué, il s'en tirera mieux que le Yin (le féminin) à cause de l'ampleur de l'éclipse lunaire totale. » Le thème parle ensuite de dépression, d'un douloureux deuil à faire et d'un creux de vague lorsque les conséquences des erreurs deviendront accablantes parce qu'irréparables.

Le Québec en 2015

Au sens figuré, la culture nourrit, mais au sens propre aussi. Donc, les trois secteurs de l'art, de l'agriculture et de l'éducation s'activeront en 2015. Les hautes instances judiciaires continueront de travailler sur ce qui fut et est toujours corrompu. Encore cette année, la levée des voiles ne sera pas très jolie à regarder. De plus, si la commission Charbonneau se limitait, par exemple, à gratter la surface au lieu d'aller à l'essentiel, c'est-à-dire s'attaquer aux influences occultes ou cachées, elle perdrait toute sa crédibilité et essuierait l'odieux. Qui plus est, la loi devra sévir et ne pas tenir un double langage. Bref, les faux témoignages et les abus de pouvoir devront être sévèrement punis, et ce, quelle que soit la tête couronnée qui se retrouvera assise au banc des accusés.

Selon la planète Saturne, monsieur Couillard doit exercer son pouvoir avec confiance, loin de l'indécision et de l'hésitation, puisqu'il s'exposerait à de sévères conflits. Aussi, les armes à feu et la mauvaise conduite automobile seront sous la lorgnette du gouvernement et des peines sévères seront imposées aux délinquants. La question du mauvais traitement et de la violence envers les aînés, les femmes et les enfants, malheureusement, apparaîtra souvent encore cette année à la une.

Les finances se retrouveront entre les mains d'experts spécialistes un peu trop rigides, sévères, et des coupures nous seront annoncées avec un air pincé. Un peu comme si les contribuables (c'est-à-dire nous) n'étaient qu'une source de revenus et qu'ils devaient se soumettre. Le budget alloué au secteur de l'éducation risque de faire grincer des dents. Dans un autre ordre d'idées, les excès d'analyse et les actions dirigistes feront en sorte que le gouvernement libéral réfléchira trop longtemps avant de se lancer dans l'action, ce qui créera de grandes impatiences au sein de la population.

Le karma matériel de biens des Québécois vient du fait qu'ils entretiennent un rapport assez ambigu avec l'argent – ils le considèrent comme « impur », ils éprouvent une sorte de « pudeur » à en avoir trop, à devenir riches et bien nantis. Un peu comme si nous devions nous en tenir à mettre notre argent en sécurité à force d'efforts et de labeur et nous contenter de peu. Si j'en crois la planète Saturne, nous devrions casser le moule de nos croyances en reconnaissant vraiment, d'une manière saine et juste, « l'importance de l'argent » tout en embrassant totalement la liberté qu'il procure. En fait, la question que vous pose la planète Saturne, si vous vous sentez interpellé par ce que vous venez de lire, est la suivante : pourquoi le fait d'en avoir trop vous rend-il si inconfortable? Ensuite, défaites cette croyance; elle vous piège dans une grande limitation.

Le système de santé

Je persiste et signe, encore cette année, et c'est dommage que le réseau de la santé soit épuisé! Quand je parle du système de la santé, voici ce que j'entends par là :
- centres hospitaliers,
- centres de santé et de services sociaux, incluant les centres locaux de services communautaires (CLSC),
- centres d'hébergement et de soins de longue durée,
- centres de réadaptation,
- centres de protection de l'enfance et de la jeunesse.

Les ressources privées qui complètent le portrait du système de santé sont :
- les cabinets et les cliniques privées de médecins, de dentistes, etc.,
- les pharmacies,
- les organismes communautaires,
- les résidences privées pour personnes âgées, avec services de santé.

D'après la planète Neptune, un scandale impliquant l'industrie pharmaceutique risque de voir le jour. Le réseau de la santé est noble et inspiré pour servir le collectif, mais l'envers de la médaille est qu'il n'est pas à l'abri des tricheurs. Il pourrait s'agir d'une révélation anodine qui ne restera pas lettre morte ou d'une situation qui lèvera le voile sur certaines exemptions qui ont la prétention d'être au-dessus des lois. Personne n'est au-dessus des lois, à part, pourrait-on croire, ceux qui n'ont pas encore été pris en flagrant délit, mais ces fraudeurs l'apprendront à leurs dépens, si j'en crois la planète Saturne! Aussi, la planète Neptune, qui se retrouve dans le dixième secteur comme c'est le cas cette année, fera en sorte de briser l'idéalisation que nous entretenons au sujet des « grands éduqués du système de la santé » en soulevant les scandales, et certains perdront la face. En somme, le système de la santé et pharmaceutique sera la victime d'une force collective interne et externe qu'un simple individu ne saurait contrôler.

Un autre problème insidieux auquel devront faire face le gouvernement libéral et monsieur Couillard est la maladie mentale ainsi que la violence dont elle est parfois porteuse, mais dont ces malades sont aussi victimes. Le premier ministre devra également composer avec la montée des cas d'Alzheimer et de démence. La détresse et l'isolement des personnes affectées par ces fichues maladies trop souvent incomprises soulèveront de sérieux questionnements humains et de société.

La ville de Montréal

Un projet de loi sur les régimes de retraite sera déposé à l'Assemblée nationale en juin prochain selon les dernières nouvelles – et j'écris ces lignes le 27 mai 2014 – alors que la planète Mercure rétrogradera jusqu'au 13 juin approximativement. Comment cette question doit-elle se régler? De façon tranchée et sans faire de sentiments, mais aussi avec une combativité intelligente où il importe de mettre l'accent sur la durée et de trouver un point de convergence. Les personnes impliquées dans ce conflit sont d'un côté du ring les cols blancs, les cols bleus, les pompiers, les policiers et les employés de sociétés de transport et de l'autre, l'Équipe Coderre pour Montréal. Ni l'un ni l'autre ne seront à court d'énergie, d'arguments, ni de volonté… Bref, « ça ne rigolera pas » ! Il semble qu'un négociateur rusé, un fin renard brillant, mettra ses connaissances financières au service de cette grande coalition. Il pourrait même créer un précédent en soumettant une nouvelle proposition aux deux partis opposés. S'il devait y avoir des laissés-pour-compte, ils se mobiliseraient comme jamais auparavant. Bref, les discussions doivent reposer sur une question d'équité, d'équilibre et de justesse. L'acte de naissance du parti de Denis Coderre, élu maire de Montréal, suggère qu'il devra en tout temps conserver une position médiane, juste et centrée s'il veut créer le climat d'abondance et de richesse qu'il souhaite tant instaurer.

Le refoulement des eaux risque de provoquer des inondations importantes. Ensuite, une crise du logement à prix modique pourrait faire trembler les murs de l'hôtel de ville, si j'en crois la planète Neptune. Une hausse significative de sans-abri pourrait en être la cause.

Le Canada

L'élection fédérale canadienne de 2015 ou la 42ᵉ élection fédérale canadienne devrait avoir lieu le 19 octobre 2015 au plus tard. En fait, son thème astrologique annonce que des structures établies et trop rigides sclérosent le Parti conservateur et qu'elles sont la cause d'une grande inertie. S'il ne s'ajuste pas, qu'il ne s'ouvre pas aux idées novatrices et aux besoins plus modernes de ses électeurs et électrices, ce parti va entrer dans une période critique importante, un peu comme un fleuve en crue qui sort de son lit et qui détruit tout sur son passage. Bref, s'il ne se défait pas de sa rigidité éthique, de règles et façons de voir périmées, conservatrices ou trop conformistes, il risque de perdre le pouvoir. S'il se retrouvait aux commandes d'un gouvernement minoritaire, Harper se donnerait alors les moyens de prendre une retraite anticipée ou il annoncerait la fin de sa vie politique active à cause de cette influence limitée, qu'il a en horreur, et qui l'accablerait vraiment. Il se pourrait aussi (tant qu'une prédiction n'est pas manifestée dans le concret, tous les cas de figure demeurent possibles) que la charge du pouvoir pèse sur monsieur Harper et qu'elle finisse par le faire ployer sous le fardeau. Ou encore, le Parti conservateur pourrait envoyer un signal d'essoufflement majeur.

Dans un autre ordre d'idées, le premier ministre risque d'être victime de manœuvres souterraines qui provoqueraient plusieurs hésitations de sa part ou qui retarderaient la conclusion d'une affaire importante à ses yeux, ou quelque chose du genre. Sinon, des magouilles ou la découverte de scandales scabreux entacheront sa crédibilité et celle du parti et, par effet de ricochet, la machine à rumeurs s'actionnera au point d'ébranler son trône. Sera-t-il en mesure de défaire ses repères devenus trop conservateurs pour procéder à de nouvelles façons de faire et de penser? Acceptera-t-il les situations identiques auxquelles il a déjà fait face comme gouvernement minoritaire? Les réponses que je vous propose se trouvent à partir de la deuxième phrase du paragraphe précédent!

Les États-Unis d'Amérique

Les États-Unis se retrouveront-ils sur un autre pied de guerre? Il semble que les Américains doivent absolument reconsidérer leur stratégie de guerre utilisée jusqu'ici. Les valeurs militaires sont à l'honneur aux États-Unis, mais le butin est-il si avantageux? À **qui** sert la guerre en fait? La question se posera en 2015. Un conflit hiérarchique concernant l'arrêt d'un conflit armé serait possible. Ou bien, l'inexpérience de certains gradés risque d'être très néfaste et de coûter bien des vies. Cet état d'exception obligera le président Obama à faire preuve d'habileté intellectuelle et oratoire (et il en a à revendre) ainsi que de courage pour affronter la grogne populaire. Il devra avoir un discours rassembleur pour diriger les énergies dans le bon sens afin d'éviter un dangereux déferlement de violence. Un parent acceptera, le cœur en lambeaux certainement, de voir son enfant aller risquer sa vie pour sauver son pays, mais ce même parent montera aux barricades si le manque d'expérience d'un gradé était à l'origine du décès de son enfant. Si rien de tout cela ne s'avérait exact, le président devra remédier à un système de corruption très bien rodé impliquant l'armée, l'appareil législatif ou le domaine de la justice. Enfin, quelque chose du genre.

La France

Voici ce que l'on pouvait lire à la une du magazine *Paris Match*[1] le 26 mai 2014 : « Le gouvernement en place fait grise mine. La défaite est totale. En effet, rien ne pouvait prévoir une telle débâcle. Le Front national arrive en tête avec près de 24,96 % des suffrages exprimés. L'UMP est également devant (20,8 %). Pour la première fois de son histoire, le Parti socialiste obtient seulement 13,98 % des voix. Résultat : dès lundi matin, réunion de crise à l'Élysée avec François Hollande et plusieurs ministres liés à l'Europe. On parle de «séisme», de «choc» au lendemain de la victoire frontiste. L'heure est à la riposte pour Manuel Valls. À la reconquête. » Ces pourcentages témoignent surtout d'une impopularité jamais rencontrée pour un président de la République. Comment François Hollande est-il perçu par ses électeurs ? Selon la planète Saturne, il est jugé comme quelqu'un d'insouciant, d'un peu frivole, qui aime les mondanités et qui évite de prendre trop de responsabilités ou de les assumer pleinement et comme il se doit. En fait, le seul responsable de la situation est lui-même et lui seul peut s'en sortir. Mais il est trop tard… puisque les promesses n'ont pas été tenues ! Les tensions et les fuites ne sont pas près de se terminer. Le président de la République se trouve actuellement confronté à l'épreuve majeure de son incarnation, à savoir que ses actes risquent de le faire tomber de haut. La clé de sa réussite, s'il le veut bien puisque les étoiles proposent et l'homme dispose, serait d'examiner ses engagements et de s'appliquer sans ménagement et sans excès dominateurs ou matérialistes à les concrétiser.

---

1 http://www.parismatch.com/Actu/Politique/L-heure-de-la-riposte-pour-Manuel-Valls-566066.

Votre ascendant annuel lunaire pour 2015

La procédure pour trouver votre ascendant lunaire de cette année :

1. Cherchez votre date de naissance dans le tableau qui suit.

2. Trouvez le signe auquel cette date correspond, puis lisez les prédictions qui lui sont associées pour l'année à venir. Ajoutez ces prédictions à celles de votre signe astrologique au natal.

3. Mois par mois, consultez non seulement votre signe astrologique, mais aussi les prédictions associées à votre ascendant lunaire.
   Ex. : Vous êtes né un 13 janvier, donc vous êtes Capricorne. Votre ascendant lunaire pour cette année seulement est le Poissons. Lisez vos prédictions pour l'ensemble de l'année 2015 et combinez-les à celles de votre ascendant lunaire Poissons. Faites de même pour les prédictions associées à chacun des mois de l'année.

Grâce à l'ascendant lunaire, vous avez la possibilité d'obtenir le plus de prédictions possibles. Si votre ascendant lunaire est le même que votre signe du zodiaque, considérez ce doublet comme un avertissement que votre vie prendra un nouveau départ, que vous ferez des choix importants et décisifs pour améliorer votre vie. De plus, si vous connaissez déjà votre ascendant au natal qui est basé sur votre date de naissance, l'heure et le lieu, vous pourrez alors le consulter aussi pour faire d'une pierre trois coups!

Tableaux des dates de naissance

MOIS DE JANVIER		MOIS DE FÉVRIER	
1	Balance	1	Sagittaire
2	Scorpion	2	Sagittaire
3	Scorpion	3	Capricorne
4	Sagittaire	4	Capricorne
5	Sagittaire	5	Verseau
6	Capricorne	6	Verseau
7	Capricorne	7	Poissons
8	Capricorne	8	Poissons
9	Verseau	9	Poissons
10	Verseau	10	Bélier
11	Poissons	11	Bélier
12	Poissons	12	Taureau
13	Poissons	13	Taureau
14	Bélier	14	Taureau
15	Bélier	15	Gémeaux
16	Taureau	16	Gémeaux
17	Taureau	17	Cancer
18	Taureau	18	Cancer
19	Gémeaux	19	Lion
20	Cancer	20	Lion
21	Cancer	21	Vierge
22	Lion	22	Vierge
23	Lion	23	Balance
24	Vierge	24	Balance
25	Vierge	25	Scorpion
26	Vierge	26	Scorpion
27	Balance	27	Sagittaire
28	Balance	28	Sagittaire
29	Scorpion	29	Sagittaire (plusieurs personnes sont nées durant une année bissextile)
30	Scorpion		
31	Sagittaire		

MOIS DE MARS

1 Capricorne
2 Capricorne
3 Capricorne
4 Verseau
5 Verseau
6 Poissons
7 Poissons
8 Poissons
9 Bélier
10 Bélier
11 Taureau
12 Taureau
13 Taureau
14 Gémeaux
15 Gémeaux
16 Cancer
17 Cancer
18 Lion
19 Lion
20 Vierge
21 Vierge
22 Vierge
23 Balance
24 Balance
25 Scorpion
26 Scorpion
27 Sagittaire
28 Sagittaire
29 Capricorne
30 Capricorne
31 Capricorne

MOIS D'AVRIL

1 Verseau
2 Verseau
3 Poissons
4 Poissons
5 Poissons
6 Bélier
7 Bélier
8 Taureau
9 Taureau
10 Gémeaux
11 Gémeaux
12 Cancer
13 Cancer
14 Lion
15 Lion
16 Vierge
17 Vierge
18 Vierge
19 Balance
20 Balance
21 Scorpion
22 Scorpion
23 Sagittaire
24 Sagittaire
25 Sagittaire
26 Capricorne
27 Capricorne
28 Verseau
29 Verseau
30 Poissons

MOIS DE MAI		MOIS DE JUIN	
1	Poissons	1	Taureau
2	Poissons	2	Taureau
3	Bélier	3	Taureau
4	Bélier	4	Gémeaux
5	Taureau	5	Gémeaux
6	Taureau	6	Cancer
7	Taureau	7	Cancer
8	Gémeaux	8	Lion
9	Gémeaux	9	Lion
10	Cancer	10	Vierge
11	Cancer	11	Vierge
12	Lion	12	Vierge
13	Lion	13	Balance
14	Vierge	14	Balance
15	Vierge	15	Scorpion
16	Vierge	16	Scorpion
17	Balance	17	Sagittaire
18	Scorpion	18	Sagittaire
19	Scorpion	19	Capricorne
20	Sagittaire	20	Capricorne
21	Sagittaire	21	Verseau
22	Sagittaire	22	Verseau
23	Capricorne	23	Poissons
24	Capricorne	24	Poissons
25	Verseau	25	Poissons
26	Verseau	26	Bélier
27	Poissons	27	Bélier
28	Poissons	28	Taureau
29	Poissons	29	Taureau
30	Bélier	30	Taureau
31	Bélier		

MOIS DE JUILLET

1	Gémeaux
2	Gémeaux
3	Cancer
4	Cancer
5	Lion
6	Lion
7	Vierge
8	Vierge
9	Vierge
10	Balance
11	Balance
12	Scorpion
13	Scorpion
14	Sagittaire
15	Sagittaire
16	Sagittaire
17	Capricorne
18	Capricorne
19	Verseau
20	Verseau
21	Poissons
22	Poissons
23	Poissons
24	Bélier
25	Bélier
26	Taureau
27	Taureau
28	Taureau
29	Gémeaux
30	Gémeaux
31	Cancer

MOIS D'AOÛT

1	Cancer
2	Lion
3	Lion
4	Vierge
5	Vierge
6	Balance
7	Balance
8	Scorpion
9	Scorpion
10	Sagittaire
11	Sagittaire
12	Sagittaire
13	Capricorne
14	Capricorne
15	Verseau
16	Verseau
17	Poissons
18	Poissons
19	Poissons
20	Bélier
21	Bélier
22	Taureau
23	Taureau
24	Taureau
25	Gémeaux
26	Gémeaux
27	Cancer
28	Cancer
29	Lion
30	Lion
31	Vierge

MOIS DE SEPTEMBRE

1   Vierge
2   Vierge
3   Balance
4   Balance
5   Scorpion
6   Scorpion
7   Sagittaire
8   Sagittaire
9   Capricorne
10 Capricorne
11 Verseau
12 Verseau
13 Poissons
14 Poissons
15 Poissons
16 Bélier
17 Bélier
18 Taureau
19 Taureau
20 Taureau
21 Gémeaux
22 Gémeaux
23 Cancer
24 Cancer
25 Lion
26 Lion
27 Vierge
28 Vierge
29 Vierge
30 Balance

MOIS D'OCTOBRE

1   Balance
2   Scorpion
3   Scorpion
4   Sagittaire
5   Sagittaire
6   Capricorne
7   Capricorne
8   Verseau
9   Verseau
10 Poissons
11 Poissons
12 Poissons
13 Bélier
14 Bélier
15 Taureau
16 Taureau
17 Taureau
18 Gémeaux
19 Gémeaux
20 Gémeaux
21 Cancer
22 Cancer
23 Lion
24 Lion
25 Vierge
26 Vierge
27 Balance
28 Balance
29 Scorpion
30 Scorpion
31 Sagittaire

MOIS DE NOVEMBRE

1 Sagittaire
2 Capricorne
3 Capricorne
4 Capricorne
5 Verseau
6 Verseau
7 Poissons
8 Poissons
9 Poissons
10 Bélier
11 Bélier
12 Taureau
13 Taureau
14 Taureau
15 Gémeaux
16 Gémeaux
17 Cancer
18 Cancer
19 Lion
20 Lion
21 Vierge
22 Vierge
23 Vierge
24 Balance
25 Balance
26 Scorpion
27 Scorpion
28 Sagittaire
29 Sagittaire
30 Capricorne

MOIS DE DÉCEMBRE

1 Capricorne
2 Verseau
3 Verseau
4 Poissons
5 Poissons
6 Poissons
7 Bélier
8 Bélier
9 Taureau
10 Taureau
11 Taureau
12 Gémeaux
13 Gémeaux
14 Cancer
15 Cancer
16 Lion
17 Lion
18 Lion
19 Vierge
20 Vierge
21 Balance
22 Balance
23 Scorpion
24 Scorpion
25 Sagittaire
26 Sagittaire
27 Capricorne
28 Capricorne
29 Verseau
30 Verseau
31 Poissons

BÉLIER

Ses couleurs préférées : Vous aimez les contrastes et les orangers chatoyants. Votre couleur maîtresse est le rouge, mais vous appréciez aussi la pureté du blanc.

Ses métaux : Le fer et l'acier.

Ses pierres de naissance : Le diamant et le rubis.

Ce que ces pierres symbolisent : Le diamant symbolise l'amour éternel, la durée ou l'endurance, et le Bélier, lorsqu'il porte un diamant, connecte avec cette énergie de continuité, d'endurance, de longévité. Le rubis protège contre le malheur et la mauvaise santé. Le rubis l'aidera à ouvrir son cœur et à trouver l'amour.

Les différents aspects de sa personnalité

Le Bélier bout d'énergie, de force de vie, et son élan vital en témoigne. Il est reconnu pour être impulsif. Ses idées sont géniales et il le sait; voilà pourquoi il s'offusque facilement lorsqu'elles ne sont pas prises au sérieux ou considérées à leur juste valeur.

Le Bélier attire tout naturellement le respect, mais il lui arrive de se montrer un tantinet vaniteux. Toutefois, sa grande générosité et sa débrouillardise étonnante l'inclinent à dépanner les uns et les autres, à partager ses idées de génie ou ses bons conseils, même s'il est conscient que sa gentillesse peut jouer contre lui.

Le Bélier ne manque pas de vaillance, de dextérité, d'adresse et d'habileté à faire les choses. Il vise les positions prestigieuses et qui touchent de près ou de loin le pouvoir. Sinon, il gagne sa vie en tant que travailleur autonome ou contractuel. Il peut aussi se distinguer comme homme ou femme d'affaires, poète, artiste ou écrivain.

Les amours du Bélier sortent souvent de l'ordinaire. Il ne supporte pas la grossièreté ni l'inélégance, et la vulgarité lui répugne. Le Bélier déteste les demi-mesures, et ses exigences amoureuses et sexuelles doivent être satisfaites, sinon il ne se gênera pas pour aller voir ailleurs. À moins, bien sûr, qu'il ne soit très amoureux de son ou sa partenaire. Le Bélier peut se montrer jaloux, agressif, combatif, têtu et il n'aime pas se faire dire non. Il n'aime pas la critique et reste sur la défensive. La femme Bélier, plus particulièrement, mettra ses capacités intellectuelles très bien développées au service de la réussite de la personne qui partage sa vie. Parce qu'il a appris à un très jeune âge à ne pas dépendre de qui que ce soit, le Bélier attire (de manière inconsciente, bien souvent) des personnes qui ont besoin d'être sauvées.

Votre compatibilité avec les autres signes

Vous vous reconnaîtrez dans les yeux du Scorpion ou d'une personne d'ascendant Scorpion. Cette symbiose vous donnera l'impression de vous être déjà rencontrés dans une vie antérieure. Avec la Balance, l'amitié primera. La bonne entente régnera avec le Sagittaire, et vos affinités s'entremêleront pour créer un lien conjugal harmonieux. Vous parlerez le même langage que le Lion et marcherez main dans la main, vous respectant l'un l'autre. Le Cancer vous permettra de vivre des moments magiques et peut-être même de vous dépasser en tant qu'être humain. Le signe des Poissons sera votre meilleur conseiller, allié et ami.

Quelques Bélier célèbres

Mariah Carey, Tracy Chapman, Charlie Chaplin, Céline Dion, Reese Witherspoon, Keri Russell, Sarah Jessica Parker, Kristen Stewart, Carmen Electra, Lemar, Jesse McCartney, Jennifer Garner, Kate Hudson, Vincent Van Gogh, Paul Verlaine, Léonard de Vinci, Émile Zola.

L'année 2015 en général

Une rétrospective des événements passés s'impose. Tout d'abord, les années 2013 et 2014 furent stressantes à bien des égards. Plusieurs Bélier ont divorcé, se sont séparés ou ont traversé un deuil important – le départ de l'être aimé pour un monde meilleur, pour certains. Les relations qui ont tenu la route durant cette période d'éclatement vont certainement durer et pour plusieurs années à venir. Bien sûr, après avoir traversé toutes ces épreuves affectives, vous avez besoin de reprendre votre souffle. S'il ne s'est rien passé de spécial en 2014, ce vide relationnel fut douloureux à supporter par moments. Aussi, l'être aimé ne vous a peut-être pas témoigné toute l'affection et le désir espérés, et vous vous êtes perdus de vue. Quoi qu'il en soit, l'année 2015 s'annonce riche en événements amoureux et vous le découvrirez au fil des mois à venir.

Plusieurs parmi vous pourraient décider de déménager en 2015, après avoir trouvé l'endroit rêvé. L'achat ou la location d'une maison de campagne ou secondaire serait aussi possible. Il ne serait pas étonnant que vous décidiez de suivre une formation à distance à la maison. De plus, vos proches et amis vous apporteront leur soutien et leur appréciation avec une affection sincère.

La planète Uranus vous enverra des défis professionnels, artistiques, d'affaires et politiques de taille, cette année. La meilleure manière d'affronter ces défis serait de demeurer flexible et ouvert aux changements qui se présenteront souvent à brûle-pourpoint. Il ne s'agit pas ici de manifestations négatives ou destructrices, mais de transformations très puissantes et, par le fait même, stressantes, qui vont provoquer une grande effervescence et susciter en vous des émotions vives. Vous allez réaliser, sourire en coin, qu'une malchance en apparence était en fait une chance déguisée.

Bonne et heureuse année 2015, chers Bélier !

Alerte astrale importante pour le mois de juillet 2015

Il va se produire deux pleines lunes durant le mois de juillet. La première aura lieu le 2 juillet et l'autre le 31. La pleine lune du 31 juillet est aussi appelée « lune bleue » et les Amérindiens la vénèrent pour ses forces mystiques et magiques sacrées.

Quelques explications importantes

Le *Farmer's Almanac* est un almanach nord-américain datant du début du XIXe siècle. La définition qu'il donne de la « lune bleue » est la suivante : « Elle se produit lorsque la pleine lune apparaît deux fois dans un même mois. Ces pleines lunes reviennent toutes les 2,6 années, soit une année sur trois approximativement. »

Quelles sont les forces magiques de la « lune bleue » ?

Symbolisme : aussi appelée la « lune du Grand Esprit », la « lune bleue » permet d'entrer en contact avec des forces toutes-puissantes qui nous accompagneront et nous protégeront. Cette « lune bleue » a aussi le pouvoir de matérialiser nos vœux pour nous faciliter la vie.

La « lune bleue » ou « lune du Grand Esprit »

Le Grand Esprit dont elle est
porteuse fera lever en nous un
grand pouvoir de construire,
d'ériger, de bâtir et de développer des projets, des idées, des
plans d'action ou des concepts
qui dureront dans le temps, et
qui nous apporteront le succès
et la réussite. Ces prises
d'action nous permettront dans
un même souffle de nous
refaire une santé
matérielle, amoureuse,
professionnelle,
artistique, d'affaires, politique,
physique,
psychologique
et spirituelle.

Rituel à faire le soir de l'apparition de la « lune du Grand Esprit »

Lorsqu'elle illuminera le ciel le soir du 31 juillet, assoyez-vous paisiblement devant elle en vous assurant d'avoir une feuille de papier sur vos genoux.

Plume à la main (si vous n'en avez pas à votre portée, un crayon fera l'affaire), imaginez que vous trempez le bout de votre plume (crayon) dans la lumière de la lune, en plein centre du grand cercle blanc que forme la « lune bleue », comme si elle était un encrier suspendu dans le ciel.

Inscrivez sur votre feuille votre vœu, votre désir ou ce qu'il vous tient vraiment à cœur d'obtenir. Si vous avez choisi d'utiliser une vraie plume pour faire ce rituel, rien ne s'inscrira sur votre feuille, bien évidemment. Le but de ce rituel est de vous amener à établir un contact avec cette puissante force. Mais plus encore, ce rituel a pour but ultime de vous inciter à écrire une « lettre de lumière au Grand Esprit » de manière symbolique.

Cette intention d'écrire ainsi une « lettre de lumière au Grand Esprit » fera en sorte que vous établirez un contact durant ces instants bénis, et que vous allez recevoir, durant le déroulement du rituel ou quelques heures ou jours après votre demande, des visions ou des rêves, des idées, des réponses, des inspirations soudaines qui émergeront de votre for intérieur ainsi que des prises de conscience puissantes, capables de vous faire réaliser votre vœu. Chose certaine, ce rituel va transformer votre vie ou vos perceptions concernant l'invisible à tout jamais.

Janvier

Climat général du mois

Votre priorité numéro un, ce mois-ci, doit être la sécurité au volant de votre voiture, de votre camion, lors du maniement d'une machine X, Y ou Z, ou lorsque vous pratiquerez un sport ou que vous vous déplacerez à pied. Malheureusement, des blessures sont susceptibles de se produire et l'une d'elles pourrait même vous clouer au lit pendant un petit bout de temps. Ainsi averti, vous pouvez prévenir au lieu de devoir guérir ! Un pavé ou un trottoir glacé devient une patinoire en un rien de temps; assurez-vous donc de marcher lentement pour vous rendre à votre voiture, à l'arrêt d'autobus ou au dépanneur du coin. De plus, les sorties sociales seront nombreuses et les rencontres entre amis aussi, alors évitez de dépasser la mesure acceptable d'alcool, sinon vous pourriez alors vous montrer arrogant et irrespectueux et ainsi vexer des sensibilités. Les regrets « n'excuseraient rien » et vous essuieriez certaines ruptures amicales ou relationnelles. Cela dit, vous pouvez être assuré de traverser ce mois dans une certaine liberté d'esprit tout en affichant un cœur joyeux.

Amour

Ce mois s'annonce riche en événements amoureux. Des occasions en or de faire une belle rencontre sentimentale vont se multiplier. De plus, des situations synchroniques (qui se produisent dans un même laps de temps) plutôt rigolotes et surprenantes vous obligeront à reconnaître que la vie, le destin ou vos anges gardiens ne vous ont pas abandonné et qu'ils usent de leur magie pour vous le démontrer clairement. Aussi, le besoin de liberté se conjugue mal avec l'attachement. Alors, si vous faites partie des Bélier qui se sont attachés à leur « vie de célibat », vous risquez d'être grandement perturbés par une rencontre amoureuse. Si vous formez un couple, évitez de prendre des décisions importantes concernant vos finances, d'acheter un bien immobilier ou d'entreprendre des rénovations à grande échelle, puisque Mercure se mettra à rétrograder autour du 20 janvier. Visitez, certes, préparez vos plans de rénovation, mais n'entreprenez rien de définitif.

Arts

Vous ne manquerez pas d'inspiration créatrice, ce mois-ci. Mais il se pourrait qu'un projet artistique ne soit pas encore prêt à se matérialiser, et vous souffrirez alors du syndrome « de la page blanche » ou d'un manque de motivation récurrent durant les premiers jours de ce mois. Ou bien, votre projet n'avancera pas vraiment parce qu'il vous manquera des informations cruciales ou une direction claire pour le développer. Un bailleur de fonds fera peut être machine arrière à cause d'une mauvaise gestion de ses propres finances et d'un manque à gagner. N'ayez crainte, un autre investisseur vous fera une proposition intéressante. Les secteurs de la télévision et de la publication seront favorisés. Vous pourriez vous démarquer au point de susciter l'intérêt des éditeurs, des réalisateurs et des diffuseurs.

Spiritualité

Vous expérimenterez prise de conscience sur prise de conscience et votre manière de penser ou de voir les gens, la vie ou la foi va se transformer du tout au tout. Ces percées lumineuses vous inciteront surtout à donner un nouveau sens à votre vie en général.

Carrière

Vos recherches pour trouver un emploi se solderont par des invitations à passer des entrevues ou des auditions, si vous êtes un artiste à la recherche d'un contrat de travail. Vous vous intéresserez à un nouveau sujet d'études ou de recherches et vous avancerez à un rythme lent mais régulier. Chaque pièce du puzzle se mettra en place tout naturellement et vous progresserez avec assurance pour faire évoluer votre projet, votre plan d'affaires ou votre recherche. En ce sens, vous vous montrerez efficace et déterminé. De plus, les négociants du signe du Bélier, les représentants, les gens d'affaires ou les prospecteurs vont briller et se démarquer dans leur sphère d'activité respective. Un nouveau travail serait aussi possible.

Argent

Vous vous montrerez plus conservateur concernant vos dépenses et investissements, ce qui est bien lorsque Mercure rétrograde.

Février

Climat général du mois

La folie des grandeurs s'attaquera à certains amis et vous n'arriverez pas à leur faire entendre raison. Un enfant cherchera à prouver sa valeur, à démontrer de quoi il est capable ou à attirer l'attention parce qu'il veut s'affirmer, se démarquer. Ne vous étonnez pas s'il se fait les dents et les griffes en vous défiant, puisque vous représentez à ses yeux la force, le mâle alpha ou le pouvoir féminin à battre ou à dominer. Il s'agit d'un test de passage pour ce jeune ego et vous allez devoir faire passer le vôtre en deuxième place ! Cela dit, vous allez attirer des gens qui font partie d'une autre culture. Ces personnes ont atteint un statut social élevé, et elles vous offriront tout naturellement leur appui. Étrangement, ces gens vous aideront même à résoudre un dilemme personnel. Vous apprendrez à composer avec leurs différences et leurs valeurs de manière plus constructive sans pour autant mettre de côté vos propres valeurs et particularités.

Amour

La belle planète Vénus se retrouvant en position de force, vous pourrez bénéficier de ses bienfaits et de ses chances. Entre autres choses, vous recevrez de bonnes nouvelles de la part de la personne qui partage votre vie. Toutefois, Mercure rétrogradera dans ce secteur important. Dans un tel cas, des tensions pourraient survenir à brûle-pourpoint et elles ébranleront la bonne entente familiale et amoureuse jusqu'au 11 février. Par ailleurs, la santé de votre partenaire pourrait s'améliorer grandement et, par effet de ricochet, favoriser son désir de rapprochement plus intime. Ou bien, une bonne mise en forme et une perte de poids significative auront le même effet sur votre douce moitié. Les célibataires du signe du Bélier dégageront une belle prestance, un charme fou et une grande confiance en eux et, dans ce domaine, ces qualités sont essentielles pour provoquer des rencontres et faire mouche.

Arts

De beaux imprévus feront bouger votre carrière artistique. Vous aurez peut-être la responsabilité de mener à bien la réalisation d'un film, d'un documentaire, d'un téléroman. Ou encore, vous allez mettre sur pied une pièce de théâtre, vous entamerez l'écriture d'un roman ou vous développerez des sketches humoristiques pour les besoins de votre propre spectacle ou de celui d'un autre humoriste ou comédien. En ce sens, le travail en équipe sera favorisé. Les relations vont-elles se retrouver à couteaux tirés par moments ? Oui, puisque Mercure rétrograde aime bien faire lever des mésententes et des malentendus. En revanche, si vous pouviez asseoir votre ego pour mieux accepter la critique, même si elle vous offusquait au premier abord, vous joueriez gagnant. Cette façon de vous comporter – baisser la garde de votre ego pour accueillir la critique – contrecarrerait les effets négatifs de Mercure rétrograde.

Spiritualité

La méditation vous aiderait à calmer le surplus d'énergie (une sorte de survoltage d'énergie) qui vous agite parfois le corps et l'esprit.

Carrière

Si vous subissez un ralentissement, c'est que Mercure est en pleine rétrogradation, et ce, jusqu'au 11 février approximativement. Ensuite, les gens d'affaires, représentants et commerçants du signe du Bélier concluront de bonnes affaires. Prenez surtout le temps de bien étudier les projets ou contrats de travail avant de vous lancer dans l'action. Vous pourriez faire l'erreur d'accepter un défi pour finalement réaliser que vous n'êtes pas heureux dans votre rôle, que vous avez fait un mauvais choix. Les collègues, associés, patrons et bras droits vous trouveront plus froid et distant, moins réceptif à leurs besoins. Aussi, vos répliques seront plus cassantes et vous ébranlerez des susceptibilités. Certains Bélier se tourneront vers un nouveau choix de carrière, ce mois-ci.

Argent

Vous constaterez une nette amélioration de vos revenus. Ou bien, des chèques ou des paiements en retard finiront par arriver et ils renfloueront votre bas de laine. Cela dit, un héritage ou un montant accordé par la cour ou par les assurances serait possible pour plusieurs Bélier et cet argent vous facilitera la vie.

Mars

Climat général du mois

Vous allez surmonter un complexe d'échec qui vous enlise dans un sentiment de revanche à prendre sur la vie. Un peu comme si vous entreteniez la sombre pensée que vous n'avez jamais été autorisé à montrer votre pleine valeur. Ou bien, vous perpétuez un sentiment d'injustice devant la réussite des autres qui, à vos yeux, ont eu plus de chance que vous à une certaine époque. En somme, vous allez faire la paix avec ce passé douloureux et qui continue de vous faire souffrir, étant donné que vous entretenez toujours ces pensées et ces croyances négatives. Quand le cœur se serre et que la frustration monte en soi, il y a fort à parier que la blessure est toujours là ! En fait, vous avez toujours agi en individu libre et goûté pleinement la liberté d'être. Ce qui n'est pas donné à tout le monde. Alors, pourquoi vous obligez-vous à supporter autant de regrets ? L'éclipse solaire qui se produira le 20 mars provoquera toutes ces prises de conscience. De plus, votre pouvoir d'action sera grand. Vos activités sociales, sportives ou professionnelles seront tellement plus agréables et plaisantes, ce mois-ci !

Amour

Un nouvel amour pourrait réveiller une vieille blessure affective et vous faire revendiquer un attachement exclusif de la part de l'être aimé, qui, bien sûr, réagira vivement. Vous devrez alors réviser vos positions ou revoir votre manière d'aimer. Cette blessure affective s'est développée durant l'enfance – vous vous êtes alors senti humilié, rejeté ou dévalorisé et vous doutez que quelqu'un puisse vous aimer vraiment – et le moment est tout à fait propice à la surmonter enfin. Ou bien, une insatisfaction profonde attise un violent désir de provoquer l'autre, de le contrôler, et vous devez apprendre à maîtriser cette violence si vous souhaitez que l'amour s'installe vraiment dans votre vie. La bonne nouvelle est que vous allez vous réconcilier avec vous-même et faire taire ces vieux démons qui n'ont plus leur raison d'être. Si rien de tout cela ne vous concerne, l'amour rayonnera sous le toit familial. Ou vous trouverez l'amour tout près de chez vous. Il pourrait s'agir d'un voisin qui, visiblement, vous fera savoir qu'il a le béguin pour vous ou d'une rencontre qui se produira à l'épicerie à deux pas de la maison.

Arts

Vous ne manquerez pas d'énergie pour faire avancer vos projets, idées ou concepts artistiques. Surtout, ne vous laissez pas décourager par un premier refus. Utilisez les critiques qui ont occasionné ce refus pour corriger le tir, puis revenez à la charge ! De plus, vous trouverez le courage de faire des choses que vous n'avez encore jamais faites ou touchées de près ou de loin. Un projet en particulier exigera une rigueur et un niveau de concentration hors du commun. Vous allez réussir ce tour de force et impressionner la galerie, cher Bélier.

Spiritualité

Vous mettrez l'accent sur vos amitiés et sur l'amour de votre vie. Les plus grandes transformations se produiront lorsque vous mettrez à profit les conseils suggérés dans la section intitulée *Climat général du mois*.

Carrière

Les relations de travail seront plus harmonieuses. Un patron qui se montrait d'ordinaire froid et calculateur se révélera plus ouvert. Un peu comme si sa position de pouvoir devenait moins importante à ses yeux. Si vous n'êtes pas satisfait des changements mis en place par un patron ou un décideur, vous aurez la chance de donner votre opinion, mais faites-le sans leur casser les oreilles ! Une discussion calme et franche ferait mieux l'affaire. Aussi, vous gaspillerez beaucoup de temps et d'énergie à essayer de régler des peccadilles au lieu de vous concentrer sur l'essentiel. Une perte de temps et de concentration pourrait occasionner des retards. Le but de l'astrologie est de vous aider à prévenir pour que vous n'ayez pas à subir des difficultés inutiles. Bref, si vous demeurez vigilant, vous passerez outre la prédiction !

Argent

Vous devez attendre autour de la nouvelle lune qui se produira le 20 mars pour constater une nette amélioration de vos finances ou de vos revenus. À ce sujet, vous pourrez décrocher un revenu supplémentaire qui vous permettra d'arrondir vos fins de mois.

Avril

Climat général du mois

Votre pouvoir d'action sera décuplé, ce mois-ci. Profitez bien de cette manne d'énergie porteuse et percutante pour faire avancer vos projets, vos idées ou vos plans de match. Surtout, ne vous laissez pas intimider par l'envergure des projets et des idées qui vous seront proposés. Une expérience de vie professionnelle, d'affaires, artistique, politique, amoureuse, familiale ou amicale vous transformera au point de faire de vous une bien meilleure personne. Vous verrez et comprendrez la vie avec plus d'acuité et de sensibilité parce que vous l'observerez sous ce nouvel éclairage. Vous devez cela à l'éclipse lunaire totale qui se produira le 4 avril. Les policiers, les détectives ou les agents doubles, secrets ou de liaison démantèleront un groupe de personnes qui baignent dans l'illégalité grâce à un coup de filet retentissant. Assurez-vous de dire les choses clairement pour ne pas laisser place aux interprétations nuisibles !

Amour

L'être aimé pourrait vous reprocher de ne pas gagner assez d'argent ou de ne pas contribuer suffisamment au bon fonctionnement de la maison. Ou bien, c'est vous qui lui mettrez sous le nez son manque à gagner. Sinon, l'être cher, ou un enfant (jeune adulte) peut-être, dépense sans compter et vous le rappelerez à l'ordre. Chose certaine, l'un comme l'autre allez devoir vous montrer prudent pour ne pas excéder votre capacité de remboursement et engendrer un tsunami dans votre compte en banque. Ou encore, vous souffrirez du manque de générosité de la personne qui partage votre vie ou d'un proche en particulier alors que vous le savez bien nanti. Une autre possibilité est que vous aimeriez vous marier et que votre douce moitié tarde à faire sa demande ou à donner son consentement. Autrement dit, ce qui est important à vos yeux ne veut rien dire pour votre partenaire, et vous rongez votre frein.

Arts

Vos connaissances serviront au plus haut point un projet d'écriture ou de recherche artistique. Ou bien, vous plongerez tête première dans un cours pour perfectionner, mieux comprendre et améliorer votre talent.

Vous pourriez même vous retrouver au sein d'un groupe de penseurs émérites qui aura pour objectif de transformer la vision de l'art dans la société. Un problème légal pourrait retarder la signature d'un contrat.

Spiritualité

Vous devrez lâcher prise pour ne plus reproduire les mêmes erreurs de parcours *ad vitam æternam*. Ou bien, votre vision du monde est appelée à changer considérablement. Vous chercherez à vous connecter aux guides et aux anges, bref aux énergies subtiles.

Carrière

Vous subirez un coup de cœur professionnel percutant. Vous embrasserez ce nouveau défi sans trop vous faire prier et déploierez une efficacité à tout casser pour respecter les dates de tombée, ou pour satisfaire les exigences de ce défi ou de ce nouveau travail. Au pire, un patron vous rendra la vie impossible parce que le moindre coup de vent le stressera. Certains Bélier pourraient perdre leur emploi, mais par la suite, un beau renouveau professionnel, artistique, d'affaires ou politique se produira et vous en retirerez des avantages sociaux et matériels intéressants. En fait, vous obtiendrez en mieux ce qui vous a été enlevé. Ou bien, vous allez recevoir une lettre de « mise à la retraite » soudaine. En fait, vous vous doutiez bien que cela devait arriver, mais le choc s'avérera tout de même difficile à encaisser.

Argent

Le salaire proposé par l'employeur déjà décrit dans la section *Carrière* risque de ne pas être à la hauteur de vos attentes. Vous devrez alors vous asseoir et bien réfléchir sur ce qui compte vraiment pour vous. Quelle valeur accordez-vous à ce travail ? Lui accordez-vous une valeur strictement matérielle ou recherchez-vous une satisfaction plus personnelle ? Ensuite, après avoir fait le point sur vos véritables besoins, pourquoi ne pas essayer de convaincre l'employeur en vantant vos mérites et la plus value que vous apporterez à son entreprise pour qu'il allonge plus d'argent ? Selon les astres, cette tactique a des chances de fonctionner. Au pire, il vous signera un papier stipulant que vous aurez droit à une bonne augmentation de salaire dans les mois à venir.

Mai

Climat général du mois

Mercure commencera une nouvelle rétrogradation dans votre neuvième secteur du zodiaque, celui du savoir et de la connaissance, des
études en général, des grands voyages et de la reconnaissance. Étant
donné qu'il rétrogradera, vous pourriez subir certains « reculs » ou devoir faire « machine arrière » dans l'un ou l'autre de ces secteurs importants. Le but de la rétrogradation de Mercure est d'obliger à un
moment d'arrêt nécessaire, qui permettra de réviser le tir, de faire le
point pour mieux repartir sur un pied neuf. Sauf que lorsque Mercure
impose un arrêt ou une marche arrière, une grande frustration monte
en soi et elle n'est jamais facile à gérer. Ainsi prévenu, vous comprendrez mieux ce qui vous arrive et pourquoi.

Dans un autre ordre d'idées, votre énergie sera à la hausse. Toutefois,
des conflits émergeront au sein de votre famille, ce qui vous impliquera.
Cette même prédiction pourrait aussi s'appliquer à un voisin, à un ami
ou à un collègue de travail. Vous vous identifierez fortement à vos idées
et à vos opinions; ainsi vos réactions provoqueront des flammèches.

Amour

En plus de ce que vous venez de lire au paragraphe sur le *Climat général du mois*, vous lutterez bec et ongles pour défendre et protéger vos
arguments, vos suggestions ou vos idées. Sauf que la réaction de vos
enfants, de vos proches ou de l'être aimé ne sera pas aussi réceptive et
chaleureuse que vous l'espériez, et vous resterez bouche bée devant
leur fermeture d'esprit. Mercure rétrograde excite les ego et fait lever
les boucliers. Cette dernière réponse devrait vous suffire pour vous éviter de tomber dans le piège. De plus, vous ne devriez pas dégager de
vos lettres, de vos communications écrites ou de vos courriels un ton
défiant ou réprobateur, même si vous utilisez des sous-entendus bien
songés; puisque « qui sème le vent récolte la tempête », des réponses
cinglantes se stockeraient dans votre courriel Web.

Arts

Ici aussi, dans ce secteur important, vous défendrez bec et ongles vos
idées et manières de voir les choses sans trop vous soucier des per-

sonnes impliquées. Elles ne réagiront pas sur le coup, elles feindront de vous écouter, puis elles n'agiront pas moins pour contrecarrer votre action. Ainsi prévenu, vous pouvez agir sur vous-même et calmer vos élans dominants. Lorsque vous sentirez la moutarde vous monter au nez ou surgir en vous le désir de convaincre à tout prix ou d'enlever de force les œillères de vos interlocuteurs, prenez une grande inspiration et obligez-vous à vous mettre sur le mode écoute. Vous éviterez ainsi de vous retrouver au cœur de conflits inutiles, de subir le rejet de vos pairs et, plutôt que de devenir l'ennemi à abattre, vous serez perçu comme l'ami protecteur et l'intelligence éclairée à garder absolument près de soi. Ces atouts sont indispensables pour la bonne marche de vos projets d'affaires ou artistiques.

Spiritualité

Vous constaterez clairement que vos actions vont parfois à l'encontre de vos intentions. Cette petite phrase de rien du tout mérite d'être méditée. Vous en retirerez de grands bienfaits.

Carrière

Vous pourriez décider de faire machine arrière et de reprendre un projet ou un travail depuis le début. C'est à ce niveau-là qu'agira Mercure rétrograde sur votre signe du zodiaque, ce mois-ci. En fait, vous prendrez conscience que les correctifs qu'il serait nécessaire d'apporter prendraient trop de temps à effectuer, et c'est pourquoi vous choisirez de recommencer à partir d'un canevas neuf. Plusieurs Bélier remettront en question le type d'études qu'ils ont choisi jusqu'ici. Ai-je choisi le bon métier ou le bon travail ? La bonne université ? La bonne formation ? La profession idéale pour moi ? Voilà des questions auxquelles Mercure vous obligera à répondre. Ou encore, vous allez recevoir une offre de travail à l'étranger.

Argent

Puisque Mercure va rétrograder, ce n'est pas un bon mois pour acheter des accessoires ou des appareils ménagers, des meubles ou autres sans avoir bien vérifié les tenants et les aboutissants de la garantie.

Juin

Climat général du mois

La nouvelle lune qui se produira le 16 juin sera porteuse d'intéressants changements professionnels, artistiques, d'affaires, politiques et amoureux. Donc, quel que soit le secteur dans lequel vous évoluez, il pourrait vous servir de tremplin pour rencontrer l'amour. Lorsque la planète Pluton s'oppose à la planète Mars, comme ce sera le cas ce mois-ci, j'invite les amateurs de sport extrême à faire montre d'une grande prudence. Il en irait de même si vous pratiquiez un sport pour la première fois ou si vous deviez plonger d'une hauteur à laquelle vous n'êtes pas habitué. Surtout, n'ignorez pas vos peurs pour prouver à vos amis l'ampleur de votre force alpha. Voyez qu'encore une fois l'astrologie est là pour vous prévenir, pour vous épargner des blessures inutiles juste pour satisfaire votre instinct casse-gueule, votre goût du risque ou pour faire lever en vous le sentiment de vous sentir vivant ! Chose certaine, vous refuserez catégoriquement de vous laisser tirer vers le bas par des événements passés ou de vous laisser enfermer dans une structure de vie amoureuse, familiale ou amicale qui ne vous convient pas ou plus.

Amour

Voici un mois magnifique en ce qui concerne l'amour ! L'harmonie sera au rendez-vous. Qui plus est, une femme que vous pourriez rencontrer autour du 18 juin vous présentera quelqu'un de bien. Vous allez la rencontrer au hasard d'un sport que vous pratiquez dans un gym, d'un cours de golf, de yoga, de Zumba ou autre, d'une soirée dansante ou d'un événement social agréable. L'été est tout proche et prometteur, alors goûtez bien les rayons chauds du soleil sur votre peau et la vue imprenable que vous offrirait une jolie balade à la campagne (si vous avez la chance d'aller y faire un tour). Ou bien, vous vous intéresserez, vous et l'être aimé, à un sport et vous vous y adonnerez avec passion et sérieux. Ces moments vécus à deux vous rapprocheront encore davantage. Vous promener main dans la main ferait tout aussi bien l'affaire, puisque l'amour sera au rendez-vous !

Arts

Vous allez tellement mieux affirmer votre créativité, ce mois-ci. Aussi, vous expérimenterez de nouvelles manières de créer, de développer ou de mener à bien vos projets, vos idées, vos concepts. Vous serez tout à fait en mesure de prendre le pouls de votre talent, de vérifier ses limites ou de voir clairement où se trouvent les limites de vos collaborateurs et associés. En somme, quel que soit le métier d'art dans lequel vous évoluez, vous allez vous démarquer et faire sensation auprès du grand public. Cela dit, vous devez cesser de vous torturer l'esprit pour atteindre LA perfection, bref, l'œuvre parfaite, la création parfaite. Ce désir ardent bloque vos élans créatifs et vous finissez par vous décourager et par laisser tout en plan. N'hésitez pas à passer des auditions, à faire appel à votre réseau pour donner rendez-vous aux personnes susceptibles de vous offrir du boulot.

Spiritualité

Vous aurez la capacité de plonger dans les aspects les plus cachés de votre moi intérieur. Vous redécouvrirez vos qualités et vos talents sous un nouveau jour. Vos visualisations ouvriront votre esprit. Elles vous apporteront des enseignements, ce qui n'est pas rien !

Carrière

Vous éprouverez beaucoup de fierté pour votre travail, pour les projets que vous mènerez à bon port. Une nouvelle activité vous permettra de démontrer votre envergure, les différentes facettes de votre intelligence et de votre débrouillardise. Cela ne vous empêchera pas d'aider les autres, de tout mettre en œuvre pour vous sentir utile, mais le désir de briller sera tout aussi présent et il n'y a rien de mal là-dedans. Cela dit, si vous n'avez pas encore trouvé un travail à la hauteur de vos talents, vous pourriez bien le dénicher ce mois-ci.

Argent

Votre gestion financière sera effectuée pile-poil. Surtout, vous allez faire des achats intelligents et à prix d'ami. Ces économies vous permettront de vous offrir un peu plus de luxe – une fin de semaine à vous faire dorloter dans un spa, la location d'un chalet sis sur le bord de l'eau pendant une semaine, un mois ou durant tout l'été, selon votre budget.

Juillet

Climat général du mois

Il va se produire deux pleines lunes ce mois-ci : une première aura lieu le 2 juillet et une deuxième le 31 juillet. Cette dernière est la plus puissante d'entre toutes – elle est aussi appelée « lune bleue » et les Amérindiens la considèrent comme sacrée. Vous trouverez les informations pertinentes ainsi que les étapes d'un rituel pour activer la toute-puissance du Grand Esprit dans les pages qui suivent vos prédictions pour l'année 2015, sous la rubrique *Alerte astrale importante pour le mois de juillet 2015*.

Dans un autre ordre d'idées, vous vous sentirez plus responsable du bonheur de vos proches. Toutefois, prenez en considération cette remarque plutôt récurrente de ma part : vous pouvez amener un cheval jusqu'à la rivière, mais vous ne pourrez pas le forcer à boire ! Chacun est responsable de son bien-être. Quoi qu'il en soit, plusieurs Bélier dans le milieu artistique ou qui endossent le rôle de gens d'affaires ou de promoteurs pourront compter sur l'appui inconditionnel du grand public. C'est tout dire !

Amour

Si, malheureusement, vous vivez un divorce ou une séparation difficile et que rien ne va plus, que la communication est désormais rompue ou que vous n'arriviez plus à vous entendre, vous devrez déployer tout un arsenal de stratégies judiciaires. Ou bien, vous allez devoir faire un compromis. Si rien de tout cela ne vous arrive en ce moment, sachez que la planète Jupiter va transiter dans votre secteur des amours et qu'elle occasionnera des sorties, des rencontres intéressantes et qui sortiront de l'ordinaire. Avec Jupiter, les événements se révèlent toujours plus grands que nature. Alors, tenez-vous prêt, puisque vous allez vivre des moments magiques ce mois-ci. De plus, vous allez prendre le risque de connecter avec les autres, de vous avancer vers eux pour leur serrer la main. Chemin faisant, vous allez trouver l'affection et l'amour que vous désirez.

Arts

Vous pourriez avoir le sentiment, au cours de ce mois important, de ne pas vous sentir à la hauteur. Cela n'empêchera pas vos grandes capacités créatrices de s'exprimer à travers une œuvre nouvelle, et que vous mènerez à bien, soit dit en passant. Plus que jamais, vous vous mettrez sur le mode « réalisation », qui se traduit par un fort désir de respecter une procédure qui a fait ses preuves, par une volonté de bien faire qui s'axe sur la réussite. Vous serez aussi très sûr de vos opinions et de vos attitudes, ce qui risque d'entraîner beaucoup de difficultés lorsque vous aurez à travailler en équipe. Il serait dans votre intérêt de ne pas résister devant un blocage, mais de plutôt lâcher prise.

Spiritualité

En cas de panne d'inspiration ou si vous vous retrouviez le moral à plat quelque part durant le déroulement du mois, vous seriez en mesure de vous remettre sur pied en utilisant des techniques de méditation ou de visualisation active.

Carrière

Autour du 18 juillet, vous commencerez à éprouver plus de plaisir à travailler, à développer de nouveaux projets ou des plans d'action ou d'affaires. Une opposition soudaine impliquant un patron serait possible. Vous n'apprécierez pas son approche ou sa manière de gérer un projet, un contrat ou l'équipe de travail. Vous lui reprocherez surtout de ne pas être capable de reconnaître les efforts des gens qui le secondent et l'appuient sans compter. Ou bien, il fera passer ses ambitions personnelles avant tout et vous ne serez pas dupe. Vous êtes invité à ne pas réagir trop vivement. Un détachement s'impose, puisque vous risquez de vous faire plus de tort que de bien en l'affrontant ou en soulevant ce qui vous dérange. Montrez-vous plutôt fin stratège et attendez le bon moment pour faire valoir vos insatisfactions.

Argent

Étant donné que vous serez très sollicité et invité un peu partout, car votre secteur social sera réactivé, vous sentirez fortement le besoin d'acheter des vêtements plus à la mode, de prendre un rendez-vous chez le coiffeur, la couturière, l'esthéticienne, et tout cela a un prix. Vos dépenses dépasseront largement les montants que vous vous étiez fixés, mais au bout du compte vous vous sentirez revalorisé et plus épanoui.

Août

Climat général du mois

Voici un mois qui a beaucoup à vous offrir. Entre autres, vous serez porté par une nouvelle énergie d'action qui vous permettra de prendre les choses en main et de régler des problèmes avec une facilité désarmante. Des problèmes liés à l'infertilité pourraient vous obliger à prendre les grands moyens et à consulter un spécialiste en la matière; une rencontre qui vous redonnera des ailes, puisqu'elle vous permettra d'espérer remédier au problème. Si ce désir d'enfantement ne vous concerne pas, un de vos enfants ou un proche se réfugiera dans une sorte de mutisme, préférant garder ses ennuis enfouis en lui-même. Vous n'aurez pas d'autre choix que de lui soutirer des informations au compte-goutte.

Dans un autre ordre d'idées, vous serez en mesure d'analyser dans leurs moindres détails des situations, des projets, des propositions d'affaires ou de travail qui paraîtraient insignifiants à d'autres personnes.

Amour

Ce mois d'août vous obligera à subir une limitation amoureuse. En fait, même si vous aimeriez agir dans l'immédiat pour faire bouger les choses, vous vous retrouverez sur le mode « pause ». Peut-être qu'une négociation entre vous et un ex-conjoint n'apportera pas les résultats que vous escomptiez. Sans pour autant remettre en question l'évolution globale de votre devenir à tous les deux, vous allez devoir prendre une décision finale. Sinon, la susceptibilité de votre partenaire amoureux fera en sorte que vous aurez souvent l'impression de marcher dans un champ de mines. Puis, vous pourrez enfin tirer cette situation au clair et renouer pour repartir à neuf. Ce qui compte ici est que l'amour renaîtra et que tous les espoirs seront permis. Certains célibataires vont faire une rencontre amoureuse importante et marquante ce mois-ci.

Arts

Un projet artistique vous sera offert sur un plateau d'argent. Sauf que sa longue durée nécessitera une réorganisation bien en règle de votre emploi du temps. Aussi, vous serez tenu de résoudre des problèmes techniques de taille, mais vous vous en sortirez très bien. Vous prendrez très au sérieux votre travail, ne laissant rien au hasard. Peut-être même serez-vous un peu trop minutieux, pointilleux et exigeant, ce qui pourrait occasionner énormément de retard qu'il vous sera difficile de rattraper. Ou bien, une longue et trop profonde réflexion sur les différentes facettes d'un nouveau projet aura pour effet de bloquer sa mise en action. Ainsi prévenu, vous serez en mesure d'agir comme il se doit pour vous éviter ce genre de complications.

Spiritualité

Vous serez particulièrement apte à des recherches mystiques ou concernant des connaissances secrètes, mystérieuses, occultes.

Carrière

Le secteur social sera dynamisé, ce mois-ci. Vous signerez des contrats importants. Dans un même souffle, vous allez devoir faire preuve de diplomatie et de sens pratique pour mener à bien vos médiations, vos discussions d'affaires ou lorsque vous déciderez de vous lancer dans de nouvelles activités. Vos talents de négociateur feront souvent pencher la balance de votre côté. Vos arguments seront convaincants, ce qui fera de vous un rassembleur, un grand meneur d'hommes ou de projets. Vous ne manquerez pas de curiosité, de confiance en vous ni de moyens d'expression. Vous jonglerez avec de nouvelles idées. Vous aurez à cœur de faire bouger les choses. Qui plus est, la planète Vénus qui transite dans votre premier secteur sera secondée par la planète Uranus, et elles vous pousseront à communiquer, à échanger et à traiter de multiples informations parce que vous vous positionnerez comme un lien stratégique où toutes les correspondances convergeront.

Argent

Un accroissement de vos finances vous réjouira. Sinon, vous vous sentirez en pleine possession de vos moyens financiers, vous aurez l'assurance d'un meilleur salaire ou vous dénicherez une nouvelle source de revenus qui vous permettra de respirer un peu mieux.

Septembre

Climat général du mois

Mercure commencera sa troisième rétrogradation dans le signe de la Vierge, selon l'astronomie, à partir du 17 septembre approximativement. Vous vous promènerez d'un état émotionnel à un autre en un rien de temps. Autrement dit, souvent, vous ne serez pas à prendre avec des pincettes. Le mieux serait que vous vous retiriez lorsque vous sentirez venir les confrontations et les prises de bec. Foncez plutôt vous entraîner au gym, lancez-vous à corps perdu dans un sport tel que la course à pied ou la boxe. Le 13 septembre, il se produira une éclipse solaire et le 28 septembre, une éclipse lunaire. Ces éclipses vous rendront nostalgique – vous revisiterez souvent votre enfance en pensée, affligé d'une certaine tristesse ou mélancolie. Par exemple, vous pourriez être invité à un souper familial chez un ami, y être subitement submergé par des souvenirs d'antan et ne pas pouvoir retenir vos larmes. Sachez que rien de tout cela n'est dramatique, si ce n'est que vous vous retrouverez triste le temps d'un souvenir ! Aussi, vous serez susceptible d'expérimenter une grande gamme d'excès en tous genres allant de la nourriture à la boisson, en passant par des abus de drogue et de sexe.

Amour

Par la force des choses ou de certains événements, vous n'aurez pas d'autres choix que de reconnaître votre besoin de sécurité affective. Votre partenaire aura beau faire, beau dire, il n'arrivera que très difficilement à vous convaincre de ses intentions sincères, de son amour, de sa fidélité. Vous allez donc devoir régler ce besoin d'être sans cesse rassuré en analysant vos appréhensions profondes.

Dans un autre ordre d'idées, le destin vous donnera un sérieux coup de main amoureux; certains célibataires peuvent espérer faire une rencontre sentimentale significative. Du moins, vous ne passerez pas inaperçu et, ce faisant, vos chances de rencontrer quelqu'un de bien vont quintupler !

Arts

Vous appréhenderez un nouveau projet artistique alors que vous avez tous les outils et le talent nécessaire pour bien le mener à terme. En somme, vous douterez de vous plus facilement et pour d'anodines raisons, ce qui est très Mercure rétrograde. Par exemple, un commentaire que vous prendrez d'une manière très personnelle pourrait vous faire reculer, ou l'impression de ne pas être à la hauteur (ce qui n'a rien à voir avec la réalité, bien évidemment) pourrait vous déconnecter du travail à accomplir.

Spiritualité

Lorsque vous perdrez confiance en vos moyens, ramenez-vous dans le « ici et maintenant ». En fait, plus vous perdrez votre temps dans le futur et dans le passé, plus vous éprouverez des difficultés à passer à l'action.

Carrière

Vous devrez vérifier, expérimenter, bref, mettre à l'épreuve la valeur d'un projet, d'une nouvelle méthode de travail ou d'une idée. Heureusement, des éclairages neufs provenant de plusieurs personnes, par des échanges d'informations, vous permettront de gagner un temps fou. Un peu comme pour Mylène Paquette, qui a fait la traversée de l'Atlantique à la rame d'ouest en est en solitaire, chaque coup de rame que vous donnerez vous rapprochera de vos buts et de vos objectifs; vous reprendrez confiance et vous sentirez votre embarcation filer à bonne allure. Vous ne manquerez pas de détermination, mais vous allez souvent vous retrouver seul à ramer ! Chemin faisant, vous serez porté à déverser un trop-plein d'agressivité sur un peu tout le monde. En période d'éclipse, les étoiles conseillent vivement de se défouler ailleurs que sur le dos des autres. Vous auriez tout intérêt à trouver une autre échappatoire; il en va de votre mieux-être professionnel !

Argent

Votre situation matérielle sera plutôt florissante. Il vous arrivera même d'avoir l'embarras du choix. De deux choses l'une : ou bien vous trouverez un autre lieu de résidence, ou bien vous recevrez une avance de fonds pour rénover le vôtre ou en construire un neuf. Vous réglerez un problème d'assurance maladie, maison ou autre. Il se pourrait même que le chèque ne vous parvienne pas et pour mille raisons rocambolesques possibles. Armez-vous de patience !

Octobre

Climat général du mois

Même si Mercure continuera de rétrograder jusqu'au 11 octobre approximativement, il n'agira pas aussi fortement que le mois passé sur vos humeurs ou il n'atténuera plus votre joie de vivre. Au contraire, votre bel appétit de vivre reviendra et vous aurez beaucoup de choses à partager avec vos amis, l'être aimé et vos proches. Vous renouerez avec votre confiance et vous serez capable d'influencer positivement les autres, de leur apporter un éclairage stupéfiant, inspiré et motivant. En somme, vous allez briller de tous vos feux de Bélier. D'entre tous, vous croirez fermement à la possibilité de vaincre même si tout semble perdu. De plus, de nombreux rassemblements amicaux ou familiaux animeront votre foyer. Votre résidence pourrait aussi devenir un lieu de rencontres professionnelles, artistiques, d'affaires ou politiques. Mercure rétrograde nous pousse à rencontrer des proches, des amis ou un ex-conjoint en secret, à l'abri des regards indiscrets et du manque de jugement de certains. Par ailleurs, sortez vos valises du placard, vous pourriez devoir vous préparer à partir en voyage à la toute dernière minute. Ce départ imprévu occasionnera une rafale de courriels à envoyer ou auxquels répondre, d'appels téléphoniques à faire, de papiers à remplir ou à signer...

Amour

L'amour sourira à plusieurs Bélier ce mois-ci. Vous amorcerez un changement d'attitude amoureuse qui engendrera un sérieux rapprochement. Sinon, un nouvel amour agira comme un agent d'ouverture intérieure et de prises de conscience. Bref, vous vous comporterez autrement, différemment. Force est d'admettre qu'il n'est jamais facile d'être mis en contact avec certaines vérités, mais après coup, pourtant, ce même éclairage illumine et rend la vie tellement plus belle ! Cela dit, vous pourriez décider de vous engager formellement avec la personne élue de votre cœur en lui demandant sa main. Vous mettrez l'accent sur l'importance de la communication et des échanges entre vous deux afin de créer des rapprochements.

Arts

Vous pourriez recevoir une offre artistique épatante. Sur le coup, vous ne réaliserez pas vraiment votre chance. Vous impressionnerez un VIP juste en laissant parler votre talent et votre vision artistique. Dans un même élan, cette importante personnalité du monde artistique pourrait vous offrir un bonus, une commission, un premier dépôt ou une avance qui vous permettra de créer la tête tranquille. En tant qu'agent artistique, vous pourriez mettre sous contrat une personne exceptionnelle.

Spiritualité

Vous visiterez un proche à l'hôpital. Sinon, la maladie le tiendra cloîtré entre les quatre murs de sa maison et c'est vous qui lui servirez d'intermédiaire avec le reste du monde. Si tel est le cas, ce « don de soi » vous sera rendu au centuple !

Carrière

En tant que travailleur autonome, vous cogiterez de nouvelles idées ou vous développerez de nouveaux services à offrir à vos clients. Sinon, vous brasserez vos méninges afin de trouver l'idée qui fera toute la différence et qui vous assurera de prendre les devants par rapport à vos compétiteurs. Vous serez la personne-ressource par excellence. Vous n'hésiterez pas à prendre avantage de votre situation professionnelle, artistique ou d'affaires en proposant des idées ou des projets qui non seulement vous tiennent à cœur, mais qui pourront tenir la route pour des années à venir. Vous détesterez la dispersion et les futilités. Vous pourriez vous tourner vers l'enseignement ou embrasser une nouvelle carrière touchant la formation dans le domaine du développement personnel.

Argent

Ce mois promet de vous apporter l'argent ou le fonds de roulement matériel tant espéré. Vous trouverez mille façons de combler vos manques à gagner. Par exemple, vous lancerez de nouveaux projets, les gens s'intéresseront à ce que vous avez à offrir ou même vous trouverez une source de revenus supplémentaire et bienvenue.

Novembre

Climat général du mois

Vous aurez une puissance de feu importante et vous mettrez de l'avant des projets qui vous propulseront vers le succès et la réussite. Aussi, vous défendrez vos amis avec une fermeté époustouflante. Vous trouverez votre groupe d'appartenance, ce qui n'est pas rien. Vous emploierez tout votre charme pour nouer de nouvelles amitiés et vous le ferez avec une facilité désarmante. Vous allez plaire grâce à votre attitude agréable, sympathique, charmante, et vous sentirez que les autres vous font de la place, qu'ils apprécient vraiment votre présence. Durant le déroulement de ce mois, vous recevrez de nombreuses invitations. Votre secteur social atteindra sa pleine floraison autour du 17 ou 18 novembre.

Amour

De nouvelles rencontres sociales peuvent avoir un lien direct avec le travail. Par exemple, vous pourriez rencontrer l'amour lors du déroulement d'un 5 à 7 ou d'une soirée organisée par l'entreprise au centreville. Ces mêmes sorties en société vous permettront de rencontrer des gens au courant de nouveaux développements, et les échanges d'informations seront cruciaux pour la bonne marche de votre carrière ou de vos affaires. Ou bien, l'être aimé vous redécouvrira et vous pourrez roucouler des jours heureux ensemble ! De petits déplacements ou un grand voyage pourraient vous faire prendre la clé des champs d'une manière très spontanée. Ce qui mettra un peu de piquant dans votre vie à deux.

Arts

Vous rencontrerez possiblement un agent qui reconnaîtra votre potentiel en plus de vous donner une première chance. De plus, vous ne manquerez pas de fougue ni d'énergie pour créer les mouvements de changement que vous aimeriez mettre de l'avant. Sinon, vous pouvez être assuré que de beaux développements vont donner une nouvelle orientation à votre vie artistique ! L'achat d'un téléphone intelligent plus performant ou d'un nouvel équipement informatique améliorera la qualité de vos communications avec le monde extérieur. D'autant plus que vous serez plus facile à rejoindre, ce qui facilitera les ententes d'affaires possibles.

Dans un autre ordre d'idées, vous déciderez peut-être de suivre des cours d'écriture, de lancer un journal ou de mettre sur pied un projet Internet. Tous les espoirs sont maintenant permis, parce que la planète Vénus vous apportera un élan artistique exceptionnel qui vous permettra d'incarner vos idées, projets ou plans d'affaires artistiques.

Spiritualité

Vous pourriez décider de faire du bénévolat pour la première fois de votre vie ou encore d'agir au sein d'un groupe spirituel ou humanitaire. Tentez des techniques de méditation pour entrer en contact avec votre intuition, votre petite voix intérieure.

Carrière

Les événements surgiront de nulle part et ils se produiront avec une telle rapidité que vous n'aurez pas le temps de les voir venir. Préparez-vous à toutes les éventualités parce que ça va bouger au travail ! Vous devez cela à la planète Uranus, qui vous obligera à anticiper et à agir de façon à parer les « aux cas où » ! Dans un même ordre d'idées, prenez le temps de réactualiser votre curriculum vitæ. Voyez cela comme une chance de mettre à jour vos nouvelles compétences et de vous connecter au genre de travail que vous aimeriez effectuer dans les années à venir. Vous serez plein de ressources. Le partenaire d'affaires ou l'associé se mettra spécialement à votre écoute, ce mois-ci. À tout le moins, vous pourriez former une association d'affaires du tonnerre qui s'avérera très profitable. Cette période est propice à l'incorporation d'une entreprise ou pour trouver un travail au sein d'une corporation.

Argent

Plus le mois avancera, plus vous sentirez une certaine pression matérielle se relâcher. Par exemple, vous pourriez décider de réduire vos dépenses, et cet argent remboursera votre carte de crédit et diminuera significativement les intérêts. Vous comprenez que, faute d'avoir tout l'argent voulu, vous pouvez vous offrir un plan d'épargne intelligent.

Décembre

Climat général du mois

Une belle récompense vous sera remise en main propre. Il peut s'agir d'une reconnaissance pour votre dévouement au sein de l'entreprise, d'une fête accompagnée d'un cadeau significatif qui marquera vos trente ans de métier ou de carrière, d'un montant d'argent soulignant vos records de vente ou encore d'une étoile à votre nom sur le trottoir des célébrités. Bref, tout est possible !

Dans un autre ordre d'idées, vous laisserez émerger une ou plusieurs facettes de votre personnalité et que peu de gens connaissent. Par exemple, votre côté volontaire, sauvage ou hors-la-loi. La famille et la maison donneront lieu à des préparatifs joyeux et à différentes planifications, puisque le mois de décembre annonce les préparatifs du temps des fêtes. À n'en pas douter, vous serez très occupé à organiser vos réceptions. Rien de bien négatif n'est à prévoir de ce côté-là, car joies et heureux partages seront au rendez-vous. Vos partys feront parler d'eux...

Amour

Vous allez reconsidérer complètement votre conception de l'amour. Peut-être que vous avez cherché en vain l'amour et l'admiration des autres et que vous n'avez récolté que du vent ? De toute évidence, vous ne supporterez pas les reproches de l'être aimé. Ou bien, vous ne vous gênerez pas pour lui mettre sur le nez votre mécontentement. Sinon, vous vous exprimerez avec beaucoup d'aisance et d'habileté. Le secteur professionnel de votre douce moitié pourrait être bousculé, mais pas pour bien longtemps. De bonnes nouvelles lui parviendront d'ici peu concernant un nouveau travail. Bref, la vie de l'être cher passera progressivement du négatif au positif. Par ailleurs, l'hospitalisation d'un proche pourrait modifier votre emploi du temps. L'entourage familial se trouvera toujours de bonnes raisons pour ne pas être là et vous réagirez vivement.

Arts

Vous allez créer et développer de nouveaux projets et votre créativité sera puissante. En récompense de vos efforts passés et de tous vos sacrifices, la vie vous enverra des ouvertures stimulantes. Vous pourriez même recevoir un prix, être récipiendaire d'un trophée, marque de reconnaissance pour une partie ou pour l'ensemble de votre œuvre. Sinon, ne craignez pas d'incarner autrement vos œuvres, vos personnages ou vos récits littéraires. En agissant de la sorte, vous augmenterez considérablement vos chances de réussite et de succès.

Spiritualité

Vous avez la chance d'avoir une belle ouverture spirituelle, parce que vous avez gagné vos connaissances chèrement... La loi du juste retour vous a fait récolter ce que vous avez semé jusqu'ici.

Carrière

Quel beau mois pour lancer une campagne de publicité, pour générer de nouveaux revenus, pour créer et mettre en ligne un site Internet ! Des portes qui s'étaient refermées ou que vous n'arriviez pas à ouvrir vont maintenant se déverrouiller pour vous laisser entrer. Vous serez donc en mesure de présenter vos projets aux bonnes personnes et, dans un même souffle, vous allez recevoir leur appui. Sans contredit, votre débrouillardise ne passera pas inaperçue et elle pourrait vous propulser en un rien de temps aux commandes d'un nouveau défi professionnel à relever. Vous recevrez une belle marque d'appréciation d'un patron qui reconnaîtra vos efforts passés et présents en soulignant avec un certain éclat votre travail. Cela dit, vous ne serez pas à l'abri de quelques adversités pour autant. Le bonheur des uns suscite souvent l'envie chez les autres ! Donc, un collègue pourrait se montrer arrogant et de mauvaise foi à votre endroit.

Argent

Si vous caressez le projet de prendre votre retraite ou si vous souhaitez atteindre un objectif financier bien précis dans le but de vous libérer d'une situation matérielle précaire, la vie pourrait vous l'offrir sur un plateau d'argent. Sinon, vous aurez suffisamment de chance pour faire de vos rêves une réalité, ce qui n'est pas donné à tout le monde. Bien sûr, tout cela parle de votre investissement passé et présent, des efforts que vous avez déployés pour arriver à vos fins et de la récompense qui vous revient de plein droit.

TAUREAU

DU 21 AVRIL AU 20 MAI

Ses couleurs préférées : Le vert et le rose saumon.

Ses métaux : Le cuivre, aussi appelé le « métal rouge ».

Ses pierres de naissance : L'émeraude et la tourmaline (rubellite) arborant différentes teintes de rose (à cause de sa planète maîtresse qui est Vénus).

Ce que ces pierres symbolisent : Selon les anciennes écritures, « l'émeraude est promesse de bonne chance, et cette pierre renforce le bien-être ». Le vert de l'émeraude représente symboliquement la nature qui s'éveille et s'habille de différents coloris de vert. Le Taureau, lorsqu'il porte une émeraude, connecte avec cette énergie de bien-être, d'abondance et de chance. La rubellite, ou tourmaline rose, attirera quant à elle l'amour dans la vie du Taureau ou, selon le cas, elle purifiera ses peines de cœur et permettra un renouveau sentimental

Les différents aspects de sa personnalité

Le Taureau est immensément persévérant et déterminé. Il ne relâchera pas ses efforts même si les autres baissent les bras. Son grand besoin de sécurité financière lui crée bien des angoisses, certes, mais il réussira à force d'efforts à accumuler l'argent qui lui garantira une vieillesse à l'abri du besoin. Ses qualités et défauts les plus connus sont l'acharnement, l'obstination, l'opiniâtreté, l'entêtement et la ténacité.

Tout comme l'animal qui le représente, sa musculature est solide et, plus symboliquement, il traîne de lourds fardeaux sur ses épaules ou sur son cœur.

Sous des dehors tranquilles sommeille un être passionné. Il n'aime pas tellement le changement, mais si la vie lui imposait une transformation majeure, il affronterait cette épreuve sans broncher. Cet être réfléchi ne se précipite pas, jamais, et c'est la raison pour laquelle bien des astrologues prétendent qu'il est lent à réagir. Ce qui n'est pas exactement la vérité. Le Taureau pèse le pour et le contre, retourne le problème dans tous les sens avant de passer à l'acte, d'agir ou de se commettre.

Les amours du Taureau ne sont jamais si faciles, puisqu'il a une forte tendance à rechercher la solitude et à se refermer sur lui-même. Ainsi, son partenaire de vie, son amoureux ou amoureuse n'est pas long à se sentir mis à l'écart. Ce mur qu'il élève, même si c'est inconscient, entre lui et les autres l'isole ou l'empêche de nouer des liens profonds. Vénus, la planète de l'amour, veille sur le signe du Taureau, qui éprouve un vif besoin d'aimer et de se sentir aimé. De plus, ses besoins affectifs et sexuels sont nombreux, et l'être aimé ne répond pas toujours à ses attentes amoureuses, sensuelles ou sexuelles. Oublier un affront lui est très difficile et la rancœur fait partie des fardeaux qu'il traînera tant qu'il n'apprendra pas à pardonner.

Votre compatibilité avec les autres signes

Avec le Capricorne, vous formerez une équipe du tonnerre et vos affinités sexuelles vous porteront jusqu'au septième ciel ! Les Poissons vous amèneront à plonger dans un univers sensuel et rempli de mystères, mais c'est l'amitié qui l'emportera. De deux choses l'une avec le Bélier, ou bien vous vous entendrez comme larrons en foire ou ce sera la déclaration de guerre ! Vous aimerez papillonner avec les Gémeaux et vous rirez beaucoup ensemble, mais sans plus. Il se produira une explosion de votre sexualité réciproque en compagnie du Scorpion. Mais c'est avec le Lion et la Vierge que vous aurez toutes les chances de vivre un grand bonheur. Vous expérimenterez des moments inoubliables avec la Balance : une rencontre karmique qui laissera des traces et vous métamorphosera.

Quelques Taureau célèbres

Roy Dupuis, Jessica Alba, Kristen Dunst, David Beckham, George Clooney, Adèle, Patrick Bruel, Kelly Clarkson, Renée Zellweger, Ariane Moffatt, Uma Thurman, Cate Blanchett, Janet Jackson, Ginette Reno, Barbra Streisand.

L'année 2015 en général

Vous vous commettrez en amour, cette année. Effectivement, votre secteur amoureux sera dynamisé et une nouvelle relation se développera au grand jour. Si vous souhaitez avoir un enfant, l'année 2015 s'annonce formidable pour réaliser ce beau rêve. Un peu comme si la vie vous envoyait le message que votre temps est maintenant venu de trouver l'amour et de mettre votre vie en action dans ce domaine. Pour d'autres Taureau qui en sont à leur deuxième, troisième ou quatrième relation amoureuse importante, vous pourrez enfin compter vos chances, puisque le destin n'a pas encore dit son dernier mot. Ce personnage pourrait être un peu plus âgé, prospère et très bien établi dans la vie. Cet amour se présentera au moment le plus opportun. Ou bien, l'être aimé, votre douce moitié, profitera d'une nette amélioration de son statut social, financier, professionnel, artistique, d'affaires ou politique et vous bénéficierez des retombées de ce succès. Plusieurs Taureau convoleront en justes noces.

Sur un plan plus personnel et psychologique, vous allez surmonter un problème émotionnel important. Il peut s'agir d'une trop grande sensibilité et d'une vision de la vie négative qui vous découragent et vous rendent anxieux.

Vous explorerez de nouvelles avenues et dépasserez vos propres limites parce que vous vous donnerez à fond dans votre travail ou dans de nouveaux projets ou plans d'action. La sphère sociale sera fortement favorisée, et vous allez serrer la main de personnes influentes et qui pourraient vous donner accès à des postes prestigieux. Assurément, vous connaîtrez une belle reconnaissance professionnelle, artistique, d'affaires et politique. Donc, une élévation sociale vous permettra de resplendir, de développer de nouveaux projets grands et petits, et de tirer votre épingle du jeu. Certains Taureau pourraient même s'investir dans une cause humanitaire avec une détermination sans borne.

Bonne et heureuse année 2015, chers Taureau !

Alerte astrale importante pour le mois de juillet 2015

Il va se produire deux pleines lunes durant le mois de juillet. La première aura lieu le 2 juillet et l'autre le 31. La pleine lune du 31 juillet est aussi appelée « lune bleue » et les Amérindiens la vénèrent pour ses forces mystiques et magiques sacrées.

Quelques explications importantes

Le *Farmer's Almanac* est un almanach nord-américain datant du début du XIXe siècle. La définition qu'il donne de la « lune bleue » est la suivante : « Elle se produit lorsque la pleine lune apparaît deux fois dans un même mois. Ces pleines lunes reviennent toutes les 2,6 années, soit une année sur trois approximativement. »

Quelles sont les forces magiques de la « lune bleue » ?

Symbolisme : aussi appelée la « lune du Grand Esprit », la « lune bleue » permet d'entrer en contact avec des forces toutes-puissantes qui nous accompagneront et nous protégeront. Cette « lune bleue » a aussi le pouvoir de matérialiser nos vœux pour nous faciliter la vie.

La « lune bleue » ou « lune du Grand Esprit »

Le Grand Esprit dont elle est porteuse fera lever en nous un grand pouvoir de construire, d'ériger, de bâtir et de développer des projets, des idées, des plans d'action ou des concepts qui dureront dans le temps, et qui nous apporteront le succès et la réussite. Ces prises d'action nous permettront dans un même souffle de nous refaire une santé matérielle, amoureuse, professionnelle, artistique, d'affaires, politique, physique, psychologique et spirituelle.

Rituel à faire le soir de l'apparition de la « lune du Grand Esprit »

Lorsqu'elle illuminera le ciel le soir du 31 juillet, assoyez-vous paisiblement devant elle en vous assurant d'avoir une feuille de papier sur vos genoux.

Plume à la main (si vous n'en avez pas à votre portée, un crayon fera l'affaire), imaginez que vous trempez le bout de votre plume (crayon) dans la lumière de la lune, en plein centre du grand cercle blanc que forme la « lune bleue », comme si elle était un encrier suspendu dans le ciel.

Inscrivez sur votre feuille votre vœu, votre désir ou ce qu'il vous tient vraiment à cœur d'obtenir. Si vous avez choisi d'utiliser une vraie plume pour faire ce rituel, rien ne s'inscrira sur votre feuille, bien évidemment. Le but de ce rituel est de vous amener à établir un contact avec cette puissante force. Mais plus encore, ce rituel a pour but ultime de vous inciter à écrire une « lettre de lumière au Grand Esprit » de manière symbolique.

Cette intention d'écrire ainsi une « lettre de lumière au Grand Esprit » fera en sorte que vous établirez un contact durant ces instants bénis, et que vous allez recevoir, durant le déroulement du rituel ou quelques heures ou jours après votre demande, des visions ou des rêves, des idées, des réponses, des inspirations soudaines qui émergeront de votre for intérieur ainsi que des prises de conscience puissantes capables de vous faire réaliser votre vœu. Chose certaine, ce rituel va transformer votre vie ou vos perceptions concernant l'invisible à tout jamais.

Janvier

Climat général du mois

Vous dégagerez une solide confiance en vous et en la vie, ce mois-ci, ce qui vous permettra d'apporter des changements à votre secteur professionnel, artistique, d'affaires, politique, amoureux, familial ou amical. En revanche, ce mois n'est pas une bonne période pour entreprendre des procédures en justice. De plus, la lune noire sera prise en sandwich entre les planètes Jupiter et Mercure : votre vie familiale ne sera pas toujours si épanouie. Vous pourriez alors tenter de régler ce problème avec les moyens du bord et ne pas vous sentir vraiment « en contrôle ». Ou bien, vous souffrirez d'un sentiment d'abandon ou d'une solitude à deux, ou de n'avoir pas été assez bon parent dans une situation donnée. Un problème structurel (malfaçon, vice caché, sinistre naturel du genre infiltration d'eau) concernant la maison pourrait vous occasionner un sérieux casse-tête. Assurez-vous d'avoir une bonne couverture de votre assurance maison ou qu'elle n'arrive pas à échéance. Il s'agit ici d'un « au cas où » afin de vous prévenir et non pas d'une prédiction formelle et définitive.

Amour

L'être aimé pourrait se montrer plus exigeant et demandant, ce qui vous obligera à vous commettre encore plus, et pas toujours par choix ou par plaisir. Si vous n'êtes plus aussi amoureux ou attaché, le poids de la relation se fait peut-être de plus en plus sentir. Vous devrez alors décider si cette relation vaut la peine que vous y mettiez plus d'efforts ou s'il ne serait pas préférable d'y mettre un terme définitif. D'autre part, vous pourriez rencontrer l'amour véritable lors d'une sortie sociale, d'une soirée entre amis ou durant le déroulement d'un événement particulier et peut-être même très médiatisé. Ce nouveau partenaire amoureux vous fera craquer avec ses mots, son style, sa personnalité. Si tout roule entre vous et la personne qui partage votre vie, vous traverserez ce mois en préservant l'harmonie au sein de votre couple, en usant de bons mots pour faire comprendre à votre douce moitié ce qui ne va pas. Quoi qu'il advienne, vous réussirez à maintenir une bonne entente amoureuse.

Arts

Vous catalyserez bien la foule, le public, par votre art ou vos créations; vous susciterez un vif intérêt. Un gérant vous amènera à actualiser votre carrière, à lui donner un deuxième souffle. Ou bien, vos formations, cours ou coachings seront prisés et beaucoup de personnes s'inscriront à vos séminaires. Vous prendrez action et achèverez vos projets pour les mener à bien. Si vous décidez de lancer votre carrière à l'étranger, vous ne le ferez pas à la légère et avec raison, puisque Mercure rétrogradera dans ce secteur important. De plus, vous ne laisserez pas n'importe qui s'immiscer dans vos affaires artistiques si facilement. Les aspirants devront faire leurs preuves et démontrer de quoi ils sont capables.

Spiritualité

Vous pourriez vous montrer plus sévère et rigide dans vos enseignements spirituels ou votre coaching. Vous êtes invité à relâcher le cordon pour éviter d'étouffer vos élèves.

Carrière

Si vous êtes à la recherche d'un emploi, évitez de sauter sur la première occasion qui se présentera. Cela ne veut pas dire que vous deviez refuser cet emploi, puisque vous avez sûrement besoin de mettre du pain et du beurre sur votre table, mais gardez une porte ouverte en continuant de faire des recherches. La bonne nouvelle est que vous finirez par trouver L'EMPLOI qui vous stimulera au plus haut point. Une insécurité vous a probablement terrorisé ou traumatisé et vous n'arrivez plus à faire confiance à l'entreprise, à un patron ou à un groupe d'investisseurs. Ces gens vous prouveront que vous pouvez avoir confiance en eux.

Argent

Vos finances prendront du mieux, ce mois-ci. Vous pouvez espérer d'intéressantes rentrées d'argent qui pourraient se traduire par un meilleur salaire, une augmentation de vos commissions ou bonus, ou autrement. Mercure rétrogradera à partir du 20 janvier, alors ne vous lancez pas dans de grosses dépenses. Essayez, autant que faire se peut, de les reporter à plus tard.

Février

Climat général du mois

Votre énergie pourrait se retrouver à la baisse pendant une partie du mois. Un supplément vitaminique serait souhaitable, à moins qu'il ne contrecarre les bienfaits d'une médication particulière. En pareil cas, ne prenez pas de risque et vérifiez cette situation avec votre médecin traitant. Jeune, vous vous êtes peut-être senti diminué par votre père ou votre mère, et vous éprouvez le sentiment douloureux de ne jamais être à la hauteur. Si c'est le cas, une bonne psychothérapie vous aiderait à vous défaire de ce sentiment. Par ailleurs, un ami pourrait provoquer des événements importants qui changeront votre vie pour le mieux. Par exemple, il vous permettra de trouver votre passion professionnelle ou artistique par un drôle de concours de circonstances ou un heureux hasard. Vous siégerez tel un roi élu au cœur des réceptions ! Votre énergie sera pétillante, vivifiante : comparable à une coupe de champagne… Alors imaginez à quel point vous allez briller en société, ce mois-ci.

Amour

Si vous avez prévu de vous marier ce mois-ci, souvenez-vous de vérifier, et deux fois plutôt qu'une, les dates de livraison de vos fleurs et du gâteau de mariage. Que voulez-vous, Mercure rétrogradera jusqu'au 11 février et il aime bien occasionner des oublis importants ! Cela dit, pourquoi n'ajouteriez-vous pas un peu d'extra à votre ordinaire ? Discutez-en avec votre douce moitié. Après tout, deux têtes valent mieux qu'une et, de plus, les suggestions de l'être aimé seraient susceptibles d'activer cet aspect engourdi de votre vie à deux et de produire un heureux changement. Ou bien, vous gérerez mal la notion de plaisir et vous n'arriverez pas à vous laisser aller, à vous abandonner. Lâchez donc prise !

Arts

Vous aurez les idées claires et votre niveau de concentration sera très intense, ce qui vous permettra d'abattre beaucoup de boulot tout en accomplissant parfaitement chacune de vos tâches. En revanche, les autres ne comprendront pas toujours vos intentions, vos créations, et ils vous déboussoleront carrément par moments. Cela n'empêchera pas vos idées artistiques d'être géniales, car en effet vous excellerez !

Dans un autre ordre d'idées, si vous êtes un artiste qui s'exprime autrement que par la musique et les chansons, votre vision se transformera et s'approfondira. Permettez-vous de vous ouvrir aux nouvelles idées qui émergeront en vous, puisque vous pourrez compter sur l'expérience artistique que vous avez si chèrement acquise, qui agira comme un impeccable « support technique ». Aussi, vous pourriez recevoir une très bonne nouvelle; par exemple, vous pourriez être invité à exposer vos toiles dans un endroit prestigieux et susceptible de vous faire découvrir par des gens à l'aise financièrement.

Spiritualité
Vous éprouverez de la difficulté à accepter le monde humain, plein d'apparentes dualités et d'hypocrisie. Cependant, c'est justement lorsqu'un être humain réussit à dépasser ses dualités et son hypocrisie qu'il se rapproche le plus de son énergie divine.

Carrière
Vous vous attacherez à réaliser vos buts et à atteindre vos objectifs professionnels, artistiques, d'affaires ou politiques, ce mois-ci. Cela, même si Mercure rétrogradera jusqu'au 11 février. Justement, lorsque Mercure fait machine arrière, c'est le moment d'approfondir la réflexion, de jeter les bases de nouveaux projets, de planifier les plans d'action qui se mettront en branle plus tard. Les professeurs et enseignants Taureau seront frustrés lorsqu'ils tenteront d'utiliser un langage simple pour faire passer leur enseignement. Vous aurez l'impression de compliquer les choses plutôt que de les simplifier et vos élèves vous le laisseront savoir. Ou bien, vous sentirez clairement que vous n'arrivez pas à capter leur attention et que vos enseignements tombent à l'eau. Qui plus est, je ne le répéterai jamais assez, lisez bien les petites lignes écrites en italique tout en bas d'un contrat.

Argent
Les prédictions du mois passé s'appliquent toujours, mais vous serez en meilleure posture pour faire évoluer positivement vos finances.

Mars

Climat général du mois

L'éclipse solaire qui se produira le 20 mars fera en sorte que les relations que vous entretenez avec des amis ou des frères et sœurs seront tendues, et un vif sentiment d'insatisfaction pourrait surgir. Un peu comme s'ils se livraient à une guerre du genre « j'ai raison et, toi, tu as nécessairement tort ». Sinon, peut-être qu'une division s'est produite qui vous sépare désormais. Avez-vous utilisé votre savoir, vos compétences ou vos connaissances professionnelles, artistiques, d'affaires ou politiques de manière constructive ? Vous sentez-vous à votre place ? Si vous avez répondu « non » à ces questions, vous allez tout mettre en œuvre pour remédier à cette situation parce que vous jugerez qu'elle a déjà trop duré. Malgré tout, voici un mois qui saura vous plaire. Vous allez relever de nouveaux et intéressants défis professionnels, artistiques, d'affaires ou politiques, que vous mènerez de main de maître. Un nouveau travail, un projet ou une proposition d'affaires se présenteront tout naturellement.

Amour

Un coup de foudre aussi soudain qu'inattendu pourrait vous ébranler. Vous devez cela à l'éclipse solaire, qui aime bien provoquer les passions et chavirer les cœurs. Il se peut toutefois que vous confondiez attirance physique et amour. Une confusion qui pourrait vous mener à prendre des décisions draconiennes telles que quitter votre conjoint ou vous « éclipser » de votre travail et même du pays si ce nouvel amour vivait à l'étranger. Ou encore, la pression qu'exercera la jalousie ou le comportement agressif de l'être aimé sur vous pourrait bien atteindre son paroxysme autour du 20 mars et, sans mettre un terme à la relation, vous constaterez qu'il reste beaucoup d'efforts à déployer de part et d'autre pour qu'elle tienne la route. Si tout ce qui vient d'être énoncé ne vous concerne pas, sachez que quelques frictions amoureuses risquent tout de même de se produire. Vous ferez des mises au point qui vous permettront à tous les deux de raviver la flamme.

Arts

Si vous êtes un artiste ou si vous œuvrez dans les coulisses du domaine artistique, vous vous retrouverez avec deux sources de revenus. Vous aurez plusieurs plats sur le feu et plusieurs contrats en poche par la même occasion. Ou bien, en tant qu'acteur, vous tournerez un film et serez engagé pour jouer dans une série télé. Ces heureux doublets, vous les devez à la planète Vénus, votre planète maîtresse, qui séjournera dans votre deuxième secteur – celui de l'argent, du salaire gagné par le travail.

Spiritualité

Si vous avez l'ambition de devenir un guide plus éclairé et éclairant pour les autres, vous allez faire ce qu'il faut pour y arriver. Par exemple, vous pourriez décider de suivre des cours ou des formations plus avancés ou perfectionnés.

Carrière

Si vous travaillez avec les plus démunis que sont les personnes âgées, les femmes battues ou les enfants souffrant de malnutrition, vous obtiendrez une subvention. Pour leur part, les Taureau qui œuvrent dans le domaine des finances recevront des commentaires assez élogieux au sujet de leur précision et de leur savoir-faire professionnel. Cela pourrait vous amener à prendre du galon, à réussir là où bien des gens se sont cassé les dents et à vous distinguer de la majorité. Aussi, l'éclipse solaire qui se produira le 20 mars vous lancera au cœur d'une mêlée professionnelle déroutante; un climat de grève imminente pourrait se faire sentir de plus en plus. En tant que patron, vous pourriez éprouver certaines difficultés avec vos employés.

Argent

L'éclipse solaire s'organisera pour qu'un groupe d'investisseurs se désiste à la faveur d'un concurrent. La bonne nouvelle est qu'après coup ils reviendront au bercail ou qu'un autre groupe d'investisseurs se présentera avec une meilleure offre en bouche et sur papier. Considérez aussi ce qui a déjà été prédit dans le secteur des arts, et vous aurez une bonne vue d'ensemble de ce que vous réserve ce mois en ce qui concerne l'argent.

Avril

Climat général du mois

Vous connaissez sûrement le proverbe qui va comme suit : « En avril, ne te découvre pas d'un fil. » Suivez bien ce conseil sorti tout droit de vieilles croyances, sinon vous pourriez vous retrouver avec un rhume ou une grippe dont vous vous souviendrez longtemps ! Sinon, vous allez apporter des changements importants à votre régime de vie en éliminant le vin ou la boisson, la cigarette ou de vieilles habitudes alimentaires nocives de votre diète quotidienne. Cela dit, vous aurez l'impression, quelques jours avant ou une semaine après l'éclipse lunaire qui se produira le 4 avril, que les choses tournent au ralenti. Vous vous impatienterez aussi devant un manque de liberté d'action qui vous empoisonnera la vie, mais sans parvenir à y changer grand-chose. Heureusement, cette situation ne durera pas ! De plus, vous chercherez à vous redéfinir autrement, différemment. En fait, vous ne voulez plus que les gens vous perçoivent d'une manière qui ne rend pas justice à votre vrai moi. Faites très attention : il pourrait survenir de petits accidents de la route ou lors de vos déplacements pour vous rendre à votre travail. Ainsi prévenu, vous éviterez de faire ou de subir un accrochage.

Amour

Une rupture amoureuse ou un drame familial s'est peut-être produit et vous avez toujours un poids sur le cœur parce que vous n'arrivez pas à oublier, à pardonner. Vous accepterez sûrement de suivre une thérapie (ce qui est très éclipse lunaire) pour vous sortir de cette « douleur » récurrente. Ou bien, l'être aimé, les proches, les amis ou une figure parentale (mère ou père) ne feront que disserter en surface de tout et de rien sans jamais aller en profondeur et cela vous irritera au plus haut point. Vous ne pouvez pas imposer aux autres d'aller au fond des choses et de se montrer authentiques sans leur faire subir un choc émotionnel important et dont vous n'avez même pas idée.

Arts

Si vos activités s'y prêtent, vos écrits vont certainement attirer l'attention et l'on entendra parler de vous sur plusieurs tribunes télévisuelles et Internet. Dans un même souffle, vous serez appelé à développer encore davantage vos points de vue et les raisons qui ont justifié vos écrits. Vous n'aurez pas vraiment besoin des autres pour agir ou pour apporter des changements qui s'imposent. En fait, vous initierez les choses à votre convenance et selon vos besoins du moment.

Spiritualité

Vous traverserez une phase importante où vous chercherez à défaire ces « fausses croyances ou fausses interprétations » à propos de vous-même et qui vous font beaucoup souffrir. En fait, l'éclipse lunaire totale vous forcera à mettre un terme à vos désaccords intérieurs afin de trouver une certaine forme d'harmonie et un heureux mieux-être. Vos rêves risquent d'être plus perturbés, ce mois-ci.

Carrière

L'éclipse lunaire agira sur les plans de votre carrière et du travail, vous subirez donc un beau renouveau professionnel, artistique, d'affaires ou politique (si vous œuvrez dans ce domaine, bien sûr !). En revanche, vous pourriez mettre fin à une association professionnelle, artistique, politique ou d'affaires parce qu'elle est devenue limitative ou qu'une personne cherche à tout contrôler à votre détriment.

Dans un autre ordre d'idées, vous ne pourrez pas vous limiter à faire bonne figure, ce mois-ci. Vous devrez donc assumer et présenter votre côté direct et franc pour recevoir en échange le respect des gens. Les clients, patrons, collègues, associés ou bras droits ne se gêneront pas pour vous laisser connaître leur déception ou pour vous témoigner leur enthousiasme. En somme, le secteur des communications sera plus affecté que d'ordinaire. Qui plus est, vous aurez à analyser et à traiter un nombre incroyable d'informations au fil du mois. Vous le ferez avec un grand savoir-faire.

Argent

L'argent sera plus volatile. Entre le 13 et le 15 avril, une dépense imprévue vous donnera quelques maux de tête. Ce déboursé pourrait réactiver vos insécurités financières.

Mai

Climat général du mois

Votre période d'anniversaire se continuera jusqu'au 20 mai; alors bien des Taureau recevront des preuves d'amour et d'affection sincères de la part de leurs amis, leurs proches, leurs collègues, leurs clients, leurs patrons et bien d'autres personnes soucieuses de présenter leurs bons vœux. Un anniversaire de naissance relève du « sacré », puisqu'il porte votre énergie de vie – il témoigne de votre présence ici et maintenant. Les Anciens fêtaient la vie et l'âge qu'elle empruntait à travers le fêté, et pas juste une date de naissance accablée d'une année de plus.

Dans un autre ordre d'idées, vous préparerez un nouveau cycle de vie professionnelle, artistique, d'affaires ou politique. Ce nouveau cycle s'étendra sur les six prochains mois à venir. Cela dit, certains d'entre vous ont sûrement nui à leur santé par de nombreux abus. Ceux-là s'imposeront une nouvelle hygiène de vie ou alimentaire par choix ou par obligation. Heureusement, vous aurez la chance de rencontrer des spécialistes qui œuvrent dans le domaine de la nutrition et de la gestion de poids.

Amour

À partir du 11 mai, Mercure rétrogradera. Cette rétrogradation vous incitera à reposer votre jugement sur des preuves d'amour concrètes et notables, et pas seulement les belles paroles prononcées par l'élu de votre cœur. À moins, bien sûr, que vous ne soyez déjà au fait qu'il est un beau parleur et que vous acceptiez cette situation par amour ! Si c'est le cas, vous ne voulez plus jouer à colin-maillard. Si rien de tout cela ne vous concerne, l'être aimé semble au cœur d'une tempête émotionnelle causée par une rupture familiale. Vous vous positionnerez sûrement à ses côtés pour le soutenir et l'aider à traverser cette situation difficile. Ou bien, un enfant, un frère, une sœur ou encore un parent, père ou mère, agira de manière égocentrique. Cette personne pourrait aussi tenter de vous culpabiliser de tous ses malheurs pour mieux abuser de vous et vous obliger à la prendre en charge. Ou encore, certains proches s'accuseront à qui mieux mieux de tous les maux.

Arts

Vous allez donner corps à de nouveaux projets artistiques. Vous pourriez même vous associer à des gens qui ont une grande expérience dans le domaine de la chanson, de la musique, du théâtre ou de la scène.

Spiritualité

Vos rêves guideront vos pas, ce mois-ci. Ils seront signifiants et, par le fait même, ils vous apporteront des idées et des inspirations pour vous éclairer sur une manière d'agir ou de vous comporter devant les aléas de la vie. Il y a cinq rêves prémonitoires[1] et je vous les rappelle : lorsque vous rêvez d'un ami (une personne connue du grand public, décédée ou un proche); le rêve shamanique (lorsqu'un animal apparaît en rêve); le rêve d'Orphée (le dernier rêve du matin qui est souvent mélodique); le rêve dans lequel apparaît des nombres; le rêve dans lequel vous recevez un oracle, une prédiction ou l'origine du rêve.

Carrière

Vous gérerez vos projets et idées d'une manière intelligente et constructive. De plus, vous accomplirez votre travail avec savoir-faire, et vous êtes appelé à produire, à réaliser ou à développer de nombreux projets ou plans d'action. Cela dit, votre action pourrait être contrecarrée par les autres : le patron, les collègues ou même certains clients indécis ou peu visionnaires. Vous réagirez à ces contrariétés en vous montrant plus insistant et vous nuirez alors à votre crédibilité professionnelle. Ainsi prévenu, vous allez mettre la pédale douce sur vos insistances. Aussi, il serait possible qu'une personne vous craigne, en ce sens qu'elle aura peur de perdre son emploi à cause de vos dernières performances.

Argent

Des « dédommagements » proviendront de sources diverses : un réajustement de salaire ou de pension alimentaire, par exemple, un fonds de retraite enfin accordé après de longues négociations sur les pourcentages alloués, une somme provenant d'une compagnie d'assurance, de la CSST ou d'un autre organisme du même genre. Bref, vous ne serez pas déçu de la tournure des événements.

1. Ginette Blais, *Rêves prémonitoires et coïncidences*, Éditions La Semaine, 2010.

Juin

Climat général du mois

Comment la planète Mercure, qui rétrogradera jusqu'au 13 juin prochain, agira-t-elle sur votre vie ? Premièrement, les Taureau dont la date de naissance se situe entre le 13 et le 20 mai chercheront, encore ce mois-ci, à définir leur identité personnelle et, par effet de ricochet, leur identité professionnelle, artistique, politique ou d'affaires. Tous les autres Taureau, ceux qui ont trouvé leur raison d'être dans la vie, adouciront leurs jugements critiques envers les autres. Bref, vous allez vivre des expériences humaines marquantes qui vous amèneront à réaliser que la perfection n'existe pas et encore moins chez l'être humain. En fait, la seule vraie justice qui existe en ce monde est que « personne n'est parfait ». Vous excellerez en matière de droit et de littérature, dans le génie civil à cause de votre aptitude remarquable à vous figurer une situation rapidement et à lui trouver des solutions intelligentes, efficaces et pratiques.

Amour

Votre nature ardente, active et alerte pourrait bien attirer un nouvel amoureux ou une nouvelle amoureuse. Votre franchise, votre honnêteté et votre discrétion ajouteront à votre charme et vous plairez vraiment. Toutefois, à cause de la rétrogradation de Mercure, vous pourriez dire les choses un peu trop crument et obliger vos interlocuteurs à ravaler leur salive. Évitez les joutes oratoires où vous cherchez à avoir raison à tout prix et vous passerez un mois inoubliable ! Vous pourriez, par exemple, ressentir l'importance des valeurs familiales et décider d'avoir un enfant.

Arts

Un projet artistique mobilisera toutes vos énergies et vous allez faire preuve d'une intense concentration. Ce qui est bien, puisque Mercure rétrograde toujours et qu'il adore nous faire commettre des erreurs importantes. Mais si vous vous surmenez et poussez trop fort la machine, vous risquez de battre de l'aile autour du 16 juin. Prenez garde. Quoi qu'il en soit, vous aurez le privilège de travailler sur un nouveau concept artistique. Il s'agira très certainement d'allier l'ancien au nouveau, de faire du neuf avec du vieux ou de vous inspirer de vieilles musiques ou compositions (peut-être même de vos bons vieux succès) pour leur insuffler une touche de modernisme, les mettre au goût du jour si vous préférez. Vos réalisations seront phénoménales et appréciées du grand public.

Spiritualité

Vous entrerez en désaccord avec les enseignements d'un formateur ou d'un « coach de vie » parce qu'il ne met pas en pratique ses enseignements. Vous connaissez sûrement ce vieil adage : « *Walk your talk* », que l'on pourrait traduire par : « Respecte ta parole en tenant tes promesses. » De plus, vous devriez mettre en pratique vos propres conseils, vos propres enseignements.

Carrière

Vous ne pourrez pas agir à votre guise au bureau, et vous le prendrez mal, ce qui risque d'engendrer une dichotomie relationnelle importante avec un patron ou certains collègues ou associés. La planète Mercure rétrogradera sur la planète Neptune : vous allez donc prendre conscience de bien des incohérences. Bref, des événements vous ouvriront les yeux sur certaines personnes ou sur le fait que vous vous illusionnez sur vos chances d'avancement. Ou bien, des situations vous feront réaliser que certaines promesses ne seront finalement pas tenues. Cela dit, peut-être que l'entreprise traverse depuis quelques mois une mauvaise passe financière. Ou bien, la mauvaise gérance des finances se fait maintenant sentir à plusieurs niveaux. Si vous êtes la tête dirigeante, le grand manitou, soit vous vous déferez de certains administrateurs ou mauvais payeurs, soit vous réorganiserez vos effectifs ou engagerez de nouveaux représentants pour mousser vos ventes ou pour développer une nouvelle clientèle. Cette nouvelle force de frappe vous apportera le succès et la réussite, qui vous font si cruellement défaut.

Argent

La prospérité matérielle et financière devrait dessiner un sourire sur vos lèvres, ce mois-ci. Vous saurez vous ajuster aux problèmes de liquidités ou de baisse de budget qui se présenteront sans pour autant perdre de vue vos objectifs.

Juillet

Climat général du mois

L'alerte astrale du mois nous annonce que la treizième lune, appelée « lune bleue » par les Amérindiens, se produira le 31 juillet. Vous trouverez les informations pertinentes ainsi que les étapes d'un rituel pour activer la toute puissance du Grand Esprit dans les pages qui suivent vos prédictions pour l'année 2015, sous la rubrique *Alerte astrale importante pour le mois de juillet 2015*.

En juillet, vous vous enflammerez plus facilement pour des offres professionnelles, artistiques, politiques ou d'affaires qui ne manqueront pas de vous étonner, ne serait-ce que par leur abondance. Vous dénicherez un bon emploi et pourrez vous refaire une santé matérielle. Dans les secteurs de la carrière et de l'argent, vous trouverez de plus amples prédictions. Il se pourrait bien que Dame Chance vous prenne par la main et vous guide vers la réussite.

Amour

Vous épicerez la relation d'une pincée de gentillesse et d'humour, d'un zeste de tendresse et de beaucoup d'amour. L'aspect sexuel du couple ne s'en portera que mieux. Les célibataires désireux de trouver l'amour seront heureux d'apprendre qu'une belle rencontre se produira.

Arts

S'il devait y avoir émergence d'un conflit impliquant un metteur en scène, un réalisateur ou qui que ce soit qui détient une position de pouvoir artistique, vous êtes invité à ne pas jeter de l'huile sur le feu. Jouez plutôt la carte du fin stratège (vous la maîtrisez très bien, soit dit en passant) et vous ramasserez le « jackpot » !

Spiritualité

Vous rechercherez une personne ou, par ricochet, une formation ou une connaissance spirituelle capable de vous offrir des compréhensions nouvelles sous forme « d'illuminations » ou « de percées lumineuses ». Le danger serait d'accorder trop de pouvoir aux personnes qui proposent ces connaissances et savoirs ou qui sont à la tête d'un mouvement spirituel X, Y ou Z. Donc, restez toujours connecté à votre gros bon sens : vous éviterez ainsi de tomber dans ce piège et vous profiterez pleinement des enseignements supérieurs qui vous seront offerts.

Carrière

Vous pourriez traverser une sorte de crise professionnelle, ce mois-ci. Par exemple, les collègues, patrons, associés ou clients, pour ne nommer que ceux-ci, s'opposeront intentionnellement ou sans même s'en rendre compte à vos objectifs, idées ou projets. Vous allez donc remettre en question leur crédibilité, leur fiabilité. Vous pourriez même être très affecté par leur façon de faire, d'agir ou de réfuter vos options. Vous aurez surtout l'impression qu'ils agissent par pure malice. Ce que vous devez savoir est qu'il n'en est rien, puisqu'ils se comportent simplement de façon à satisfaire leur besoin de monter en grade, d'assumer leur propre pouvoir ou de répondre à leur vaste ambition afin de se démarquer. Bref, leurs motifs sont les mêmes que les vôtres, mais exprimés différemment. En comprenant cela, vous désamorcerez la colère ou le sentiment de frustration et de trahison qui se lèvera en vous par moment.

Argent

Vous réfléchirez sur le fait que vous devez vous libérer du poids des responsabilités et des limitations qui accompagnent souvent la quête de posséder des biens matériels importants ou de gagner toujours plus d'argent. Vous prendrez conscience que de mettre toutes vos énergies pour amasser ainsi des biens et de l'argent vous fait passer à côté de quelque chose d'important et de plus significatif. Comprenez bien qu'il n'y a aucun mal à rechercher la prospérité et à gagner un million par année, c'est la raison qui se cache derrière qui, si elle n'est pas bien analysée et comprise, vous pousse à ne jamais vous arrêter pour profiter de vos richesses. Vous connaissez sûrement le vieil adage qui va comme suit : « Le trésor ne suit jamais le corbillard. » Si rien de tout cela ne vous concerne, vous élaborerez des plans d'action pour créer une nouvelle structure matérielle plus adaptée à vos besoins. Vous réussirez ce tour de force, n'ayez crainte.

Août

Climat général du mois

De beaux mouvements du destin serviront votre vie, ce mois-ci, mais par la même occasion vous aurez des papillons dans l'estomac, c'est-à-dire que des excitations et des anticipations se feront sérieusement sentir. Vous aurez peine à vous contenir par moments. Si vous faites partie des Taureau qui ont déménagé le mois passé, vous êtes sûrement impliqué dans de gros travaux de rénovation ou de peinture. Assurément, il va y avoir de l'action sous le toit familial, dans votre condominium, maison ou chalet. Les finances d'un enfant ou d'un proche subiront une baisse importante et vous le forcerez à vous révéler ses petits secrets. Peut-être est-il tombé amoureux et qu'il paie pour sa flamme. Sinon, un nouveau centre d'intérêt lui coûte cher alors qu'il n'en a pas les moyens. Quoi qu'il en soit, le chat sortira du sac et vous pourrez l'aider à se sortir de cette impasse.

Amour

Vous serez littéralement transporté par une nouvelle relation amoureuse. Il se pourrait aussi qu'un amour tenu caché soit révélé au grand jour, ce qui pourrait vous coûter une amitié. Ou bien, vous et le nouvel élu allez mettre un terme à vos relations respectives pour pouvoir vivre ce bonheur au vu et au su de tous. Si ces dernières prédictions n'ont rien à voir avec votre réalité amoureuse actuelle, vous aurez l'appui inconditionnel de l'être aimé. Il semble déterminé à vous rendre heureux et vous le constaterez à travers ses faits et gestes et ses nombreuses preuves d'amour. Chose certaine, vous prendrez très au sérieux votre avenir amoureux. Vous rechercherez une personne qui a les mêmes champs d'intérêt que vous. Par exemple, vous refuserez de développer une relation avec une personne qui ne désire pas d'enfants ou qui n'embrasse pas les mêmes valeurs familiales.

Arts

Vous pourriez être invité, par l'intermédiaire d'un ami, d'un mentor ou d'un réalisateur, producteur ou metteur en scène reconnu, à participer à un projet artistique unique et novateur. Ce projet se prépare en catimini et personne ne doit le savoir ou être au courant. Vous allez donc devoir vous *zipper* les lèvres pour ne rien dévoiler, sinon vous serez prié de quitter le projet sans autre avis. Ainsi prévenu, vous savez désormais à quoi vous en tenir.

Spiritualité

Vous allez rendre de nombreux services ou vous apporterez vos judicieux conseils à ceux et celles qui souffrent moralement, psychiquement ou psychologiquement. Quel que soit le métier ou la profession que vous exercez, vous ferez preuve d'excellence pour aider et conseiller les plus souffrants.

Carrière

Vous allez créer une bonne entente avec vos patrons, fournisseurs, collègues, employés, clients ou collaborateurs. Ils apprécieront votre savoir-faire. Vous obtiendrez des faveurs de votre employeur : de meilleures conditions de travail, des avantages sociaux, une augmentation de salaire, un congé de maladie payé, etc. En revanche, certains Taureau devront débattre à la cour de justice des abus concernant un contrat ou un travail. Ou bien, vous ne serez pas satisfait de la personne qui gère votre carrière. Si cela devait se confirmer, vous n'hésiterez pas à changer de gérant, de comptable, de maison d'édition ou de production. Aussi, un responsable pourrait remettre votre candidature en question et ne pas l'approuver, alors qu'un autre se battra pour que vous obteniez le poste. Ce désaccord vous mettra dans tous vos états, mais si vous prenez la peine de bien analyser la situation, vous constaterez que ces deux titans règlent leurs comptes à travers « cette candidature » et que vous n'avez rien à voir là-dedans.

Argent

Les projets déjà annoncés dans la section *Climat général du mois* seront coûteux et plus que vous ne l'auriez cru. Vous avez du goût, vous aimez le luxe et il a un prix ! Ou bien, vous réfléchirez sur l'état de vos finances et les possessions matérielles que vous partagez avec une autre personne. Il peut s'agir d'un associé, d'un conjoint ou d'une entreprise familiale et des autres membres de la famille qui la composent.

Septembre

Climat général du mois

Votre esprit percevra bien des choses, ce mois-ci. Certaines réalités seront encourageantes, inspirantes même, alors que d'autres seront plus décevantes et s'avéreront perturbantes. Vous devez cela aux deux éclipses solaire et lunaire qui se produiront au cours de ce mois. Cela dit, si vous éprouvez des problèmes de santé importants, vous allez trouver le spécialiste, la médication ou le traitement susceptible de régler cette difficulté. Vous retrouverez alors un bien-être tant souhaité. En revanche, les bonnes vieilles habitudes si réconfortantes, même si elles sont toxiques pour la santé, devront être revues et corrigées ou complètement changées. D'étranges circonstances provoqueront cette réflexion et entraîneront les changements. Le meilleur conseil astrologique que je puisse vous donner serait de vous mettre à l'écoute de votre corps.

Dans un autre ordre d'idées, vous serez happé par de nouvelles passions professionnelles, artistiques, d'affaires ou politiques ou concernant vos études, et vous réajusterez votre tir.

Amour

Si votre partenaire de vie est né un 13 septembre ou un 28 septembre, ou si sa date de naissance devait avoir lieu plus ou moins quelques jours avant et après ces jours d'éclipses, sa vie risque d'être perturbée par bien des événements. Le décès subit ou encore à la suite d'une longue maladie d'un proche va terriblement l'affecter. Les éclipses font souvent disparaître (le sens d'éclipser) des êtres chers, des amis ou des gens que l'on aime et respecte. Le plus difficile est d'apprendre à composer avec l'éphémérité des personnes aimées, chéries. Ainsi prévenu, vous pourrez soutenir et encourager moralement votre douce moitié pour l'aider à traverser cette épreuve. Autrement, vous serez porté à répondre mécaniquement aux besoins de l'être aimé et il vous le reprochera sévèrement. Ou bien, la première éclipse, qui se produira le 13 septembre, vous obligera à prendre conscience de l'ennui et du manque de progression dont souffre votre couple.

Arts

Votre créativité aura préséance sur tous vos autres centres d'intérêt. Vous vous lancerez dans de nouveaux projets qui s'avéreront plus stimulants les uns que les autres. Vous vous montrerez si inspiré que les gens crieront au génie ! Les sorties mondaines seront nombreuses et elles accapareront votre agenda. Vous devrez absolument vous présenter à un tapis rouge, que cela vous plaise ou non. Votre présence sera très remarquée et vous serrerez la main à des gens du milieu qui détiennent un pouvoir décisionnel important. Vous pourriez, après le déroulement de cette soirée, vous retrouver avec plusieurs sources de revenus grâce aux capacités d'action de ces personnes en position de pouvoir.

Spiritualité

Plusieurs personnes nées sous le signe du Taureau traverseront un deuil important. Lorsque la mort frappe ainsi à la porte d'un proche, des questionnements profonds remontent à la surface. N'hésitez surtout pas à consulter un psychologue, un psychanalyste ou un psychothérapeute, puisqu'il vous aidera à faire le point.

Carrière

Vous vous déferez d'une situation professionnelle, artistique, d'affaires ou de politique restrictive. Il semble que vous souhaitiez de plus en plus voler de vos propres ailes, mais que les choses tardent à se produire pour vous permettre de prendre votre envol. Si rien de tout cela ne vous concerne, serait-il possible qu'un patron, associé ou supérieur immédiat se montre contrôlant ou jaloux et peu ouvert à votre vision des choses ? Vous seul pouvez répondre à cette question. Si c'est le cas, vous agirez pour lui démontrer votre entière collaboration, et cette stratégie contribuera à le calmer. Son attention se portera sur d'autres collègues, et vous éviterez d'être la seule et unique personne à se retrouver dans sa ligne de mire. Bref, vous réussirez à faire dévier ses mauvaises intentions et vous gagnerez une certaine accalmie au change.

Argent

Vous trouverez des capitaux pour faire évoluer vos projets et idées. D'ailleurs, un bailleur de fonds vous offrira sûrement son aide matérielle et son soutien financier.

Octobre

Climat général du mois

Vous sentirez un fort besoin d'être considéré et d'appartenir à un groupe d'amis ou de faire partie intégrante de votre famille. Ce désir activera vos senseurs émotionnels à un point tel que vous serez plus facilement sujet à vous laisser porter par des hauts et des bas. En effet, votre sensibilité sera à fleur de peau et un rien vous mettra dans tous vos états. Encore une fois, le but de l'astrologie est de vous prévenir afin que vous puissiez éviter de souffrir. Au pire, vous n'arriverez pas à vous contrôler et vous surprendrez votre entourage par votre trop-plein d'émotion, de sensibilité.

Dans un autre ordre d'idées, vous donnerez beaucoup, mais pas toujours pour les bonnes raisons, et Mercure rétrograde vous obligera à revoir et à corriger vos intentions. Par exemple, imaginons que vous donniez tout à un enfant (jeune adulte) parce que vous avez peur de le perdre ou qu'il vous rejette. Un événement vous fera alors prendre conscience de votre « dépendance » et du désir qu'elle attise d'acheter son amour. Cela n'est qu'un exemple parmi tant d'autres, puisque vous pourriez être porté à donner plus qu'il ne vous sera demandé dans bien d'autres sphères pour les mêmes raisons.

Amour

Mercure rétrogradera jusqu'au 11 octobre et plusieurs parmi vous se retrouveront dans l'obligation d'affronter ces fameuses difficultés familiales, amoureuses ou amicales que vous aviez négligé de régler dans les mois précédents. La section *Climat général du mois* vous donne un aperçu de tout ce qui pourrait survenir. Il semble que le temps soit maintenant venu de faire le point sur vos attentes réciproques. Aussi, vous serez porté à idéaliser un nouveau prétendant. Vous lui prêterez des intentions qu'il n'a pas vraiment et vous courrez tout droit vers la désillusion. Comprenez bien que ce nouvel amour a beaucoup à vous offrir, mais à sa manière. Il lui sera impossible de répondre à toutes vos attentes et de calmer vos insécurités, vos peurs.

Arts

Votre inspiration sera puissante et elle générera des projets artistiques, dans le domaine de la musique, du théâtre, de la radio ou de la réalisation de films, qui vous ouvriront les portes de la reconnaissance. Aussi, vous ferez le bilan des changements qui se sont manifestés dans votre vie dernièrement. Ce bilan, somme toute, vous paraîtra positif même si plusieurs choses restent encore à faire.

Spiritualité

Si vous vous en donnez la peine, vous serez en mesure de générer des images intérieures d'une rare richesse grâce à la visualisation ou à la méditation.

Carrière

Cette période s'avérera critique pour le développement de votre vie professionnelle, artistique, d'affaires ou politique. Vous mettrez tous vos efforts pour atteindre vos objectifs, et des réussites vous permettront de récolter des fruits intéressants. Conservez vos énergies de manière à travailler plus efficacement, car si vous n'y prenez pas garde, vous vous retrouverez vite fatigué et incapable de récupérer pour poursuivre vos efforts dans le sens souhaité. Votre efficacité sera mise à l'épreuve, ce mois-ci. Un peu comme si un patron testait votre capacité à gérer le groupe de travail, un projet en particulier ou un plan d'action prédéterminé. Vous aurez donc intérêt à garder vos performances à haut niveau. Ou bien, vous vous préparez à embrasser une position publique et des portes s'ouvriront en ce sens. Si vous pensez apporter des changements importants aux procédures de travail, vous réaliserez ce beau projet autour du 16 ou 17 octobre, lorsque la rétrogradation de Mercure sera terminée.

Argent

Vous mettrez tout en œuvre pour agir constructivement en vous assurant que vous êtes sur la même longueur d'onde que vos partenaires, associés ou patrons au sujet des dépenses, des rentrées d'argent ou des placements et emprunts. Vous vous assurerez surtout que tout le monde regarde dans la même direction et partage les mêmes intentions de réussite.

Novembre

Climat général du mois

La nouvelle lune qui se produira le 11 novembre vous permettra de reconnaître la belle éducation que vous avez reçue pendant l'enfance, par l'entremise d'un professeur, d'un parent ou d'une personne qui jouait un rôle parental. Par ailleurs, vous pourriez décider d'adopter un animal de compagnie, ce mois-ci.

Dans un autre ordre d'idées, vous devriez considérer les émotions (anciennes et nouvelles) qui brasseront vos énergies. Après avoir accepté qu'elles remontent ainsi à la surface, vous pourrez commencer à les analyser pour mieux comprendre pourquoi elles émergent de la sorte. Vous pourriez découvrir un nouvel intérêt sportif ou artistique, par l'entremise d'un ami, du conjoint ou d'un proche parent. Ou bien, un passe-temps que vous partagerez avec plusieurs amis ou proches parents se transformera en passion véritable. Aussi, les gens ne réagiront pas toujours comme vous vous y attendrez et vous allez devoir composer avec ces inconvénients et faire contre mauvaise fortune bon cœur.

Amour

Quel beau mois pour convoler en justes noces ! Votre planète maîtresse, Vénus, s'organisera pour que vos noces restent longtemps gravées dans les mémoires ! Un amas planétaire important transitera dans votre cinquième secteur, celui de l'amour; cela revient à dire que les célibataires Taureau vont faire une rencontre amoureuse importante, marquante et déterminante pour la suite de leur destinée. Rien de moins ! Sinon, vous endurez peut-être une situation à deux où l'amour fait cruellement défaut, où les marques d'affection ne sont plus au rendez-vous, et vous vous déciderez de mettre un terme à cette relation qui, de toute évidence, vous fait souffrir. Peut-être espérez-vous un peu plus de liberté parce que vous vous sentez étouffé par la jalousie de l'être aimé ou emprisonné dans une belle cage dorée ? Quoi qu'il en soit, vous allez provoquer un changement amoureux et vous ne regretterez pas la tournure des événements.

Arts

Faites bien vos devoirs et votre bonne étoile vous permettra de bénéficier d'une réussite artistique inhabituelle. En effet, si vous mettez les efforts nécessaires, que vous ne laissez rien au hasard, votre succès sera retentissant. Vous pourriez décider de mettre sur pied une école de théâtre ou autre chose du genre, et vous recevrez du soutien financier pour vous permettre de réaliser ce beau projet. Inutile de préciser que vous allez bénéficier d'une inspiration artistique ou créatrice surdimensionnée, ce mois-ci.

Spiritualité

Un vieux proverbe prétend qu'on ne peut aller nulle part tant qu'on n'accepte pas où la vie nous a conduit jusqu'ici en bien comme en moins bien. Vous êtes invité à réfléchir sur cette grande vérité.

Carrière

Votre carrière sera au cœur de vos préoccupations, ce mois-ci. Par exemple, vous signerez des ententes de travail, artistiques, d'affaires ou professionnelles intéressantes. Ou bien, vous chercherez à connaître vos chances d'avancement au sein de l'entreprise. Chose certaine, vous réussirez à obtenir des réponses qui vous donneront l'heure juste. Aussi, un patron vous permettra de comprendre l'impact de vos responsabilités au sein de l'entreprise. Vous améliorerez par le fait même vos performances, et vos efforts seront remarqués par la haute direction. Il pourrait s'ensuivre une promotion. En revanche, un membre de votre équipe de travail ou un collègue scrutera à la loupe vos faits et gestes ainsi que vos paroles. Il cherchera surtout à vous prendre en défaut pour vous nuire. Ou bien, il vous posera des questions afin de découvrir des aspects de votre vie privée. Encore une fois, le but de ces prédictions est de vous prévenir pour vous éviter de vous laisser prendre au piège. Tant mieux si ces dernières possibilités ne se manifestent pas !

Argent

Votre couple réglera une dette qui pesait lourd sur ses épaules, et vous rétablirez en agissant ainsi votre équilibre matériel et financier. Bref, vous vous donnerez les moyens de bien vivre votre vie à deux.

Décembre

Climat général du mois

Vous jouerez de chance dans les jeux de hasard. Ainsi, des gains inattendus pourraient se présenter de façon inopinée. Vous pourriez aussi remporter un concours, un voyage, une voiture, etc. Quoi qu'il en soit, la chance sera vraisemblablement au rendez-vous. Vous êtes tout de même invité à comprendre que « la modération a bien meilleur goût » et que « le jeu doit rester un jeu ». Autrement dit, je ne voudrais surtout pas vous inciter à jouer votre paie à travers ces prédictions ! Cette mise au point étant faite, la chance empruntera aussi d'autres visages : vous serez reçu à vos examens, un nouvel amour se présentera dans votre vie, un enfant vous apprendra qu'il a enfin trouvé sa voie et qu'il compte bien tout faire pour réaliser ses rêves, un petit-enfant s'ajoutera à la famille, un mariage sera annoncé, un concours de circonstances inouï vous permettra d'obtenir une promotion, etc. Autre excellente nouvelle : le temps des fêtes sera mémorable. Il émanera de vos réceptions une très belle magie de Noël. Aussi, les invitations pleuvront et vous aurez donc l'embarras du choix.

Amour

Vous ne resterez pas là à vous morfondre de solitude, à pleurer sur votre sort. Bien au contraire, vous prendrez les grands moyens pour vous rapprocher des gens et vous pourrez bien, par le fait même, faire une belle rencontre. Vous êtes invité à relire les prédictions du mois passé concernant le secteur de l'amour : elles sont toujours à l'ordre du jour. Vous devez cela à la planète Jupiter, la grande bénéfique, qui transite dans ce secteur important. Concernant la famille, un adolescent ou un jeune adulte risque de provoquer des malentendus au sein de votre couple. Votre conjoint ne voudra pas intervenir, vous oui; alors vos deux points de vue divergeront et s'entrechoqueront. Vous devriez plutôt chercher un terrain d'entente avec votre partenaire avant de prendre parti définitivement. Cette difficulté engendrera une grande tension au sein du clan familial et entre vous deux.

Arts

Les projets artistiques impliqueront l'étranger. Ils doivent être impeccables et bien ficelés : vous devriez avoir recours à un avocat spécialiste en la matière, sans quoi vous risquez de vous perdre en conjectures. Ainsi prévenu, vous ne perdrez ni votre temps ni vos énergies à tout faire vous-même et à ensuite payer cher une erreur. Dans le monde des affaires, qui implique aussi les projets artistiques, c'est avant le mariage que se négocie le divorce ! Cela dit, des événements hors de l'ordinaire vont se produire. Voici un mois magnifique où vous vivrez des moments magiques sur le plan artistique et matériel.

Spiritualité

Vous aurez plus de compassion pour vos semblables. Vous prendrez soin d'une personne proche, peut-être âgée, et que vous aimez ou admirez profondément.

Carrière

Vous pourrez compter sur l'appui de gens importants et qui œuvrent dans votre environnement de travail. Le destin vous offrira aussi une réussite professionnelle ou sociale enlevante; vos efforts seront couronnés de succès. Le contrat espéré sera enfin signé. En ce mois de décembre, vous dépasserez facilement les petits inconvénients qui surviennent souvent dans le secteur de la carrière, puisque le succès et l'abondance seront eux aussi au rendez-vous. Vous étendrez votre influence, vous obtiendrez la faveur d'une clientèle, d'une audience. Ou bien, vous prendrez les choses en main au lieu de rester les bras croisés à attendre qu'il se passe quelque chose. Par ailleurs, il se pourrait qu'une offre d'emploi vous jette au cœur d'une confusion dont vous vous seriez bien passé. Au lieu de rester prisonnier de cette confusion, demandez-vous si ce tour du destin ne serait pas la plus belle chose qui vous soit arrivée depuis longtemps.

Argent

Comme si tout ce qui est prédit dans les sections *Climat général du mois*, *Carrière* et *Arts* n'était pas suffisant, vous allez aussi recevoir une large part d'argent, ce mois-ci, par l'intermédiaire d'un héritage, d'une deuxième source de revenus ou autre.

GÉMEAUX

Ses couleurs préférées : Le brun marron ou brun rouge.

Ses métaux : Le mercure. Dans l'Antiquité, les alchimistes l'appelaient le « vif-argent ».

Ses pierres de naissance : Œil de tigre, ambre, obsidienne acajou.

Ce que ces pierres symbolisent : L'œil de tigre aiguisera les pensées du Gémeaux pour mieux l'aider à les matérialiser ou s'il éprouve des difficultés dans ses affaires financières. Lorsqu'un Gémeaux porte une obsidienne acajou, il s'enracine plus facilement, lui à qui il arrive souvent d'avoir mille choses à faire ou plusieurs plats sur le feu à gérer en même temps. L'ambre soulage les angoisses existentielles, réchauffe le corps et le cœur, favorise le processus d'autoguérison.

Les différents aspects de sa personnalité

Les Gémeaux savent conserver leur cœur d'enfant, et une espèce de jeunesse éternelle fait rayonner leur corps physique, un peu comme si les années n'avaient pas de prise sur eux. Ils sont séduisants, flexibles, adaptables, brillants et très compétents dans leur domaine d'expertise. Ils peuvent aussi se montrer changeants, fluctuants, incertains, inconstants, instables et irréguliers. Les Gémeaux sont des êtres foncièrement intellectuels, mais sous ces dehors se cache une grande sensibilité qui devine les autres facilement.

Tout comme le symbole de leur signe du zodiaque, deux enfants jumeaux qui se tiennent par la main, les Gémeaux ont une nature double : l'une est drôle, enjouée et l'autre est plus rationnelle, sérieuse, et elle ne manque pas d'esprit critique. Doté d'un esprit vif, des idées plein la caboche, le Gémeaux est toujours aux aguets, prêt à intervenir pour aider, appuyer, conseiller. Chose certaine, il a de la répartie et peut se montrer moqueur. Il aime faire rire et rire de bon cœur à son tour. Mais ne vous y trompez pas, de grandes anxiétés, un ennui profond ou une peur du rejet minent presque constamment son moral.

Les amours des Gémeaux sont doubles et rarement simples. Par exemple, il aimera quelqu'un dans le silence de son cœur (la plupart du temps, il s'agit d'un amour impossible) tout en entretenant une relation amoureuse stable et enviable avec son ou sa partenaire de vie. Ou bien, il butinera de fleur en fleur jusqu'à ce qu'il trouve l'amour de sa vie. Généralement, il a besoin d'entretenir une relation amoureuse stimulante intellectuellement, sinon il s'ennuie facilement, et cet ennui pousse le Gémeaux à se mettre à la recherche d'une personne qui compensera ce manque; ainsi la rupture n'est jamais bien loin. L'homme Gémeaux ne se prend pas au sérieux, alors que la femme Gémeaux se montre plus cérébrale que sentimentale.

Votre compatibilité avec les autres signes

L'univers de la séduction n'a pas de secret pour vous. Vous serez toujours un amoureux ardent. Votre âme sœur est la Vierge. Vous serez sensible à la maîtrise sensuelle du Capricorne. Si vous tentiez de mettre à votre main un autre Gémeaux, il vous échapperait. Avec le Verseau, vous développerez une profonde amitié. Le Poissons vous amènera à sortir de votre zone de confort, et le Bélier prendra beaucoup de vos énergies et cherchera à vous soumettre. Vous parlerez le même langage amoureux que la Balance, et vivrez des moments de rapprochement d'une grande intensité avec le Scorpion.

Quelques Gémeaux célèbres
Alanis Morissette, Angelina Jolie, Elyzabeth Hurley, Paula Abdul, Nicole Kidman, Johnny Depp, Sir Paul McCartney, Marilyn Monroe, Prince, Jean-Paul Sartre, Jules Verne, John F. Kennedy, Natalie Portman, Ashley et Mary-Kate Olsen, Johnny Hallyday, Lenny Kravitz.

L'année 2015 en général

Dès l'arrivée du printemps, l'étranger risque de transformer votre vie. Vous pourriez rencontrer quelqu'un issu d'une autre culture, par exemple. Ou bien, vous accepterez un travail à l'étranger et vous vous installerez là-bas pour plusieurs années. Sinon, vous donnerez des conférences et l'une d'elles vous obligera à vous envoler vers une destination lointaine. Bref, plusieurs Gémeaux verront leur vie prendre un tournant important en ce sens, et ces transformations serviront bien leur destinée amoureuse, familiale, financière, professionnelle, artistique, d'affaires ou politique. Ou encore, vous endosserez un nouveau rôle social à l'étranger à titre de représentant de l'État, en tant qu'agent, chargé d'affaires, chargé de mission, commissaire, correspondant, délégataire, délégué, député, diplomate, émissaire, envoyé spécial, fondé de pouvoir, mandataire, négociateur, ministre, parlementaire, diplomate, émissaire ou en tant que conférencier, journaliste, écrivain ou artiste de tout acabit. Bref, toutes les configurations de destinée sont ici possibles.

Vous pourriez décider de faire un retour aux études et vous inscrire dans une université sise en Italie, en Angleterre ou en France, par exemple. Cela dit, vous pourriez vous sentir décalé par rapport à certaines matières, mais vous réussirez votre pari.

Un amas planétaire dans votre secteur amoureux annonce déjà que plusieurs Gémeaux vont trouver l'amour en 2015. Il pourrait même s'agir d'une passion amoureuse qui vous enflammera vraiment. En tant que couple bien assorti, vous pourriez décider d'avoir un enfant ou de vous marier. Ou bien, votre couple traversera une crise importante qui vous ouvrira les yeux sur vos différences. Sinon, vous vous montrerez insistant ou vous vous affirmerez sans considérer les sensibilités de vos proches et amis ou de l'être aimé. Un de vos enfants pourrait même démontrer des traits de génie.

Bonne et heureuse année 2015, chers Gémeaux !

Alerte astrale importante
pour le mois de juillet 2015

Il va se produire deux pleines lunes durant le mois de juillet. La première aura lieu le 2 juillet et l'autre le 31. La pleine lune du 31 juillet est aussi appelée « lune bleue », et les Amérindiens la vénèrent pour ses forces mystiques et magiques sacrées.

Quelques explications importantes

Le *Farmer's Almanac* est un almanach nord-américain datant du début du XIXe siècle. La définition qu'il donne de la « lune bleue » est la suivante : « Elle se produit lorsque la pleine lune apparaît deux fois dans un même mois. Ces pleines lunes reviennent toutes les 2,6 années soit une année sur trois approximativement. »

Quelles sont les forces magiques
de la « lune bleue » ?

Symbolisme : aussi appelée la « lune du Grand Esprit », la « lune bleue » permet d'entrer en contact avec des forces toutes-puissantes qui nous accompagneront et nous protégeront. Cette « lune bleue » a aussi le pouvoir de matérialiser nos vœux pour nous faciliter la vie.

La « lune bleue » ou « lune du Grand Esprit »

Le Grand Esprit dont elle est porteuse fera lever en nous un grand pouvoir de construire, d'ériger, de bâtir et de développer des projets, des idées, des plans d'action ou des concepts qui dureront dans le temps, et qui nous apporteront le succès et la réussite. Ces prises d'action nous permettront dans un même souffle de nous refaire une santé matérielle, amoureuse, professionnelle, artistique, d'affaires, politique, physique, psychologique et spirituelle.

Rituel à faire le soir de l'apparition de la « lune du Grand Esprit »

Lorsqu'elle illuminera le ciel le soir du 31 juillet, assoyez-vous paisiblement devant elle en vous assurant d'avoir une feuille de papier sur vos genoux.

Plume à la main (si vous n'en avez pas à votre portée, un crayon fera l'affaire), imaginez que vous trempez le bout de votre plume (crayon) dans la lumière de la lune, en plein centre du grand cercle blanc que forme la « lune bleue », comme si elle était un encrier suspendu dans le ciel.

Inscrivez sur votre feuille votre vœu, votre désir ou ce qu'il vous tient vraiment à cœur d'obtenir. Si vous avez choisi d'utiliser une vraie plume pour faire ce rituel, rien ne s'inscrira sur votre feuille bien évidemment. Le but de ce rituel est de vous amener à établir un contact avec cette puissante force. Mais plus encore, ce rituel a pour but ultime de vous inciter à écrire une « lettre de lumière au Grand Esprit » de manière symbolique.

Cette intention d'écrire ainsi une « lettre de lumière au Grand Esprit » fera en sorte que vous établirez un contact durant ces instants bénis, et que vous allez recevoir, durant le déroulement du rituel ou quelques heures ou jours après votre demande, des visions ou des rêves, des idées, des réponses, des inspirations soudaines qui émergeront de votre for intérieur ainsi que des prises de conscience puissantes, capables de vous faire réaliser votre vœu. Chose certaine, ce rituel va transformer votre vie ou vos perceptions concernant l'invisible à tout jamais.

Janvier

Climat général du mois

Vous vous imposerez davantage grâce à votre gentillesse toute naturelle, votre charme, vos ressources professionnelles, artistiques, d'affaires ou politiques, si vous œuvrez dans ce dernier domaine. Bref, vous assumerez mieux le « coach en vous » ainsi que vos compétences. Vous transformerez d'anciennes idées ou façons de faire, de produire, de créer ou de développer les projets pour les remettre à jour. En revanche, lorsque vous devrez faire un choix, prendre une décision importante ou relever un défi de taille, vous hésiterez et vous vous laisserez submerger par l'inquiétude ou même envahir par l'angoisse. La famille sera perturbée par des événements : le deuil d'un être cher, par exemple, ou encore un règlement de comptes avec certains membres de votre famille. Durant ce processus de grand nettoyage familial, si je puis dire, vous apprendrez à mieux vous connaître. L'agressivité vous rend souvent maladroit et vous remplit d'émotions parasites et vous vous rivez alors le nez sur une impasse. Ainsi prévenu, vous agirez au mieux. Aussi, vous découvrirez avoir commis des erreurs de jugement envers certains proches, amis ou enfants et vous allez faire amende honorable. En résumé, vous allez découvrir des vérités sur vous-même qui vous transformeront à jamais.

Amour

En ce qui concerne le secteur amoureux, vous aurez la chance de vous construire une nouvelle vie. Ou bien, vous consoliderez encore davantage une relation amoureuse déjà existante. Un mariage serait même possible. Chose certaine, vous ne passerez pas inaperçu lors de vos sorties ou rencontres sociales. Main dans la main, vous prendrez des décisions importantes : l'achat d'une maison, d'un condominium ou un déménagement à l'extérieur de la ville ou du pays. Ou bien, le nouveau travail de l'être cher vous obligera à reconnaître que « qui prend mari prend pays » ! En résumé, vous devez surtout retenir qu'un nouvel amour transformera votre vie, ce mois-ci. Si vous avez rencontré quelqu'un dernièrement, vous ne voudrez pas lui déplaire, ce qui est normal, mais gardez-vous bien de tomber dans le piège de vouloir lui plaire à tout prix en vous conformant à tous ses désirs, en oubliant les vôtres ou en acquiesçant à tous ses caprices pour ne pas le contrarier.

Arts

Les acteurs, chanteurs, écrivains, auteurs-compositeurs, bref tous les Gémeaux qui ont embrassé un métier artistique, se retrouveront devant de nouveaux et merveilleux défis à relever. Le public sera en mesure de découvrir votre talent et l'appréciera au plus haut point. Vous pourriez même partir en tournée, vivre de votre art à l'étranger, être reconnu ailleurs et monter vos spectacles sur plusieurs scènes à l'international.

Spiritualité

Une prise de conscience vous donnera l'occasion d'apprendre à définir vos limites, à mieux vous affirmer et à prendre la place qui vous revient.

Carrière

Toutes les nouvelles connaissances seront favorisées concernant le travail, vos écrits ou votre carrière artistique ou journalistique. Aussi, les transactions commerciales impliquant l'importation ou l'exportation seront grandement favorisées. Les travailleurs autonomes nés sous le signe des Gémeaux découvriront par un drôle de concours de circonstances qu'ils peuvent développer d'autres marchés ici et ailleurs. Internet servira admirablement votre vie professionnelle, artistique, politique ou d'affaires. Vous serez investi d'idées novatrices pour *marketer* vos produits, vos projets ou vos concepts. Si vous œuvrez dans le domaine de la publicité, vous inventerez un slogan qui fera un tabac ! Ou bien, vous vous retrouverez aux commandes de nouveaux projets importants. Vous serez souvent au centre de toutes les situations, ce qui n'est pas pour vous déplaire.

Argent

L'être cher se refait une santé matérielle. Il peut s'agir d'un nouveau travail mieux rémunéré, d'un gain d'argent inespéré ou de la rentrée d'un montant attendu, espéré, et qui se manifestera enfin.

Février

Climat général du mois

Un ami vous incitera à faire bouger votre carrière professionnelle, artistique, politique ou d'affaires. Par exemple, cet ami a peut-être décroché un emploi dans une grosse entreprise et il vous avertira qu'un poste s'ouvrira bientôt, et qu'il est à la hauteur de vos capacités. Il insistera alors pour que vous posiez votre candidature. Étant donné que votre planète maîtresse, Mercure, commencera a rétrograder à partir du 11 février, vous risquez de vous montrer très critique envers vous-même ou envers les autres parce que vous ne serez pas satisfait des résultats, de la tournure des événements ou du comportement de certaines personnes qui font partie intégrante de votre environnement proche. L'organisation des projets, des idées, des concepts, des plans de match ou des personnes impliquées ou qui s'impliqueront ne sera pas toujours facile à gérer. Quelqu'un pourrait même décliner une de vos offres, et vous le prendrez très mal. Au fond, cette personne vous rendra un fier service, mais vous ne le découvrirez que plus tard.

Amour

Certains événements vous inciteront à dépasser les apparences physiques pour reconnaître l'aspect humain et les qualités intérieures d'une nouvelle personne.

Dans un autre ordre d'idées, si jamais vous deviez vous retrouver au cœur d'une tempête – en plein divorce, par exemple –, vous verrez poindre la possibilité de trouver un arrangement à l'amiable. De plus, une passion amoureuse pourrait s'avérer nocive. Le plus étrange est que vous verrez juste, que votre intuition vous guidera à prendre vos jambes à votre cou, mais l'attirance passionnelle que vous éprouverez pour ce nouvel amour vous fera rebrousser chemin à plus d'une reprise. Autrement dit, vous éprouverez une grande difficulté à rompre, à briser ce lien qui vous tient prisonniers l'un de l'autre.

Arts

Vous vous intéresserez à de nouveaux médiums : la peinture, par exemple, ou l'écriture. Ou bien, vous déciderez de vous ouvrir à de nouvelles connaissances qui apporteront des réponses à vos questionnements artistiques ou créatifs. Vous vous déplacerez à l'étranger pour recevoir un perfectionnement et il vous permettra de déployer votre talent. Quoi qu'il en soit, vous pourriez vous rebeller contre votre enseignant, professeur ou formateur, étant donné que vous ne serez pas d'accord avec sa manière de procéder. De deux choses l'une : soit vous déciderez de vous plaindre, soit vous demanderez un remboursement. Chose certaine, vous vous tournerez alors vers quelqu'un dont l'enseignement vous conviendra mieux.

Spiritualité

Si vous travaillez dans le domaine de la consultation, de la psychologie ou du « coaching de vie » en donnant des conseils sur le développement personnel et spirituel, vous aurez la chance de parfaire vos connaissances. Ne la manquez pas.

Carrière

Vous pourriez mettre un terme à une association ou à un contrat d'association ou de travail parce que l'entreprise ou le partenaire ne s'est pas montré à la hauteur, qu'il n'a pas été loyal ou qu'il n'a pas rempli ses engagements. Ce genre de situation se produit souvent lorsque Mercure rétrograde, comme c'est le cas ce mois-ci. De plus, ce n'est pas un bon mois pour vous lancer dans une association d'affaires sans avoir pris soin d'investiguer les antécédents du futur associé. Ainsi prévenu, vous vous épargnerez le pire. Toutefois, vous jouerez de chance concernant le travail. Vous vous accomplirez vraiment et avec bonheur. Vous trouverez le moyen ou vous adopterez l'attitude qui vous permettra de vous tenir au-dessus de la mêlée autour du 13 février approximativement. Vous mènerez les projets, les idées ou les plans d'action à bonne fin. Les petits détails que la plupart des gens négligent ou ignorent ne vous échapperont pas, et vous empêcherez des problèmes majeurs de se produire.

Argent

Vous aurez tendance à surestimer vos besoins, et les coûts associés à cette surestimation dépasseront largement votre capacité de paiement. Ainsi prévenu, vous y penserez deux fois avant de délier les cordons de votre bourse.

Mars

Climat général du mois

Une éclipse solaire se produira le 20 mars dans la constellation des Poissons, un signe double tout comme le vôtre. Les proches parents, les amis ou les enfants et même l'être aimé vous paraîtront superficiels ou vous jugerez sévèrement leur manque de profondeur, de vérité. Vous pourriez vous sentir piégé par des circonstances de la vie et devoir répondre « présent » à contrecœur. Aussi, à partir du 17 mars, quelques jours avant la manifestation de l'éclipse solaire qui aura lieu le 20, vous serez porté à blâmer les autres pour vos insatisfactions. Si cela devait être le cas, prêtez une attention particulière à la partie de vous qui n'est pas satisfaite et qui se sent frustrée. Vous ouvrirez ainsi une fenêtre pour découvrir de nouvelles choses plus intéressantes à votre sujet. Ensuite, un tournant du destin vous apportera une libération heureuse. L'effet pervers d'une éclipse est que nous refusons d'accepter le changement ou d'apporter nous-mêmes les changements de comportement qui s'imposent. Cette éclipse exigera que vous ouvriez votre cœur et votre esprit au changement. Un enfant ou un proche éprouvera un fort sentiment de solitude ou d'abandon et la dépression le guette.

Amour

Vous rechercherez l'excitation et la stimulation dans votre relation amoureuse et, s'il le fallait, vous provoqueriez des disputes pour arriver à vos fins. En revanche, voici un bon mois pour faire sortir le méchant de la relation amoureuse afin de passer à autre chose de plus excitant. Le problème est que lorsque vous vous attaquerez au « mauvais », vous allez connaître bien des découragements et insatisfactions. Vous pourriez même remettre la relation en cause. L'éclipse solaire vous poussera peut-être à quitter temporairement le toit familial ou commun, le temps de voir clair en vous, en vos sentiments. Des événements soudains se produiront à la maison ou dans votre secteur émotionnel. La pression qu'exerceront sur votre personne ces troublantes circonstances sera énorme. Vous allez surtout réaliser que vous refusez de plier devant les changements que vous impose la vie et qu'elle doit vous casser pour vous obliger à plier, justement. Ainsi prévenu... Aussi, votre cœur balancera entre deux amours et vous n'arrivez pas à jeter votre dévolu ni sur l'un ni sur l'autre.

Arts

Votre besoin de créer aura préséance sur tout, ce mois-ci. Vos capacités créatrices seront testées à travers des circonstances ou événements particuliers. Vous relèverez le défi, mais non sans avoir des papillons dans le ventre. Vous n'hésiterez pas à prendre des risques pour faire éclater au grand jour votre talent. Vous allez gagner plus d'argent ou serez enfin reconnu à votre pleine mesure. Ce n'est pas pour autant que vous vous bercerez d'illusions. Vous vous concentrerez sur un projet en particulier pour le perfectionner, le rendre encore meilleur ou pour le faire accéder à un niveau supérieur.

Spiritualité

Si vous faites une dépression nerveuse en ce moment, il se pourrait qu'elle ait pris racine dans votre incapacité à bien prendre soin de vous, à faire respecter vos limites ou à vous accorder du bon temps. Le temps est venu de remédier à cela.

Carrière

Si vous êtes un entrepreneur, un développeur, un architecte, un avocat, un notaire, un ingénieur, un travailleur autonome, un représentant ou un homme d'affaires, assurez-vous de faire la mise en marché de vos produits, services et projets. Sans quoi vous risquez de vous faire « éclipser » par la compétition. Pour attirer une nouvelle clientèle, vous devez faire savoir que vous existez, que vous avez d'excellents produits et services à offrir. Les difficultés se présenteront lorsque vous aurez tendance à vous détourner de vos engagements, lorsque la routine de produire vous pèsera ou lorsque vous verrez à vos obligations avec un manque flagrant de motivation. Ces dernières prédictions sont directement associées à l'éclipse solaire qui se produira le 20 mars.

Argent

Vous porterez un regard authentique sur votre secteur financier et matériel sans pour autant vous juger ou vous dénigrer.

Avril

Climat général du mois

Une personne proche subira sûrement des changements importants dans sa vie et vous allez l'aider à y voir clair, à comprendre ce qui arrive. Il s'agira peut-être d'une nouvelle amitié que vous nouerez au fil de vos sorties. Concernant la famille, plusieurs Gémeaux sentiront le besoin de tenir tête à leur mère ou à une personne qui joue un rôle de mentor dans leur vie. Vous allez défier son autorité ou refuserez de répondre à ses attentes. En fait, vous chercherez surtout à vous libérer du pouvoir qu'elle exerce sur vous. L'éclipse lunaire totale qui se produira ce mois-ci en est certainement la cause. Cette personne agit pour votre bien, certes, mais ses exigences ou ses attentes vous tirent de plus en plus vers le bas au lieu de vous élever et de vous rendre meilleur. Autrement dit, plus vous volez de vos propres ailes pour trouver votre identité, pour définir qui vous êtes vraiment et pour réveiller votre propre pouvoir personnel, plus ce personnage cherche à vous enfermer, à vous tenir sous son joug.

Amour

L'éclipse lunaire totale qui se produira en Poissons, selon l'astronomie, vous incitera à regarder bien en face vos comportements amoureux, mais aussi ceux de votre douce moitié. S'il s'avérait qu'ils sont inadéquats et que vous risquez de perdre l'être aimé, vous n'hésiteriez pas à mourir en tant que JE pour renaître en tant que NOUS. C'est-à-dire que vous laisseriez de côté votre MOI pour entrer dans la danse du NOUS DEUX ! Ce qui est très prometteur, vous en conviendrez. En résumé, vous aurez la possibilité de comprendre et de désamorcer ce qui ne va pas dans votre vie sentimentale pour en finir une bonne fois pour toutes. Aussi, vous allez faire un examen de conscience sincère et honnête concernant votre capacité à blâmer les autres ou votre tendance à vous déculpabiliser pour ne pas assumer vos erreurs, étant donné que vous ne supportez pas de vous sentir coupable.

Arts

Vos droits d'auteur s'avéreront payants, ce mois-ci. Vous constaterez que votre créativité est enfin lucrative. Il se pourrait qu'un de vos associés, collaborateurs ou auteurs de soutien quitte précipitamment, pour des raisons hors de son contrôle. Vous vous retournerez sur un 10 cents, mais le travail continuera de s'accumuler.

Spiritualité

La vie après la mort d'un proche est le plus puissant et le plus troublant mystère qu'il soit donné d'expérimenter. L'inexplicable est que l'on puise alors en soi une force, relevant presque du surnaturel, pour continuer d'aller de l'avant malgré le chagrin.

Carrière

Quoi qu'il arrive au travail, vos explications seules ne suffiront pas; vous allez devoir démontrer, preuves à l'appui, vos réalisations et bons coups. Si cela ne vous concerne pas, vous allez recevoir l'aide des gens plus facilement. Ils se précipiteront à votre rescousse au moindre appel de votre part. Certains Gémeaux prendront leur retraite, alors que d'autres se retrouveront sur une sorte de qui-vive professionnel : rumeur de fermeture de l'entreprise, grève possible, etc. Si cela devait s'avérer juste, vous dénicheriez un nouvel emploi ou un travail à temps partiel le temps de retomber sur vos pieds et de reprendre le dessus. Aussi, redoublez de prudence en ouvrant vos courriels. Un virus informatique pourrait endommager votre ordinateur. Tant mieux si vous bénéficiez d'une protection antivirus à toute épreuve ! Par ailleurs, en ce mois d'avril, les gens respecteront tout naturellement vos compétences et votre sens inné du leadership.

Argent

Votre secteur matériel sera profondément transformé ou affecté par l'argent d'une autre personne : un héritage ou des gains soudains de l'être cher, par exemple. Votre statut financier sera donc significativement amélioré. Ou bien, une situation matérielle précaire prendra fin par une obligation de faire faillite, de consolider vos dettes, etc. Un nouveau partenaire amoureux pourrait être bien nanti et, encore une fois, vous bénéficieriez de cette abondance.

Mai

Climat général du mois

Une relation amicale ou familiale pourrait mal tourner, ce mois-ci. Vous vous questionnerez sur cette relation d'amitié : était-elle basée sur le désintéressement et le don de soi ? Vous seul pourrez répondre, à la lumière de ce qui se produira. Quoi qu'il en soit, consolez-vous en pensant qu'il vaut mieux pour vous d'avoir l'heure juste dès maintenant plutôt que de continuer à vous leurrer sur les intentions réelles de cette personne. Voyez cette finalité comme une chance déguisée et non comme un échec ! Vous renouerez avec un frère, une sœur, un enfant ou un de vos deux parents. Vous reconnecterez à un niveau plus profond et vrai. Vous ne serez pas toujours d'accord avec les choix de ce proche parent, mais vous n'interviendrez pas agressivement. Par ailleurs, plusieurs Gémeaux s'achèteront une première maison.

Amour

L'être cher vous trouvera insaisissable et peu motivé. Ou bien, c'est vous qui n'arriverez pas à le comprendre et pour les mêmes raisons. Vous devrez alors vous adapter au lieu de vous rebeller. L'amour est une forme de cage, certes, mais tout comme Sting l'a si bien chanté : « Si tu aimes quelqu'un, laisse-le libre. » Que voulez-vous, vous êtes un Gémeaux et vous adorez votre liberté de choisir en tout temps de rester ou de partir ! Vous allez ouvrir votre cœur à la réciprocité, vous irez vers l'autre les bras ouverts (si vous aimez vraiment cette personne, bien entendu). Si vous n'êtes pas certain des sentiments que vous éprouvez à l'égard d'une personne en particulier, et que vous n'arrivez pas à briser ces liens, c'est que vous n'êtes pas encore prêt à prendre une décision définitive et irrévocable. Cela dit, les célibataires Gémeaux afficheront leur plus beau sourire et feront de nombreuses conquêtes, ce mois-ci. Ils s'affirmeront davantage et oseront faire les premiers pas. Dans un tel contexte, plusieurs parmi vous croiseront l'amour sur leur chemin.

Arts

Vous trouverez un exutoire à un blocage créatif en vous lançant dans une activité physique où vous pourrez vous défouler. Vous deviendrez plus conscient de votre talent, de vos capacités artistiques. Un allié pourrait agir de manière irréfléchie et vous vous demanderez bien ce qu'il adviendra de sa vie. Vous verrez que, d'ici peu, une nouvelle maturité l'habitera. D'ici là, armez-vous de patience à son endroit.

Spiritualité

Vous avez fait ce qu'il fallait – ou êtes en voie de le faire – afin de vous libérer de vieux bagages émotifs, comme d'entretenir une certaine culpabilité au sujet d'actions ou de réactions passées. Vous vous en sentirez allégé.

Carrière

Depuis déjà plusieurs mois ou années, vous avez sûrement expérimenté des changements importants sur le plan de la carrière ou de votre secteur professionnel. Par exemple, vous avez reçu un meilleur salaire ou décroché un ou plusieurs contrats payants. Vous continuerez sur cette belle lancée matérielle et financière, ce mois-ci. Cela dit, vous ne manquerez pas d'élan ni de pouvoir d'action. Vous initierez des projets, aurez des idées de génie qui, soit dit en passant, impressionneront la galerie. Vous allez recevoir des informations importantes autour du 11 mai, lors du début de la rétrogradation de Mercure, et l'une d'elles pourrait concerner une personne qui s'amusait à agir malhonnêtement dans votre dos. Un homme – un patron, un décideur ou un dirigeant – quittera peut-être ses fonctions, ou une réorganisation vous obligera à endosser de nouvelles responsabilités pendant un certain temps. Si vous vous illusionnez au sujet d'un projet, la réalité vous rattrapera pour vous forcer à lâcher prise.

Argent

Vos efforts porteront des fruits : vous obtiendrez gain de cause et votre requête pour obtenir un meilleur salaire sera acceptée. Sinon, des problèmes domestiques surgiront. Par exemple, un appareil ménager pourrait avoir fait son temps et vous serez dans l'obligation d'aller magasiner. Assurez-vous de ne rien acheter après le 11 mai, puisque Mercure commencera sa deuxième rétrogradation de l'année et qu'il aime bien nous faire tomber sur le citron en magasin. Ainsi prévenu, vous pourrez vous contenir !

Juin

Climat général du mois

Lors de vos réceptions ou de rencontres familiales ou amicales, vous en mettrez plein la vue. Jusqu'au 21 juin, c'est votre période anniversaire et plusieurs parmi vous recevront des invitations à sortir. Vous ne saurez même plus où donner de la tête par moments. Chose certaine, vous serez un organisateur fantastique, un rassembleur unique et très apprécié par vos proches, enfants, amis et collègues. Attention, toutefois, de ne pas vous ruer au-devant des autres pour répondre à leurs besoins toujours très pressants. Vous laisser manipuler ainsi n'est pas vraiment conseillé. Aussi, puisque Mercure terminera sa rétrogradation le 13 juin approximativement, vous êtes invité à ne pas imposer votre vision aux autres. Vous les aiderez mieux en élaborant des solutions de concert avec eux, en passant en revue les dilemmes auxquels ils sont confrontés. L'éducation des enfants sera une tâche de tous les instants, ce mois-ci; enfin, jusqu'au 13 juin. Vous ne laisserez rien au hasard, vous vous montrerez prévoyant, allumé et en pleine possession de vos moyens.

Amour

Si vous êtes célibataire, vous pourriez tomber amoureux d'une personne issue de votre secteur professionnel, artistique, d'affaires ou politique. Vous ferez peut-être sa rencontre lors d'un voyage organisé par l'entreprise. Quoi qu'il en soit, quelqu'un d'inattendu se présentera le bout du nez et vous aurez la chance de renouer avec l'amour. Cette fois, vous verrez que l'attachement sera réciproque et porteur de beaux projets d'avenir. Cet amour vous redonnera confiance en la vie. Plusieurs Gémeaux planifieront un voyage en amoureux avec l'élu de leur cœur. Vous découvrirez ensemble de nouveaux lieux avec plaisir. Si vous avez subi un échec amoureux, peu importe les raisons, sachez que vous reprendrez du mieux, ce mois-ci.

Arts

Votre expression artistique sera dynamisée par un grand savoir-faire et la vocation d'être utile, c'est-à-dire que vous ne créerez pas simplement pour le plaisir, mais pour que vos créations servent l'évolution et la compréhension du grand public. Cela dit, il vous arrivera de vous mettre sur la défensive lorsque certaines personnes se permettront de vous faire des remarques, de vous conseiller ou d'émettre leurs opinions personnelles sans avoir été mandatées pour le faire.

Spiritualité

Vous réaliserez que votre soif de contrôle vous nuit vraiment et qu'elle vous empêche d'être heureux et de goûter aux plaisirs de l'existence. Vous vous intéresserez à une formation dans le domaine spirituel : connaissance de soi, yoga, méditation, analyse de rêves, etc. Elle s'avérera des plus bénéfiques et servira votre émancipation personnelle pour bien des années à venir.

Carrière

Autour de la nouvelle lune qui se produira le 16 juin, vous allez rayonner comme jamais auparavant. Vous viendrez à bout des problèmes les plus compliqués sans créer de conflits. Vous assumerez de lourdes responsabilités avec un grand savoir-faire et une maîtrise étonnante. De plus, vous pouvez être certain que votre statut social est assuré et que vos nombreux acquis professionnels seront reconnus. D'heureux événements des plus positifs vous apporteront un épanouissement professionnel, artistique, politique ou d'affaires. Ou bien, une ouverture dans l'un ou l'autre de ces domaines se produira et vous sauterez sur l'occasion de pouvoir vous démarquer, de prendre du galon. En somme, vous ferez preuve d'un bel esprit d'entreprise en saisissant les occasions au vol. De plus, vous initierez les communications, les échanges et vous n'hésiterez pas à vous lancer dans de nouvelles études pour vous perfectionner.

Argent

L'argent gagné apportera à votre vie un bel épanouissement. Du moins, il vous procurera une nouvelle liberté d'action que vous apprécierez à sa juste valeur.

Juillet

Climat général du mois

Un déménagement pourrait vous coûter beaucoup plus cher que prévu. Ou bien, un nouvel aménagement vous forcera à acheter de nouveaux électroménagers ou autres effets pour la maison qui ne sont pas donnés. Si vous voulez bien traverser ce mois, acceptez l'émergence d'imprévus, aussi détestables soient-ils ! Qui plus est et comme c'est le cas pour tous les signes du zodiaque, voici une alerte astrale qui vous annonce que la treizième lune, appelée « lune bleue » par les Amérindiens, se produira le 31 juillet. Vous trouverez les informations pertinentes ainsi que les étapes d'un rituel pour activer la toute-puissance du Grand Esprit dans les pages qui suivent vos prédictions pour l'année 2015, sous la rubrique *Alerte astrale importante pour le mois de juillet 2015.*

Chose certaine, une nouvelle connaissance sur la manière de communiquer ou d'échanger transformera votre vie. Vous pourriez même vous procurer des outils ou équipements informatiques plus performants. Cependant, votre santé pourrait vous jouer des tours et vous obliger à consulter un médecin ou un spécialiste. Il pourrait s'agir d'un problème dentaire ou de tensions nerveuses.

Amour

Vous subirez un changement important en ce qui concerne votre attitude amoureuse. Par exemple, vous aurez peut-être tendance à rompre l'harmonie pour faire bouger l'être aimé, pour l'obliger à s'ouvrir. Ou bien, vous dépenserez beaucoup d'énergie à essayer de changer certains aspects de sa personnalité.

Dans un autre ordre d'idées, il se pourrait que vous rencontriez quelqu'un de très compatible avec vous intellectuellement et mentalement, ce qui ne devrait pas vous déplaire ! Vous partagerez ensemble des moments privilégiés et uniques. Vous risquez même de tomber amoureux de l'intellect d'une personne, mais vous vous réveillerez alors sans doute devant l'impossibilité de poursuivre la relation sur d'autres plans. Bref, si vous aviez le pouvoir de transférer cette « belle intelligence » dans un autre corps plus désirable et à votre goût, vous le feriez sans vergogne.

Arts

Vous déborderez de créativité, mais il se pourrait que les gens ne comprennent pas toujours votre sensibilité, votre expression artistique. Ils vous obligeront, en s'interrogeant sur votre démarche, à repenser votre approche, à revoir et à corriger vos textes pour les rendre plus accessibles, par exemple. Voyez que les autres n'endosseront le mauvais rôle que pour vous permettre d'atteindre l'excellence et de jouer gagnant.

Spiritualité

Mettez de l'avant des techniques de relaxation et concentrez votre esprit sur des pensées positives. Des livres existent à cet effet, ainsi que des formations ou des séminaires.

Carrière

Vous connaîtrez un bel épanouissement professionnel, artistique, d'affaires ou politique, tout au fil de ce mois. Un événement vous permettra d'accéder au pouvoir, d'obtenir une promotion ou de changer de travail. Ce changement vous procurera une élévation sociale, un meilleur salaire et vous obligera à embrasser de nouvelles responsabilités. Aussi, vous améliorerez vos rapports avec l'autorité, un patron, un associé ou vos clients. La qualité de vos échanges vous permettra surtout de gagner leur confiance. Si vous désirez vraiment grimper jusqu'au sommet de la réussite sociale, artistique, professionnelle, politique ou d'affaires, la vie vous offrira la possibilité de réaliser ce beau rêve. En revanche, vous devrez respecter une parole donnée ou une promesse faite à quelqu'un. Si vous manquez à votre parole, quelles que soient vos raisons, bonnes ou mauvaises, vous perdrez votre crédibilité. Il en va souvent ainsi.

Argent

Votre secteur matériel et financier atteindra des sommets d'ici le 23 juillet. La planète Jupiter se joindra à la belle étoile qu'est le Soleil pour illuminer votre deuxième secteur de l'argent. Il m'est difficile d'imaginer toutes les possibilités qui s'offriront à vous, ce mois-ci. Vous êtes donc invité – tout en évitant les excès – à vous procurer des billets de loterie, à participer à des tirages en tout genre à la radio ou à la télévision. Bref, vous devez créer des occasions pour remporter des prix et des sous.

Août

Climat général du mois

Vous allez percevoir de manière nouvelle vos amitiés ou certains amis, ou encore des projets artistiques, d'affaires, politiques ou profession- nels. De penseur tout court, vous passerez au niveau penseur original ! D'ailleurs, une nouvelle réalité sociale se pointera le bout du nez dans l'un ou l'autre de ces secteurs. En ce qui concerne la maison, vos plans pourraient être changés par un concours de circonstances inusité et surprenant. Par exemple, vous vous lancerez dans une rénovation et, en cours de route, vous changerez d'idée au sujet de la déco ou la configuration de la pièce. Chose certaine, vous aurez un regain d'éner- gie qui vous poussera à faire les choses vite et bien. Vous vous sur- prendrez vous-même par votre vitesse d'exécution.

Amour

La faculté de nous renouveler en amour dépend en grande partie de notre tempérament, et vous êtes du genre à sans cesse vous réinventer. Bien sûr que si votre relation est insatisfaisante et que vous êtes d'un naturel impulsif, vous allez être tenté de régler cette difficulté en re- cherchant une nouvelle relation amoureuse. Mais si vous êtes d'un tempérament plus conservateur, vous traverserez cette période de ten- sion en réexaminant les possibilités de renouer avec l'être cher, de ré- inventer la relation pour la renouveler et la bonifier. Un conseiller matrimonial serait très utile. Si vous êtes célibataire, il ne serait pas étonnant que vous rencontriez quelqu'un de complètement différent et qui vous fera expérimenter l'amour autrement.

Arts

La part de fortune se retrouvera dans ce secteur important. Vous joue- rez de chance sur tous les tableaux en ce mois d'août. Si vous êtes un auteur-compositeur, par exemple, un artiste de renom pourrait vous proposer d'écrire des chansons pour lui. Ou bien, un réalisateur connu vous offrira un rôle dans son nouveau film. Ou encore, un metteur en scène vous invitera à vous joindre à son équipe de créateurs dans le but d'élaborer et de développer un projet artistique novateur et important. Toutefois, vous devrez procéder lentement et de manière réfléchie pour bien performer et donner le meilleur de vous-même. Vous ne devez pas, comme plusieurs artistes ont tendance à faire, vous laisser envahir par le jugement que vous n'êtes pas à la hauteur. Vous l'êtes, alors foncez !

Spiritualité

Votre compréhension de notre monde s'élargira à des niveaux plus profonds de votre esprit, ce mois-ci. Cette nouvelle lucidité vous amènera à ouvrir vos yeux à une conscience plus élevée. Albert Schweitzer, penseur indépendant, a exprimé ceci : « Toutes générations confondues, la plus belle découverte fut que l'être humain a le pouvoir de se transformer juste en changeant sa façon de penser. »

Carrière

Vous allez vivre des moments professionnels importants, qui se traduiront par une nouvelle manière de faire le travail, par l'implantation d'une technologie ou d'un logiciel plus raffiné et que vous devrez apprendre à utiliser, ou encore par l'arrivée d'un nouveau patron, par la fusion de l'entreprise avec une autre, etc. Quoi qu'il en soit, vous apprendrez vite et bien à manipuler les outils, vous vous adapterez rapidement et avec un grand savoir-faire à ces nouvelles configurations. Ces changements, en fait, vous permettront surtout d'exploiter de nouvelles capacités, d'aller plus vite dans l'exercice de vos fonctions, d'obtenir une qualité de travail supérieure, et votre rendement professionnel s'en trouvera grandement amélioré. Plusieurs Gémeaux signeront des contrats importants. Il pourrait aussi s'agir d'une entente d'association d'affaires.

Argent

L'entente d'association d'affaires dont il est question dans la section *Carrière* va vous rapporter de l'or et de l'argent. Vous allez chercher et recevoir des éclaircissements sur votre situation financière. Enfin, vous évaluerez clairement les changements que vous devriez apporter à votre situation matérielle pour l'améliorer. Ou bien, vous réfléchirez à un moyen de mettre plus d'argent de côté pour vos vieux jours.

Septembre

Climat général du mois

De manière générale, vous dépasserez les apparences pour vous connecter à l'authenticité des vraies choses de la vie. D'ailleurs, la superficialité de certaines personnes vous offrira l'occasion de faire un pas en arrière sans demander votre reste. Vous vous émerveillerez devant les réussites qui se succéderont au travail, dans votre carrière artistique, d'affaires ou politique. Au début de ce mois, principalement, vous consentirez à faire des choses que vous n'aimez pas pour ne pas déplaire à vos collègues, vos enfants, l'être cher, un ami, un patron ou à une tête dirigeante. Ensuite, vous réaliserez que vous vous êtes sacrifié sans pour autant recevoir la reconnaissance espérée. Une leçon de vie qui vous permettra de voir jusqu'à quel point votre peur de déplaire et votre insécurité vous empêchent parfois d'atteindre le succès.

Amour

Une nouvelle passion amoureuse pourrait voir le jour si votre cœur est libre. Sinon, vous vous pencherez sur vos relations avec l'être cher pour aboutir à une nette amélioration : une ouverture plus sincère, profonde et franche au dialogue. Un enfant ou un autre proche jeune pourrait traverser une peine d'amour, et vous vous tiendrez à ses côtés pour le soutenir et l'encourager. Il pourrait sombrer dans la dépression ou complètement perdre le goût de vivre ou d'accomplir des choses. Cette étape du deuil, de l'âme en peine, est normale, mais restez vigilant tout de même en ne le laissant pas sans surveillance.

Arts

Vous résoudrez les problèmes artistiques qui émergeront, et ce, aisément et avec doigté. Vous développerez un talent que vous possédez, mais que vous teniez en laisse à l'intérieur de vous par peur de l'échec, ou parce qu'il vous semblait extravagant et de peu d'intérêt. Une réussite méritée vous démontrera que vous aviez tort de penser ainsi et qu'au fond, votre bel esprit créatif se noyait dans les eaux troubles de la peur et de l'insécurité. Cette nouvelle confiance en votre talent vous permettra de prendre votre envol, d'oser vous lancer tête première dans de nouveaux projets. Si vous œuvrez dans le monde des communications – auteur, écrivain, designer, agent de publicité, de marketing ou d'artistes, attaché de presse, journaliste, chroniqueur, animateur, chanteur ou autre –, vous allez vivre des moments tout simplement magistraux. Imaginons que vous soyez comédien, l'une de vos performances sur scène vous vaudra la reconnaissance du grand public. Qui dit mieux ?

Spiritualité

Si votre mission de vie est d'aider les gens à grandir, vous serez servi, ce mois-ci ! Vous donnerez plusieurs conférences ou vous « dirigerez » des rencontres en développement personnel et spirituel.

Carrière

Certaines personnes qui font partie de votre équipe de travail agiront de manière dysfonctionnelle et vous n'y pourrez pas grand-chose. Vous allez devoir prendre votre mal en patience par moments. Rassurez-vous, puisque les difficultés s'atténueront pour faire place à de belles réalisations au cours du déroulement de ce mois important. Aussi, vous chercherez à entrer en contact avec des gens susceptibles de vous aider et vous dénicherez les bonnes personnes. Ces nouveaux alliés, vous les reconnaîtrez par leur ouverture d'esprit, leur grand savoir-faire, leur générosité et leur capacité hors normes. Sinon, vous occuperez un nouvel emploi, et vos nouvelles responsabilités vous emballeront. Vous entretiendrez de bons rapports avec vos collègues, vos patrons et les membres de la haute direction.

Argent

Vous vous demanderez dans quelle direction concentrer vos efforts pour gagner plus d'argent. Autrement dit, vous agirez fermement et de manière déterminée en posant ainsi les bonnes questions. N'oubliez pas que les écrits restent et que les paroles ne sont que du vent ! Un contrat dûment signé par les deux parties en cause vous évitera de déchanter chemin faisant. Encore une fois, le but est de vous prévenir pour vous éviter le pire !

Octobre

Climat général du mois

Deux éclipses vont se produire ce mois-ci en plus de la rétrogradation de Mercure, votre planète maîtresse, qui a déjà commencé sa marche arrière depuis le 17 septembre. Vous êtes donc invité à ne pas prendre le mors aux dents à la moindre petite contrariété, car vous risqueriez alors de ne pas faire bonne figure ou de manquer une occasion en or de vous démarquer. Il est assez rare d'avoir une deuxième chance de faire une bonne impression; c'est une vérité connue que vous expérimenterez peut-être si vous ne suivez pas le judicieux conseil de garder votre sang-froid. De plus, vous ne voudrez pas perdre le contrôle, ou bien vous manquerez de discrétion pour les mêmes raisons, puisque votre quatrième secteur de vie sera touché par les éclipses et Mercure rétrograde. Vous vous montrerez plus critique envers vos parents, vos amis, vos enfants et même l'être aimé. Ou bien, les rapports deviendront des devoirs, des obligations et par moments, vous vous insurgerez contre tout cela, mais sans pouvoir y faire grand-chose, si ce n'est endurer tranquillement cette réalité, le temps que la tempête passe.

Amour

Vous avez appris l'art de vous débrouiller, ce qui n'est pas donné à tout le monde – l'être aimé y compris ! Vous allez donc devoir composer avec cette réalité, qu'elle vous plaise ou non, ce mois-ci. Vous aurez plusieurs tâches à accomplir et de nombreux emplois du temps à respecter, et sans obtenir une aide adéquate de la personne qui partage votre vie. Votre père pourrait subir des problèmes de santé importants, liés à l'éclipse solaire qui se produira le 13 septembre. Il pourrait même subir une opération chirurgicale autour du 28 septembre. S'il ne s'agit pas de votre papa, il pourrait s'agir de votre fils, de votre époux, de votre ex-conjoint ou d'une figure paternelle. Les célibataires Gémeaux pourraient bien faire une rencontre amoureuse marquante, déstabilisante et renversante durant le déroulement de ce mois.

Arts

Votre plus belle stratégie serait de travailler avec une grande persévérance. Autrement, l'orientation des projets artistiques serait sans but précis et se révélerait inefficace. Heureusement, autour du 17 septembre, vous pourrez mettre en place une autre stratégie de travail et sortir de vos incertitudes ou difficultés. Des projets se profileront après cette date fatidique et vous jouirez alors d'une nouvelle confiance en vous. Votre approche artistique pourrait complètement se transformer pour le mieux, et de belles réalisations en découleront.

Spiritualité

Vous subirez les commérages, les prises de bec ou les insatisfactions des uns et des autres. Cette dynamique relationnelle amicale ou familiale vous épuisera, vous fragilisera. Vous allez devoir lâcher prise pour ne pas vous laisser tirer vers le bas par ces personnes.

Carrière

La quatrième maison du zodiaque, celle-là même qui sera habitée par deux éclipses et Mercure qui rétrogradera, correspond à l'entreprise privée ou au travail autonome. Vous pouvez donc vous attendre à des changements importants dans l'un ou l'autre de ces deux secteurs. Si l'entreprise en est une de réparation, d'entretien (ménager, mécanique ou autre) ou de services, vous gagnerez des contrats petit à petit, en ne relâchant pas vos efforts et au prix d'une planification de tous les instants. Les clients feront la file devant votre porte, ce qui n'est pas rien ! Si vous œuvrez à partir de la maison, ces dernières prédictions s'avéreront d'autant plus vraies. De plus, une tension professionnelle entre le syndicat et le patronat pourrait survenir. Tout à coup, la situation basculera dans les comptes à rendre, les explications à donner et les injustices flagrantes.

Argent

La structure de la maison pourrait causer problème et vous devrez consulter un expert pour avoir l'heure juste. Ou vous serez dans l'obligation de dépenser une grosse somme d'argent pour obtenir l'aide d'un contracteur spécialisé en la matière. Ou bien, vous prendrez une deuxième hypothèque pour régler les coûts d'une réparation ou d'une rénovation. Ce ne sont là que des possibilités, il n'est pas dit que vous subirez absolument ces épreuves.

Novembre

Climat général du mois

Les réparations et l'entretien de la maison continueront de vous tenir en haleine, puisque Mercure terminera sa rétrogradation. Chose certaine, vous pouvez considérer que le pire est déjà derrière vous ! Vous déploierez des trésors de débrouillardise pour organiser votre confort, votre domicile, où vous réaliserez de beaux projets de rénovation ou de décoration. Vous ajouterez une plus-value à votre bien immobilier par la même occasion. Ou encore, vous pourriez acheter une maison usagée et la rénover à partir du sous-sol jusqu'au toit. Vous dénicherez même des matériaux à prix d'ami, et vos coûts diminueront de moitié. Si rien de tout cela ne vous concerne, vous entrerez dans une période de grande prospérité matérielle, professionnelle, d'affaires et artistique. Un esprit de liberté nouveau vous entraînera sur un terrain fertile pour créer, engendrer ou développer des idées, concepts et projets. De drôles de tournants de destin s'entrecroiseront pour vous permettre de rencontrer des gens susceptibles de vous ouvrir des portes, de vous aider à réaliser votre destinée.

Amour

Vous allez améliorer une relation amicale, familiale ou amoureuse qui bat de l'aile depuis trop longtemps. Peut-être une divergence d'opinions sur un sujet en particulier avait-elle provoqué un regrettable malentendu ou incident ? Pour rétablir la situation, appuyez-vous sur ce qui, « profondément », vous unissait l'un à l'autre il n'y a pas si longtemps, plutôt que de vous éterniser sur le problème qui fragilise ce lien. Les célibataires Gémeaux continueront de jouer de chance en amour, et les relations qu'ils noueront s'annoncent emballantes et prometteuses à plusieurs points de vue. Si vous avez prévu vous marier, votre réception épatera la galerie. Voilà un beau mois pour planifier des vacances à l'étranger : ce fameux mariage pourrait même avoir lieu sous un ciel plus clément ! Si tel est le cas, vous ne regretterez pas cette décision.

Arts

En plus de ce qui a déjà été prédit dans la section intitulée *Climat général du mois*, vous bénéficierez du soutien inconditionnel de vos pairs et patrons. Ces personnes croiront en vous, en vos projets, en vos plans d'action ou en vos futures réalisations. D'ailleurs, lors d'une de vos présentations, vous allez faire sensation. Les gens seront suspendus à vos lèvres, incapables de bouger sur leur chaise. Il y a donc fort à parier que vous allez sortir de cette réunion avec un contrat artistique signé dans votre attaché-case.

Spiritualité
Vous contrôlerez mieux vos états émotifs, qui sont parfois fluctuants. Vous pourrez alors entretenir de meilleures relations avec les gens que vous aimez et qui vous aiment.

Carrière
Vous savez mieux que quiconque que le succès dépend de la chance qui nous tombe dessus, des gens que l'on connaît, et du fait de se retrouver au bon moment, au bon endroit. Si quelqu'un s'avise de bloquer votre mouvement, vous reverrez votre stratégie ou votre manière de vous conduire pour désamorcer son action. Vous allez gagner en envergure professionnelle, d'affaires, politique ou artistique au point de recevoir des éloges, un prix, des réponses positives ou une meilleure rémunération. En somme, vous aurez l'impression que la roue de la chance s'est enfin remise à tourner. Vous pourriez discuter en privé d'un contrat, d'une promotion ou de quoi que ce soit d'autre qui est du domaine professionnel, politique, artistique ou d'affaires.

Argent
Vous vous permettrez de voir grand sur le plan financier sans toutefois tomber dans la démesure. Vous allez récolter les fruits de vos efforts passés et présents. Des fruits qui se matérialiseront en argent sonnant ! Vous devez cela à la planète Jupiter, porteuse de la chance pure et des retournements de destin positifs. Ils vous procureront le succès et la renommée. Un projet en particulier pourrait vous rapporter de gros montants d'argent.

Décembre

Climat général du mois

Vous allez mettre de l'avant des projets personnels intéressants. Vous serez donc en mesure de réaliser des rêves en compagnie de l'amoureux, des amis, de la famille : la venue de Dame Cigogne, par exemple, l'achat d'une première maison, un mariage ou une union de fait. S'il vous arrive de ressentir un coup de fatigue, pensez à vous reposer, ou à consulter votre médecin de famille pour vous assurer qu'il n'y a pas des problèmes de santé sous-jacents.

Dans un autre ordre d'idées, vous allez réaliser que la structure d'un projet professionnel, politique, d'affaires ou artistique n'est pas vraiment adéquate et vous vous mettrez en frais de solidifier ses assises. Sur un plan plus personnel, vous serez plus ouvert à vous exprimer, à vous révéler, ce qui facilitera vos rapports avec les autres.

Amour

Se pourrait-il que la communication fasse défaut, que les échanges soient impossibles, ou difficiles, et que votre couple se trouve sur la corde raide ? Le cas échéant, vous allez devoir remédier à ce problème relationnel si vous souhaitez rétablir le contact avec l'être aimé. Ou bien, la personne qui partage votre vie devra se battre pour conserver son emploi, sa santé ou autre chose de tout aussi important, et son moral en prendra pour son rhume. Vous devrez alors vous montrer encourageant et prêt à vous battre avec elle.

Si ces dernières prédictions ne vous concernent pas, lorsque vous poserez des questions à un nouvel élu ou prétendant, que vous chercherez à connaître plus intimement, vous verrez apparaître de petites bribes de vérité et vous mettrez alors des mots sur les non-dits, afin d'obtenir l'heure juste. Vous constaterez que vous êtes tombé sur le bon partenaire.

Arts

Vous allez rayonner socialement et professionnellement, ce mois-ci ! Vous aurez toutes les raisons de vous réjouir, puisque le destin servira votre destinée professionnelle, politique, artistique et d'affaires. Vous ne perdrez pas de vue vos motivations profondes et vos intentions afin de faire bouger les projets, les idées, les plans d'action et les concepts. Si vous recevez une offre d'emploi, vous embrasserez ce changement avec enthousiasme. Les nouvelles relations tissées seront très significatives à vos yeux. D'ailleurs, vous vous organiserez pour vous associer, sinon vous impliquerez certaines personnes dans vos activités ou projets professionnels. Vous serez donc plus conscient de ce vous souhaitez vraiment réaliser, et pourquoi, avec qui et comment ! De plus, des événements absolument renversants vont se produire. Certains retournements de situation serviront même à faire progresser votre carrière artistique.

Spiritualité
Vous allez enfin décider de faire passer vos priorités avant celles des autres et les résultats vous étonneront. Surtout en ce qui concerne vos amours, la famille et les relations amicales.

Carrière
Vous éliminerez tout ce qui ne convient plus à votre vie professionnelle, politique, sociale, artistique et d'affaires. Si vous vous sentez épuisé ou en train de crouler sous la pression au bureau, prenez le temps de reprendre votre souffle. Prenez une grande inspiration d'air par le nez et relâchez-la par la bouche à deux ou trois reprises. En oxygénant votre cerveau, vous donnerez un coup de fouet à votre épuisement mental.

Dans un autre ordre d'idées, vous allez planifier des activités agréables en compagnie de vos collègues, patrons, fournisseurs ou clients. Vous pourriez organiser un 5 à 7 pour saluer ces personnes au nom de l'entreprise qui vous emploie, ou recevoir des invitations en bonne et due forme et nouer des liens encore plus serrés avec ces gens.

Argent
Vous vous montrerez persévérant et déterminé au point de trancher dans le vif ou de mettre en place un nouveau budget familial ou personnel. S'il le faut, vous prendrez des mesures radicales et adopterez des moyens énergiques pour résoudre les problèmes financiers ou matériels qui se poseront. D'une manière plus générale, votre situation s'améliorera grandement.

CANCER

DU 22 JUIN AU 23 JUILLET

Ses couleurs préférées : Les teintes pâles et les blancs chatoyants.

Ses métaux : L'argent.

Ses pierres de naissance : La perle, la pierre de lune et l'opale blanche.

Ce que ces pierres symbolisent : La perle permettra au Cancer de rencontrer un amour d'une grande pureté. Ces trois pierres précieuses et semi-précieuses veillent aussi sur le romantisme et les mariages réussis. Le Cancer, lorsqu'il porte une perle, une opale blanche ou une pierre de lune, se connecte avec cette énergie de pureté, d'amour, de pensée claire, d'inspirations puissantes et d'idées géniales.

Les différents aspects de sa personnalité

Sa planète maîtresse est la Lune et cet astre représente, plus symboliquement, les différentes variations des émotions ou des sentiments qu'elles font lever en chacun de nous. Un peu comme les marées qui sont un mouvement montant puis descendant des eaux des mers et des océans, causé par l'effet conjugué des forces de gravitation de la Lune et du Soleil, les émotions montent ou se retirent en nous et colorent en grande partie notre personnalité. La famille, les enfants surtout, la maison ou le foyer d'origine, les racines, la patrie ou la mère demeureront toute sa vie durant au cœur des préoccupations d'un Cancer. La personne née sous ce signe garde toujours au fond d'elle une nostalgie du bon vieux temps, et les souvenirs d'enfance (les meilleurs comme les plus pénibles) restent gravés longtemps dans sa mémoire.

Le Cancer peut se montrer lunatique ou peu présent à ce qui se passe autour de lui; il donne souvent l'impression d'avoir l'esprit ailleurs. Il lui arrive de choisir le mauvais partenaire de vie et de souffrir d'un manque d'amour ou de ne pas se sentir désiré. Bien des astrologues disent qu'il est le plus mal aimé du zodiaque, mais uniquement jusqu'à ce qu'il apprenne à gérer ses émotions et ses exigences amoureuses ou affectives. Il n'est pas rare d'entendre l'homme Cancer se plaindre d'avoir subi le rejet de son père et confier par la suite s'être totalement attaché à sa mère. La femme Cancer, quant à elle, s'attachera à sa famille au point d'oublier sa vie de femme, qui, soit dit en passant, n'est jamais pleinement satisfaite. Ou bien, elle choisira le mauvais partenaire de vie et ce karma ou cette épreuve fondamentale lui enseignera qu'elle doit apprendre à bien connaître le type de personne avec laquelle elle souhaite partager sa vie. Autant les hommes que les femmes Cancer surprotègent leurs enfants. Malheureusement, et sans vraiment s'en rendre compte, ils leur inculquent un manque de confiance en eux dont ils auront du mal à se défaire.

Votre compatibilité avec les autres signes

Les relations que vous entretiendrez avec le Capricorne seront à la fois douces et amères; le côté trop rationnel du Capricorne refroidira vos ardeurs et une grande solitude à deux finira par vous éloigner l'un de l'autre. Au contact d'un Verseau, vous souhaiterez souvent vous retrouver ailleurs. Le Poissons vous permettra d'expérimenter l'amour sous toutes ses facettes. Votre plus grand amour sera probablement un Lion ou possédera un ascendant Lion. Si la Vierge réussit à vous convaincre que la vie sera belle à ses côtés, vous vous laisserez prendre avec plaisir. Le Scorpion et vous formerez un couple remarquablement bien assorti.

Quelques Cancer célèbres

Michel Côté, George Michael, Nelson Mandela, Marcel Proust, Tom Cruise, Ringo Starr, Liv Tyler, Pamela Anderson, Lindsay Lohan, Isabelle Boulay, Tom Hanks, Courtney Love, Mary J. Blige.

L'année 2015 en général

Certains parmi vous vont certainement s'arranger pour obtenir une promotion, une augmentation de salaire ou quelque autre avantage qui pourrait leur apporter le succès et une meilleure condition salariale ou professionnelle. Une fenêtre s'ouvrira aussi sur de nouvelles occasions artistiques et politiques et plusieurs personnes nées sous le signe du Cancer, qui œuvrent dans ces domaines d'exception, se verront choyer par la vie à bien des égards. Encore une fois, vous atteindrez une belle réussite.

Vous allez aussi prendre votre corps en main en prenant d'abord de bonnes résolutions, puis en les respectant ! Si tel est le cas, vous devriez prévoir un rendez-vous médical pour passer une examen de santé afin de vous assurer que vous pouvez pousser la machine sans craindre de désagréables répercussions. Cela dit, vous avez sérieusement revisité et transformé vos croyances en matière de spiritualité en 2014 et cela continuera de plus belle en 2015. Vous vous transformerez tel un phœnix !

Votre énergie créatrice et sexuelle sera régénérée et de belle manière, cette année. Vos créations artistiques ou autres projets créatifs si vous travaillez dans un domaine où les idées prédominent, ainsi que votre désir de fonder une famille se concrétiseront sous vos yeux étonnés. Les couples déjà mariés vivront des moments privilégiés. Vous pourriez, par exemple, décider de voyager ou de vous investir tous les deux dans de nouvelles activités. De nombreux mariages impliquant des gens nés sous le signe du Cancer seront célébrés au cours de l'année. En fait, qu'il s'agisse de votre premier ou quatrième mariage, la magie sera au rendez-vous.

Les célibataires feront la rencontre d'une personne qui pratique un métier ou une profession hors de l'ordinaire. Vous allez aussi faire, que vous soyez en couple ou célibataire, des rencontres sociales captivantes, surprenantes et, encore une fois, elles impliqueront des gens hors du commun et qui travaillent dans un domaine d'exception.

Bonne et heureuse année 2015, chers Cancer !

Alerte astrale importante pour le mois de juillet 2015

Il va se produire deux pleines lunes durant le mois de juillet. La première aura lieu le 2 juillet et l'autre le 31. La pleine lune du 31 juillet est aussi appelée « lune bleue » et les Amérindiens la vénèrent pour ses forces mystiques et magiques sacrées.

Quelques explications importantes

Le *Farmer's Almanac* est un almanach nord-américain datant du début du XIXe siècle. La définition qu'il donne de la « lune bleue » est la suivante : « Elle se produit lorsque la pleine lune apparaît deux fois dans un même mois. Ces pleines lunes reviennent toutes les 2,6 années soit une année sur trois approximativement. »

Quelles sont les forces magiques de la « lune bleue » ?

Symbolisme : aussi appelée la « lune du Grand Esprit », la « lune bleue » permet d'entrer en contact avec des forces toutes-puissantes qui nous accompagneront et nous protégeront. Cette « lune bleue » a aussi le pouvoir de matérialiser nos vœux pour nous faciliter la vie.

La lune bleue ou lune du Grand Esprit

Le Grand Esprit dont elle est porteuse fera lever en nous un grand pouvoir de construire, d'ériger, de bâtir et de développer des projets, des idées, des plans d'action ou des concepts qui dureront dans le temps, et qui nous apporteront le succès et la réussite. Ces prises d'action nous permettront dans un même souffle de nous refaire une santé matérielle, amoureuse, professionnelle, artistique, d'affaires, politique, physique, psychologique et spirituelle.

Rituel à faire le soir de l'apparition de la « lune du Grand Esprit »

Lorsqu'elle illuminera le ciel le soir du 31 juillet, assoyez-vous paisiblement devant elle en vous assurant d'avoir une feuille de papier sur vos genoux.

Plume à la main (si vous n'en avez pas à votre portée, un crayon fera l'affaire), imaginez que vous trempez le bout de votre plume (crayon) dans la lumière de la lune, en plein centre du grand cercle blanc que forme la « lune bleue », comme si elle était un encrier suspendu dans le ciel.

Inscrivez sur votre feuille votre vœu, votre désir ou ce qu'il vous tient vraiment à cœur d'obtenir. Si vous avez choisi d'utiliser une vraie plume pour faire ce rituel, rien ne s'inscrira sur votre feuille, bien évidemment. Le but de ce rituel est de vous amener à établir un contact avec cette puissante force. Mais plus encore, ce rituel a pour but ultime de vous inciter à écrire une « lettre de lumière au Grand Esprit » de manière symbolique.

Cette intention d'écrire ainsi une « lettre de lumière au Grand Esprit » fera en sorte que vous établirez un contact durant ces instants bénis, et que vous allez recevoir, durant le déroulement du rituel ou quelques heures ou jours après votre demande, des visions ou des rêves, des idées, des réponses, des inspirations soudaines qui émergeront de votre for intérieur ainsi que des prises de conscience puissantes capables de vous faire réaliser votre vœu. Chose certaine, ce rituel va transformer votre vie ou vos perceptions concernant l'invisible à tout jamais.

Janvier

Climat général du mois

Vous aurez l'impression de devoir vous exiler, en ce mois d'hiver. En effet, plusieurs parmi vous se retrouveront avec une valise dans une main et un billet d'avion dans l'autre pour s'envoler en amoureux, ou pour rencontrer de nouvelles responsabilités professionnelles, politiques, artistiques ou d'affaires. Aussi, vous défendrez ce que vous croyez être juste et vrai, mais comme toute vérité n'est qu'une question de point de vue, vous risquez d'entendre d'autres points de vue plus signifiants et porteurs d'une grande sagesse.

Dans un autre ordre d'idées, vous chercherez à donner une dimension plus spirituelle à votre existence. Un peu comme si vous preniez tout à coup conscience que la vie ne se limite pas au métro-boulot-dodo. En fait, vous comprenez qu'elle a plus à offrir et que pour avoir accès à la chance et au bonheur, il devient essentiel de poser sur la vie un regard neuf et plus magique. Vous êtes sur une bonne voie... Ne relâchez surtout pas vos efforts, vous allez bientôt toucher à des vérités fondamentalement transformatrices !

Amour

Vous pourriez partir en croisière en compagnie de l'être cher. Ou bien, vous allez faire la rencontre d'un nouvel être aimé au cours d'un voyage. Voyez comme le lointain vous appelle ! S'il ne s'agit pas du lointain, un déplacement pour affaires ou pour mousser votre carrière artistique fera tout aussi bien l'affaire de monsieur le destin ! Il vous concoctera alors une belle rencontre sentimentale.

Arts

Le temps est venu de vous fixer de nouveaux buts à atteindre et de vous démener pour qu'ils prennent corps. Vous pourriez faire de la visualisation active tout comme le font les athlètes avant une compétition de haute voltige. Vous porterez ainsi toutes votre attention sur l'action à accomplir ou sur l'énergie de réalisation à mettre de l'avant. Vous constaterez alors à quel point ces techniques sont géniales et puissantes. Votre « mental » deviendra tellement plus clair, vos idées plus incarnées et votre désir de réalisation s'intensifiera à chacune de vos visualisations actives. Vous allez donc orchestrer de nouveaux projets d'envergure. Vous pourriez même vous retrouver sur une scène à l'international.

Spiritualité

Vous vous intéresserez à tant de choses spirituellement que vous arriverez mal à vous concentrer sur une seule connaissance. Vous apprendrez et mettrez en action une nouvelle philosophie de vie. Ou bien, vous tirerez de grandes leçons de vos expériences de vie.

Carrière

Le 5 janvier, jour de pleine lune, vous donnera une belle pulsion et vous serez d'attaque pour réaliser de grands projets, pour finaliser des ententes ou pour aller à la rencontre de nouveaux clients, fournisseurs ou chasseurs de têtes. Quels que soient les objectifs que vous aimeriez atteindre, vous viserez juste et bien. Ou encore, vous vous assurerez de faire affaire avec les bonnes personnes, celles qui vous paraîtront en mesure de vous aider à vous rendre jusqu'au fil d'arrivée. Vous aurez de l'entregent, une belle qualité d'écoute et vous ferez preuve de beaucoup de détermination, ce mois-ci. Les professeurs et enseignants obtiendront le respect de leurs étudiants et élèves. Les formateurs ou orateurs captiveront leurs auditoires, les leaders inspireront leurs équipes de travail et ainsi de suite. Bref, vous vous taperez dans le dos d'avoir aussi bien réussi dans votre secteur d'activité professionnelle, artistique, d'affaires ou politique.

Argent

Ne prenez aucun risque financier. Un placement pourrait s'avérer moins payant et vous prendrez des décisions à ce sujet. Sinon, les questions d'argent vous rendront plus émotif. Vous pourriez donc éprouver le besoin de consulter un psychologue ou même un psychanalyste à ce sujet.

Février

Climat général du mois

Voici un mois où vous observerez plus attentivement les relations que vous entretenez avec les autres – vos proches, vos amis, vos enfants et même l'être aimé. Mercure rétrograde passera du temps dans votre secteur des arts et de vos amours. Vous investirez beaucoup d'efforts pour créer vos œuvres ou pour mettre sur pied vos projets artistiques. Bien sûr, vous pourriez subir certains ralentissements autour du 11 février, mais ils serviront votre destinée. Comme j'aime à le dire, il pourrait s'agir de chances déguisées et dont vous n'aurez pas conscience sur le coup.

Amour

Vous constaterez que vous êtes maintenant prêt à resserrer les liens avec une personne qui a réussi à conquérir votre cœur. La bonne nouvelle est que ce sentiment s'avérera réciproque, puisque l'être aimé se réjouira devant votre désir d'engagement. Dans un autre contexte, si l'amour n'est toujours pas au rendez-vous avec une personne que vous fréquentez, vous déciderez de quitter la relation. Ou bien, Mercure rétrograde fera en sorte que vos amis ou vos parents n'aimeront pas vraiment votre nouveau coup de cœur et ils vous le laisseront savoir très clairement. Mercure rétrograde ne filtre pas les pensées, il nous oblige à les rendre telles qu'elles se formulent dans notre tête, et vos amis et parents ne seront pas épargnés.

Dans un autre ordre d'idées, vous célébrerez plusieurs anniversaires de mariage, de naissance ou des événements marquants comme la naissance d'un enfant ou des fiançailles.

Arts

Vous pourriez décider de changer de coupe de cheveu, de style vestimentaire ou de subir une chirurgie esthétique pour améliorer un aspect de votre apparence qui vous dérange vraiment. Vous vous préparez à faire une bonne impression sur le public ou les grands décideurs du milieu. Le but recherché ici, étant donné que le milieu artistique exige une apparence physique soignée et impeccable, est d'obtenir de nouveaux contrats. Ou, au contraire, un rôle en particulier vous obligera à vous vieillir, à transformer complètement votre apparence physique. Bref, vous ne vous reconnaîtrez plus sur l'écran. Il se pourrait aussi que vous remettiez en question une de vos dernières créations artistiques. Vous êtes invité à ne rien jeter par-dessus bord avant que la fin du cycle de la planète Mercure qui rétrograde ne se produise. Cela dit, les projets artistiques s'avéreront très lucratifs.

Spiritualité

Vous vous sentirez porté par une nouvelle affection pour le genre humain. Votre désir de comprendre et d'aider les gens à se sortir de leur errance spirituelle pourrait vous pousser à suivre des formations en coaching spirituel.

Carrière

De nouvelles personnes croiseront votre route durant le déroulement de ce mois et l'une d'elles pourrait se révéler être le mentor rêvé, l'agent artistique tant désiré, le chasseur de têtes ou le bailleur de fonds par excellence. Bien entendu, si vous deviez signer des papiers importants, relisez bien chacune des clauses avant d'apposer votre signature. Il se pourrait aussi qu'un nouvel engagement professionnel, artistique, d'affaires ou politique cause un conflit de taille entre vous et votre partenaire de vie.

Argent

Une bonne nouvelle concernant l'arrivée d'argent vous réjouira. Autour du 18 février, deux ou trois jours avant ou après, vous recevrez cette fameuse nouvelle de première importance. Il pourrait s'agir d'une augmentation de salaire, d'un bonus imprévu ou attendu depuis belle lurette et qui sera enfin débloqué et déposé dans votre compte en banque.

Mars

Climat général du mois

Vous devez d'abord savoir qu'une éclipse solaire totale se produira le 20 mars et qu'elle bousculera votre neuvième secteur de vie, les croyances spirituelles, ainsi que le domaine de la publication et de l'édition, la loi ou toute autre affaire légale, l'éducation (si vous êtes un professeur, étudiant ou mentor et formateur), la reconnaissance professionnelle et artistique, les longs voyages. Donc, il ne serait pas étonnant que de grands changements se produisent dans l'un ou l'autre de ces secteurs. Vous vous sentirez parfois désœuvré, dans le sens d'inoccupé, inactif ou carrément mis de côté, ou vous constaterez que, malheureusement, vos plus belles forces et qualités ne sont pas utilisées à leur pleine mesure. En revanche, à partir du 5 mars, jour de pleine lune, votre intellect sera stimulé et vous serez investi d'idées géniales et tout à fait réalisables. Bref, vous allez impressionner des patrons et de hauts dirigeants. Assurez-vous d'avoir une bonne assurance voyage, juste au cas où il se produise une annulation de dernière minute... et pour mille autres raisons possibles.

Amour

Vous pourriez décider de mettre un terme à une relation amoureuse, amicale ou familiale parce que vous ne supportez plus la situation. Les orages seront nombreux et vous ne verrez pas toujours venir la fin du mauvais temps. Ou bien, vous prendrez conscience qu'une relation amoureuse n'a rien de bon à vous offrir et c'est le cœur brisé, mais sans contredit allégé, que vous vous « éclipserez ». Vous ressentirez une grande libération, tout comme si un poids s'était enlevé de vos épaules et que vous pouviez enfin marcher sans tituber. Bref, vous retrouverez alors un bel équilibre intérieur et acquerrez une nouvelle assurance.

Arts

Vous allez vous attarder sur les actions à prendre pour réaliser, produire et développer de nouveaux projets artistiques. Vous pourriez même décider de vous retirer du monde dans un endroit privilégié pour créer. Il semble que l'appel de la nature portera de beaux fruits, puisque vos créations épateront les gens du milieu, certains décideurs ou éditeurs. Vous prêterez une attention particulière à vos rêves. L'un d'eux pourrait bien susciter une puissante inspiration.

Spiritualité

Vous pourriez décider de vous retirer pour méditer dans un lieu tout indiqué pour faire une sorte de retraite spirituelle. Ou encore, vous allez vous familiariser avec des techniques de méditation qui vous seront salutaires.

Carrière

La planète Mars mettra l'accent sur votre situation professionnelle, artistique, d'affaires ou politique, selon le domaine d'expertise dans lequel vous évoluez. Si vous vous retrouvez dans une situation qui limite votre plan d'action initial, vous devrez vous armer d'espoir et de patience, car cette situation ne durera pas vraiment longtemps, mais suffisamment pour vous faire douter et pour vous impatienter. Ainsi prévenu, vous éviterez peut-être de tomber dans ce piège. Autour du 20 mars, plus particulièrement, une personne au plus haut grade de l'échelon de votre compagnie pourrait être promue ailleurs, quitter précipitamment son poste pour des raisons de santé ou changer carrément de carrière. Un client important pourrait subir le même sort, soit dit en passant. Il semble aussi que la volatilité du marché fasse en sorte que de gros joueurs ou investisseurs s'éclipseront d'un projet qu'ils jugeront casse-gueule. Gardez le « profil bas » et observez bien ce qui se passe !

Argent

Malgré tout ce qui a déjà été prédit dans la section *Carrière*, vous ne devez pas vous inquiéter pour l'argent. L'entreprise qui vous emploie, ou la vôtre si vous êtes propriétaire et grand patron, fera tout de même de bons profits, ce mois-ci.

Avril

Climat général du mois

Une éclipse lunaire totale se produira le 4 avril. La Lune étant votre planète maîtresse, vos émotions se promèneront en montagne russe une semaine avant et après la manifestation de cette fameuse éclipse. Il se pourrait que vous cherchiez à retrouver une personne disparue, un parent qui vous a donné en adoption, un frère ou une sœur, un oncle ou une tante qui a quitté le giron familial depuis des années déjà. Ou bien, l'une ou l'autre de ces personnes entrera en contact avec vous et elle vous priera de garder le secret sur cette situation inhabituelle. Il se pourrait aussi que votre vie familiale ou domestique subisse un grand changement, une transformation majeure. Par exemple, un vice caché vous obligera peut-être à faire appel à un avocat pour faire respecter vos droits ou pour aller chercher l'argent afin de payer la réparation qui s'avérera assez onéreuse merci ! Bref, plusieurs situations belles et moins belles se produiront à la maison, ce mois-ci.

Amour

Votre partenaire de vie décidera peut-être de changer de travail et vous paniquerez devant un manque d'argent possible pendant un temps. Vous auriez alors intérêt à bien peser vos options au lieu de paniquer.

Dans un autre ordre d'idées, vous pourriez décider d'un commun accord avec l'être aimé d'adopter un enfant, de faire une première démarche en ce sens. Sinon, vous retrouverez responsable d'un enfant à la suite de la maladie de son parent ou parce qu'il est cloué au lit pour un bon bout de temps. Ou encore, votre ex-conjoint vous apprendra qu'il sera l'heureux parent d'un enfant et vous jugerez qu'il n'a plus l'âge pour ce genre de chose. Ou bien, c'est vous qui remettrez en cause une grossesse à cause de votre âge avancé. Certes, si vous êtes un homme, vous ne voudrez pas décevoir votre douce et jeune femme, mais vous vous questionnerez sur votre désir d'assumer cette paternité. En résumé, tous les cas de figure concernant les enfants sont ici possibles.

Arts

Vous jouerez de chance dans ce secteur important. Si vous réfléchissez à la manière de rendre payant un projet ou une nouvelle passion artistique, vous trouverez la solution une dizaine de jours après la manifestation de l'éclipse lunaire qui se produira le 4 avril. Aussi, vous pourriez décider de vous lancer dans « l'art thérapie » et suivre des formations spécialisées en ce sens. Ou bien, vous comprendrez soudainement combien l'Art avec un grand A peut être guérisseur et vous explorerez cette possibilité avec sérieux. Un vice-président ou directeur artistique vous laissera savoir combien il tient à vous.

Spiritualité

Une prise de conscience importante vous apportera une sorte de guérison intérieure, une paix intérieure souhaitée.

Carrière

Des nouvelles complètement inattendues vous prendront par surprise. Un ancien patron ou employeur cherchera à vous contacter. Un patron (une patronne peut-être, puisque la lune est une planète féminine), encore ce mois-ci, s'absentera de l'entreprise et pour plusieurs raisons possibles. Vous serez nommé à sa place ou vous endosserez ses responsabilités pour un temps limité ou pour longtemps. Organisez-vous pour faire l'affaire et vous serez promu, nul doute là-dessus ! Ou bien, vous assumerez un nouveau rôle au sein de l'entreprise ou du département auquel vous appartenez déjà. Au début, vous ne serez pas à la même page que le responsable, mais après discussion, vous vous rallierez avec plaisir.

Argent

Encore ce mois-ci, l'abondance matérielle sera au rendez-vous. Elle se manifestera sous la forme de royautés, de bons profits ou de bénéfices importants et bien mérités.

Mai

Climat général du mois

Étant donné que la planète Mercure rétrogradera ce mois-ci, vous vous entendrez moins bien avec vos amis, vos proches ou l'être aimé. Les désillusions seront nombreuses après le 11 mai, lorsque cette planète commencera à reculer. Vous pourriez même voir surgir sous vos yeux étonnés la malfaisance et l'hypocrisie dont peuvent faire preuve ces gens. Vous endosserez de considérables responsabilités à la maison. Il semble qu'un proche parent vous tienne toujours prisonnier dans votre propre maison parce qu'il est malade et alité ou qu'il souffre de la maladie d'Alzheimer. Ce statut de soignant naturel devra être revu et corrigé afin que vous puissiez bénéficier de revenus associés à votre condition.

Dans un autre ordre d'idées, de lourds réaménagements affecteront votre vie de couple ou familiale et plusieurs insatisfactions vous seront jetées à la figure et pas toujours gentiment. La nouvelle lune, qui se produira le 18 mai, allégera ces conflits, mais d'ici là… armez-vous de patience.

Amour

Mis à part ce qui a déjà été prédit dans la section qui s'intitule *Climat général du mois*, vous partagerez de beaux et bons moments avec la famille et l'être aimé. Un nouvel amour pourrait voir le jour et cette personne aura un caractère mature; sa nature avisée et son intelligence allumée vous étonneront à bien des égards. Vous pourriez aussi vous mettre en frais de rénover la maison. Ou bien, vous déciderez d'engager un contracteur qui exécutera les travaux. Si vous engagez quelqu'un, assurez-vous de bien vérifier ses antécédents auprès d'anciens clients ou auprès de la Régie du bâtiment du Québec. Mercure se mettra à rétrograder à partir du 11 mai et il aime bien nous jeter de la poudre aux yeux pour nous endormir. Donc, la personne que vous choisirez pour faire vos travaux doit être absolument digne de confiance. Ainsi prévenu, vous ferez sûrement un choix éclairé.

Arts

Vous ne manquerez pas une seule opportunité de faire bonne impression ou de vous démarquer. Voici un merveilleux mois pour passer une audition, pour présenter votre projet à qui de droit. Il se pourrait qu'un décideur vous invite à revoir et corriger le projet en question. Faites-le sans rechigner, et cela, même si vous vous sentez rabaissé ou découragé par l'ampleur de la tâche (ce qui est très Mercure rétrograde), puisqu'il ressortira de cette « révision/correction » de grandes percées lumineuses et ingénieuses. Bref, vous bénirez cette personne de vous avoir ainsi poussé à vous surpasser.

Spiritualité

Votre équilibre spirituel risque de vaciller durant la période rétrograde de Mercure. Vous vous sentirez plus vulnérable et émotif.

Carrière

Vous serez invité, un peu partout et par bien des clients ou patrons, à participer à des « pitchs d'idées ». Ces brèves démonstrations d'un produit ou présentations de concepts ou d'idées vous permettront de briller, de démontrer votre bon jugement, votre capacité à bien cerner les besoins du public ou des clients présents. Surtout, arrivez à l'avance pour bien préparer vos fameux « pitchs » ou présentations, sinon vous allez vous perdre dans vos explications et vous ne pourrez pas rattraper le tir après coup. Ayez bien en tête votre présentation Web ou WebEx. En agissant ainsi, vous vous protégerez contre des problèmes informatiques inattendus, typiques de Mercure lorsqu'il rétrograde. Vos ventes iront en augmentant.

Argent

Vous avez sûrement fait votre déclaration de revenus comme tout le monde et vous attendez un bon montant d'argent qui pourrait être remis en question par le gouvernement. Vous devrez alors, s'il y a lieu bien sûr, démontrer preuves à l'appui que vous avez droit à cet argent.

Juin

Climat général du mois

Vous vous préparez depuis bien longtemps au beau succès artistique, d'affaires, politique ou professionnel qui vous sourira enfin ce mois-ci. Vous donnez beaucoup aux gens que vous aimez et appréciez, et ceux-ci poseront un regard neuf sur vous. Ils réaliseront l'impact que vous avez eu sur leur vie jusqu'ici. Cette reconnaissance vous ira droit au cœur. Bref, vous compterez vos chances ! Lorsque Saturne fait des siennes, il n'est pas rare que des problèmes de santé surviennent concernant les os et la dentition. Bref, votre chirurgien dentiste pourrait vous apprendre que vous avez besoin d'un traitement de canal et si vous ne possédez pas une bonne assurance à cet effet, la facture risque d'être salée, comme on dit.

Amour

Peut-être formez-vous une famille recomposée et vous constatez depuis quelque temps que la bisbille règne au foyer. Les enfants ne s'entendent pas ou plus du tout et votre relation de couple en prend pour son rhume. Ou bien, l'ex-conjoint détruit vos beaux efforts en vous donnant mauvaise presse ou en vous accusant d'être le grand responsable de tous ses malheurs, et les enfants, ne sachant plus qui croire, se liguent contre vous. Vous allez devoir asseoir les enfants et, bien calmement, mettre les choses au clair avec eux en ouvrant une discussion amicale. Aussi, un nouvel amoureux pourrait se montrer irrespectueux à votre endroit en faisant les yeux doux à d'autres personnes en votre présence. Vous êtes invité à lui faire part de ce que vous ressentez, de votre déception lorsque vous le voyez agir ainsi. En cas de récidive, il y aurait sans doute lieu de rompre définitivement.

Arts

Un projet artistique pourrait se terminer de façon abrupte ou sans que l'on daigne vous donner d'explications. Bien sûr, vous prendrez mal cette façon d'agir et vous exigerez des explications qui, soit dit en passant, ne viendront pas vraiment. Ainsi prévenu, vous ne gaspillerez pas votre salive et votre temps inutilement. Surtout, faites l'effort de ne pas vous sentir personnellement visé par cette façon de faire cavalière. En fait, un bailleur de fonds s'est désisté à cause de la mauvaise administration des fonds alloués et les administrateurs préfèrent vous culpabi-liser plutôt que d'assumer leurs erreurs. Cela dit, vous ne serez pas long à retomber sur vos pattes !

Spiritualité

Vous apprécierez vos moments de méditation et ce retour sur soi vous apportera de belles percées spirituelles.

Carrière

Votre carrière connaîtra une belle avancée. Le succès sera au rendez-vous autour du 23 juin. Cela dit, vous allez devoir ralentir la cadence et creuser un peu plus, bref, faire vos devoirs pour voir clair et mener à bon port un projet ou une association d'affaires. La signature d'un contrat de travail vous réjouira vraiment. Ou bien, vous dénicherez un excellent travail qui vous offrira de bons avantages sociaux. Si vous aviez des achats, des investissements importants ou des décisions com-merciales à prendre, essayez de les reporter une semaine après la ré-trogradation de la planète Mercure qui se produira le 13 juin. S'il s'avère que vous n'ayez pas d'autres choix que d'agir avant, assurez-vous d'aller chercher un deuxième regard professionnel ou légal avant d'apposer votre signature au bas de tout contrat. Cela dit, vous vous sentirez d'attaque pour faire bouger les projets et les idées au fil de ce mois.

Argent

Vos revenus augmenteront nettement en ce mois de juin. Surtout après le 13, lorsque Mercure ne rétrogradera plus. Vous jouirez alors de coups de chance du destin inattendus et bienvenus. Aussi, vous aurez d'intéressantes rentrées, mais de grosses dépenses à assumer si vous n'avez pas de bonnes assurances en main.

Juillet

Climat général du mois

Vous êtes invité à faire un appel à la lumière grâce au rituel du Grand Esprit associé à la treizième lune qui se produira le 31 juillet. Vous trouverez ces explications et le rituel à accomplir juste après la section *L'année 2015 en général*, sous le titre *Alerte astrale importante pour le mois de juillet 2015*. Vous serez porté à vous interdire beaucoup de choses pour faire plaisir à l'être aimé, ou à vos proches et amis. Pourquoi vous faites-vous toujours passer en deuxième ? Serait-ce pour acheter leur affection en vous sacrifiant ainsi pour eux ? Ou bien, un événement vous permettra de réaliser que les autres n'ont pas tous la même grandeur d'âme que vous et qu'ils ne se sacrifieront jamais à ce point pour vous rendre la vie belle, pour alléger votre fardeau ou pour vous aider à grandir. Cet éveil, vous le devez à votre planète maîtresse, la Lune, qui fera un carré avec le Soleil et Neptune.

Amour

Un nouveau sentiment amoureux progresse à petits pas et l'être aimé s'impatiente devant votre lenteur. À ses yeux, l'amour ne peut pas être hésitant – il se donne tout simplement. S'il s'avère qu'il a raison de penser ainsi parce que vous ne l'aimez pas vraiment, informez-le de vos intentions réelles. Vos deux destinées prendront alors un meilleur tournant. Ou bien, c'est vous qui subissez le non-attachement réel d'un nouvel élu et vous l'inviterez à quitter votre vie. Si rien de tout cela ne vous concerne, vous convolerez probablement en justes noces, puisque le mois de juillet est idéal pour réaliser un aussi beau projet.

Arts

Vous mettrez beaucoup d'efforts pour surmonter les obstacles à votre créativité qui se présenteront au fil du mois. Vous aurez l'impression que vous devriez en faire plus que vous n'en faites déjà. Ou bien, vous réaliserez que vous remettez à demain ce qui pourrait être accompli sans problème aujourd'hui. Ou encore, vous reportez à un âge plus avancé votre besoin de créer, alors qu'au fond, vous savez bien que c'est le moment présent qui compte vraiment, plutôt qu'un FUTUR possible. Surtout, évitez de vous déprécier, vous ne feriez que ralentir votre montée vers le succès. Vos peurs intérieures ou le fameux sentiment d'imposture ne doivent pas vous empêcher de vous engager, de donner le meilleur de vous-même.

Spiritualité

Vous lèverez le voile sur plusieurs illusions que vous entretenez au sujet de vous-même et de vos bonnes actions ou intentions, comme il est mentionné dans la section *Climat général du mois*.

Carrière

Vous vous mesurerez aux critères des autres avec une facilité désarmante. La planète Uranus voyagera dans ce secteur important, ce mois-ci. Cela signifie surtout que vous afficherez une grande indépendance intellectuelle, et dans vos actions aussi. Vos collègues, clients et patrons peu habitués à vous voir prendre les rênes avec une pareille audace se demanderont quelle mouche vous a piqué. À moins, bien sûr, que vous ne soyez doté d'un ascendant très fort au natal et que vous n'éprouviez pas ce genre de difficultés à prendre votre place. Vous pourriez quitter votre emploi ou décider qu'un changement s'impose et discuter de cette situation avec un patron. Vous constaterez sans doute alors que votre désir ne deviendra réalité qu'au mois de septembre prochain. Il vous reviendra donc de prendre la bonne décision – attendre ou partir maintenant. Aussi, une confrontation sera inévitable à la suite d'actions très questionnables d'un patron ou d'un collègue à l'endroit de l'équipe de travail.

Argent

Un nouveau travail vous offrira un meilleur salaire ou de meilleurs avantages à bien des points de vue. L'être aimé pourrait subir une injustice salariale qui se produira par le non-paiement d'arriérages. Bien sûr, justice finira par lui être rendue, mais en attendant… vous devez continuer de vivre et de payer vos factures.

Août

Climat général du mois

Il semble que l'image parfaite que vous vous faisiez de la famille s'est altérée au fil de certains événements. Un peu comme si vous oscilliez entre endosser un comportement neutre ou vous engager à faire entendre raison aux proches qui trouvent toutes les bonnes raisons pour briser des liens familiaux déjà fragiles ou pour obliger les uns et les autres à prendre position contre un parent en particulier. Se pourrait-il qu'un problème d'héritage soit la cause de tout ce déchirement ? Si cela s'avère exact, vous finirez bien par rétablir vos rapports avec les membres rebelles de votre famille, mais au prix de grands efforts de votre part. Bref, vous risquez de mettre tellement d'eau dans votre vin qu'il deviendra imbuvable. Si rien de tout cela ne vous concerne, vous vous organiserez pour que l'harmonie règne entre vos enfants et leurs conjoints ou conjointes, entre vos frères et sœurs et même entre vos amis en provoquant des rapprochements familiaux ou amicaux du genre partys au bord de la piscine ou 5 à 7 où chacun apporte des grignotines et sa boisson. Bref, vous vous soucierez vraiment du bien-être relationnel de vos proches et amis.

Amour

Les échanges ne seront pas toujours faciles entre vous et l'être aimé. Vous allez déployer de grands efforts pour lui faire comprendre votre nouvelle manière de voir les choses. Ou bien, vous dégagerez une affirmation personnelle plus solide qui ne l'emballera pas toujours parce qu'il a peur de vous perdre. Ou encore, vous vous exprimerez de tout votre cœur et votre intensité pourrait faire reculer la personne qui partage votre vie. Cela ne veut pas dire qu'elle n'appréciera pas votre attitude, mais plutôt qu'elle ne saura pas comment réagir devant autant d'intensité pour se montrer à la hauteur. Bref, vous vous retrouverez devant sa propre impuissance à accepter vos profonds élans affectifs. Sinon, l'être aimé refusera d'être mis à nu, deviné, et il réagira agressivement. Nul doute que ce mois d'août sera bénéfique pour les célibataires qui sont nés sous le signe du Cancer.

Arts

Vous aborderez des sujets de type « ténébreux », ce mois-ci – par exemple, la relation de l'homme avec la mort et de la vie après la mort. Ou bien, vos écrits tourneront autour de la finalité sous toutes ses formes : la fin d'un amour, l'éphémérité des sentiments. Sinon, vous vous pencherez sur le tantrisme ou la sexualité débridée – le sexe sans amour, par exemple. Voilà autant de sujets inspirants et intéressants à traiter !

Spiritualité

Si vous avez vécu le deuil d'un frère ou d'une sœur, vous éprouvez peut-être de la difficulté à accepter son départ. Ou bien, il peut s'agir d'un membre introuvable de votre famille. Des compréhensions nouvelles vous permettront de faire la paix avec cette épreuve de vie.

Carrière

L'entreprise pourrait vous offrir une voiture, un ordinateur portable ou une tablette tactile afin de vous faciliter la vie. Vous accepterez de faire partie d'un groupe de développeurs d'idées, de concepts ou de plans d'action. Vous brillerez dans votre sphère d'activité tout comme une étoile brille dans le ciel. En revanche, vous aurez souvent tendance à vous replier sur vous-même, à ressentir de l'amertume envers certains collègues ou patrons et pour des raisons parfois futiles. Vous pourriez aussi entretenir une volonté de changer certaines personnes, une attitude qui vous servirait plutôt mal.

Argent

Les occasions de faire de l'argent se pointeront le bout du nez encore ce mois-ci. La planète Jupiter, la grande bénéfique, rayonnera dans votre deuxième secteur, celui de l'argent et des finances. Vous aurez sûrement l'embarras du choix autour du 23 août surtout.

Septembre

Climat général du mois

Quel mois ! Il va se produire deux éclipses importantes en plus de la troisième rétrogradation de la planète Mercure. Toutefois, il n'y a pas de quoi paniquer, puisque septembre vous offrira plusieurs occasions de recharger vos batteries et de vous refaire une santé physique et morale. Encore une fois, vous tenterez de régler des histoires de famille. La maison aussi aura droit à toute votre attention. Vous jardinerez et récolterez les fruits de votre jardin et vous préparerez avec amour vos conserves pour les mois d'automne et d'hiver à venir. Ce beau projet pourrait se faire à plusieurs; les amis et certains proches se feront un plaisir de vous aider. Un projet de rénovation impliquera une planification à long terme. Le temps et l'argent vous manqueront parfois, ce qui est très éclipse et Mercure rétrograde, mais vous vous montrerez inventif, voire génial, lorsque vous déciderez de résoudre les difficultés qui se présenteront.

Amour

En ce qui concerne votre attitude relationnelle, vous chercherez souvent à provoquer la personne qui partage votre vie pour savoir si elle tient vraiment à vous. Vous avez parfois une drôle de manière de tester l'affection ou l'amour de l'autre ! Aussi, il peut y avoir une lutte en vous qui se produit lorsque vous êtes en relation : vous aimez et, simultanément, vous en voulez à la personne que vous aimez de susciter en vous cet amour brûlant. L'être aimé pourrait devoir boucler sa valise et s'envoler vers un pays étranger, qui lui offre du travail et une bonne rémunération. Ou bien, un nouvel élu décidera peut-être de prendre du recul autour du 17 septembre parce qu'il n'arrivera plus à voir clair en son cœur.

Arts

Vous pourriez rompre une association artistique ou d'affaires dans ce domaine par manque de fonds ou parce qu'un bailleur de fonds se désistera. Ou bien, le producteur d'une série télé ou d'un film fera faillite et fermera ses portes. Bien sûr, vous dénicherez un autre producteur, mais la perte de temps vous angoissera vraiment. Cette situation incongrue de devoir rattraper le temps perdu vous obligera à revoir et à corriger le projet de télé ou de film. Vous allez vous exprimer davantage et véritablement; cette communication limpide permettra aux gens de réaliser et de comprendre votre versatilité et votre grande capacité créatrice.

Spiritualité

Votre vie intérieure vous permettra d'explorer de nouveaux horizons, de nouvelles prises de conscience. Bref, vous allez faire de belles découvertes au sujet de vous-même.

Carrière

Vous aimez rendre des services et ils vous seront rendus au centuple par les gens concernés ou impliqués. Les éclipses qui se produiront et Mercure qui rétrogradera occasionneront de nombreuses « tombées dans la lune » et ces départs momentanés nuiront considérablement à la bonne marche de votre travail. Ou bien, vous vous plaindrez plus facilement à propos de tout et de rien. Le meilleur conseil astrologique pour éviter de tomber dans la lune est de vous parler à voix haute, sauf si vous travaillez dans le même espace de bureau qu'une autre personne ! Un sentiment d'abandon à l'adolescence pourrait être réactivé par la maladresse d'un patron, d'un collègue, d'un associé ou d'un client.

Argent

Vous devriez éviter d'effectuer d'importants placements. Si vous pouviez attendre le mois prochain pour oser mettre de l'avant ces réarrangements, ce serait génial ! Si c'est impossible, vérifiez méticuleusement si vos intérêts sont bien servis par la personne responsable de votre compte bancaire ou de vos finances.

Octobre

Climat général du mois

Mercure continuera sa rétrogradation jusqu'au 11 octobre. Si je compare cette fin de rétrogradation avec tout ce qui s'est produit dans votre ciel astral le mois passé, ce recul n'est absolument pas inquiétant ! Un proche, l'être aimé ou un ami dramatisera le moindre geste, la moindre parole qui sortira de votre bouche, ce mois-ci. Ses réactions vous étonneront et vous vous demanderez s'il vous aime toujours !

Dans un autre ordre d'idées, assurez-vous de vous accorder suffisamment d'heures de sommeil, car les émotions du mois passé ont été fortes et votre système nerveux en a pris pour son rhume. Les secteurs de la vente, de l'importation et de l'exportation et de la publicité vous permettront de rayonner et de faire votre place sur la scène internationale. La clarté de votre mental vous permettra d'agir ou de prendre des décisions avec assurance.

Amour

L'être aimé subit sans doute des transformations familiales importantes. Un de ses enfants a peut-être quitté le toit familial et sa raison d'être s'en est allée avec lui. Il n'arrive pas à se donner une autre vocation que celle de parent ou d'éducateur et sa souffrance intérieure est de plus en plus palpable. Bref, il doit se découvrir d'autres centres d'intérêt alors qu'il n'a même pas encore fait le deuil de son ancien moi. Quels que soient ses tourments, invitez-le au besoin à consulter un psychologue, un hypnothérapeute, un psychothérapeute ou un psychanalyste. Il ressortira de ces séances beaucoup plus serein et en meilleur contrôle de sa vie. Ce qui n'est pas rien, vous en conviendrez ! Les célibataires exploreront de nouveaux territoires amoureux. Les invitations à sortir seront nombreuses et agréables.

Arts

Il se pourrait que, dans les mois passés, vous ayez dissous une équipe de travail qui ne vous convenait plus depuis des années. En fait, les déboursés étaient plus grands que les rentrées d'argent parce qu'il y avait un sérieux relâchement installé au sein de l'équipe. Vous pouvez maintenant repenser ou réfléchir à la suite de votre carrière artistique. La nouvelle équipe que vous déciderez de former répondra tellement mieux à vos besoins : elle s'organisera pour faire rayonner votre talent ici et à l'étranger, elle vous permettra de trouver l'inspiration pour réaliser de nouveaux projets artistiques.

Spiritualité

Vous pourriez décider d'aller vous ressourcer dans un endroit serein. Il pourrait s'agir d'un spa qui vous offrira une vue imprenable sur la mer des Caraïbes, par exemple. Vous reviendrez de là-bas tout ragaillardi !

Carrière

Au lieu de « laver son linge sale en famille » au sein du groupe de travail, un collègue étalera au grand jour les incompétences des uns, ce qui cloche au sein de l'équipe ou les conflits qui agitent et qui font se rebeller les uns contre les autres. Cette personne provoquera des mises au point nécessaires, mais dont vous vous seriez bien passé. En tant que chef d'entreprise, responsable ou patron, vous serez plus impatient et agressif au début du mois, puis vous vous assagirez autour du 20 octobre.

Dans un autre ordre d'idées, vous vous montrerez efficace, déterminé et capable de relever tous les défis qui se présenteront à vous. Vous pourriez même trouver une solution géniale à un conflit de travail et éviter que ne se produise une grève ou une massive mise à pied. Bref, vos neurones vont fonctionner à merveille !

Argent

Mercure rétrograde compliquera un peu les choses encore ce mois-ci, mais à une moins grande échelle. En ce sens que vous vous montrerez bien plus réaliste lorsque vous finaliserez des ententes d'affaires, des achats importants ou des investissements.

Novembre

Climat général du mois

Une amie chère à votre cœur, une sœur ou votre maman pourrait perdre son emploi, une source de revenus, faire faillite ou nager en plein divorce et ne plus savoir comment gérer sa vie. Vous l'accueillerez peut-être chez vous le temps qu'elle reprenne du mieux et vous lui offrirez, par le fait même, tout l'espace nécessaire pour qu'elle retombe sur ses pieds. Sinon, il ne serait pas étonnant que plusieurs amis se retrouvent dans cet état où la vie semble se dérober sous les pieds. N'hésitez pas à les encourager en les informant que ces transformations de vie, aussi pénibles soient-elles, se matérialiseront finalement en de beaux tournants du destin. Comme j'aime à le dire, il arrive souvent que des drames ou de grands changements déstabilisants soient en fait des chances déguisées. Il suffit de laisser passer le temps pour comprendre à quel point la vie sait mieux que nous comment nous rendre heureux.

Amour

Vous vous rejoindrez à un niveau très profond et cette entente s'avérera prometteuse pour bien des années à venir. Vous coopérerez mieux et vous vous soutiendrez dans l'action comme dans vos intentions. Bref, une merveilleuse collaboration verra le jour, ce mois-ci. Les célibataires feront sûrement la rencontre d'une âme sœur ou jumelle et tous les espoirs seront permis. Vous pourrez élaborer des projets à deux, un mariage, une union de fait, l'achat d'une maison, une grossesse ou l'arrivée de bébé à la maison et même une fête de famille pour partager votre bonheur avec vos proches et amis. En résumé, le *fun* sera au rendez-vous lors de vos réceptions. De plus, les gens s'offriront tout naturellement pour vous prêter main-forte. Qui dit mieux ?

Arts

Vous assumerez très bien votre créativité. Vous pourriez élaborer de beaux projets artistiques avec des collègues humoristes, chanteurs, comédiens, auteurs-compositeurs ou réalisateurs tout comme vous. Vous n'arriverez pas à choisir efficacement parce que tous les projets seront intéressants, enlevants et prometteurs. Vous devrez alors n'écouter que votre cœur, puisque votre tête, cette indomptable touche-à-tout, s'imaginera être capable de tout faire pour ne rien manquer et ne pas renoncer à quoi que ce soit. Vous allez donc devoir vous raisonner !

Spiritualité

Vous vous intéresserez à plusieurs formations spirituelles et vous éprouverez des difficultés à renoncer à l'une d'elles. Encore une fois, suivez votre cœur et vous prendrez la meilleure décision.

Carrière

La nouvelle lune du 11 novembre vous aidera à trouver un bon emploi, si vous êtes sans travail bien sûr; les travailleurs autonomes dénicheront un nouveau contrat. Sinon, vous mettrez sur pied une association d'affaires. Vos produits et services connaîtront une forte demande de la clientèle. Si vous avez un travail saisonnier, vous serez très occupé à répondre aux besoins de la clientèle durant ce mois précurseur de l'arrivée du temps des fêtes. Vous allez faire la rencontre de nouveaux alliés professionnels, artistiques, d'affaires ou politiques. Il se pourrait aussi qu'un conflit de travail vous oblige à trouver un emploi temporaire. Puis, vous hésiterez vraiment à vous défaire de cet emploi. Donc, vous déciderez peut-être de le garder pendant un temps pour renflouer votre bas de laine.

Argent

Ne laissez pas vos rêves de grandeur dilapider vos économies ! Ce conseil vous sera utile ce mois-ci lorsque vous vous retrouverez en train de peser le pour et le contre d'un achat, d'une rénovation ou d'un voyage. Bien entendu, si vous avez les moyens de vous offrir tout le luxe que vous désirez, la question ne se posera même pas !

Décembre

Climat général du mois

Si vous faites partie des gens qui sont à la retraite, vous pourriez dénicher un travail à temps partiel qui vous conviendra parfaitement en ce qui concerne l'horaire et le salaire. Il se pourrait que ce travail vous soit offert par l'entremise d'un ami, d'un proche ou d'un charmant voisin. D'ordinaire, le mois de décembre offre des rencontres du genre 5 à 7 professionnel, artistique, d'affaires ou politique. Vous n'échapperez pas à cette réalité et beaucoup d'invitations vous seront lancées. Vous apprécierez la qualité et la diversité de la nourriture, les cocktails raffinés et la beauté des endroits choisis pour le déroulement des activités. Bref, vous allez jouer un rôle plus mondain avec plaisir et les rencontres que vous ferez sortiront de l'ordinaire. Vous ne vous ennuierez pas une seule seconde en compagnie de ces personnes !

Amour

Malgré certaines tensions à la maison, vous apprécierez grandement les doux moments passés en compagnie de l'être aimé. Le calme bienfaisant d'une journée libre de tout engagement mondain, artistique, politique, professionnel ou d'affaires vous régénérera vraiment. Les rapprochements amoureux seront nombreux et vous vous sentirez porté par l'amour. Les célibataires tomberont amoureux. Certains parmi vous craindront même de s'illusionner au point de se braquer et de refuser de s'ouvrir à ce nouvel amour. Vous ne devez pas laisser vos peurs décider de votre vie, de votre avenir amoureux. Assumez vos sentiments envers cette personne tout simplement ! *Que Sera, Sera* (*whatever will be, will be*), comme l'a si bien chanté Doris Day.

Arts

Vous ne manquerez pas d'idées pour faire évoluer votre carrière artistique. Vous porterez toute votre attention sur un projet en particulier. Autour du 10 décembre, juste avant l'arrivée de la nouvelle lune le jour d'après, soit le 11, vous allez trouver LE concept idéal, l'idée géniale ou le plan de développement le plus stratégique et imaginatif en ville. Il sera applaudi à la fois pour son originalité et son côté pratique. Vous mettrez à profit tous vos talents dans l'élaboration de ce beau projet.

Spiritualité

Vous connaîtrez une baisse d'énergie qui pourrait vous faire voir les choses tout en noir. Votre foi risque d'être ébranlée par la même occasion. Vous êtes donc invité à vous ressaisir lorsque vous vous sentirez happé par l'esprit de la négativité.

Carrière

Même si le mois sera plutôt tranquille, le temps des fêtes oblige, vous serez témoin de la montée de certains conflits au travail. Ou bien, vous refuserez catégoriquement de supporter plus de pression de la part de qui que ce soit. Ce réflexe « j'en ai ras le bol » pourrait vous occasionner des problèmes avec un patron. Ainsi prévenu, vous serez en mesure de calmer votre « écœurantite aiguë » professionnelle. Cela dit, autour du 14 décembre approximativement, une situation professionnelle, artistique, d'affaires ou légale se réglera enfin. Ainsi libéré de ce poids, vous développerez des projets qui connaîtront dans un avenir proche un beau succès.

Argent

L'être aimé verra grand, un peu trop grand à votre goût, si j'en crois la planète Neptune qui s'agitera dans votre huitième secteur, celui des acquis matériels et financiers. Vous tenterez bien de couper dans les dépenses, mais vous vous rendrez vite à l'évidence que la nourriture, la boisson, les cadeaux, qui sont de mise, et les petites gâteries du temps des fêtes coûtent cher.

LION

DU 24 JUILLET AU 23 AOÛT

Ses couleurs préférées : Vous aimez les différentes teintes d'ocre, de jaune et d'or. Votre couleur maîtresse demeure le jaune, car votre signe du zodiaque est régi par l'étoile qui s'appelle le Soleil, mais vous appréciez aussi la pureté du blanc et les différentes intensités d'orangés.

Ses métaux : L'or et l'argent.

Ses pierres de naissance : Le diamant, la citrine et le corail.

Ce que ces pierres symbolisent : Le diamant symbolise l'amour éternel, la durée ou l'endurance et le Lion, lorsqu'il porte un diamant, connecte avec cette énergie d'amour. La citrine protège le Lion contre ses propres impatiences, ses pensées noires qui le tirent vers le bas et son agitation mentale. Le corail, dans les teintes d'ocre et d'orangé surtout, l'aidera à se protéger contre les malchances ou les voleurs en tout genre.

Les différents aspects de sa personnalité

Le Lion a du panache et il se manifeste par une crinière abondante. Il arrive à l'homme Lion de perdre ses cheveux, certes, mais cela ne l'empêche nullement de se montrer viril et affirmé. Le lion assume ses responsabilités avec assurance, dignité et savoir-faire. Ce signe du zodiaque est porté par l'élément Feu, tout comme le Bélier et le Sagittaire. Son Feu à lui est situé au niveau du cœur, voilà pourquoi il se montre si généreux. Bref, c'est le « Richard Cœur de Lion » du zodiaque, le Roi Soleil, celui qui administre, qui organise, qui chapeaute. Il est le chef qui dirige avec une main de fer dans un gant de velours, un meneur d'hommes aguerri et respecté, un releveur de défis déterminé et volontaire. Son orgueil tridimensionnel est son pire défaut et son pire ennemi, étant donné qu'il provoque à la fois le respect et la peur de son entourage. Ce sentimental passionné est avant tout un sensoriel qui désire être stimulé et charmé par un style vestimentaire chic et de bon goût, un parfum recherché, une démarche sexy et un sourire charmeur, une voix sensuelle et douce. Le Lion exige le respect de la part de ses proches, de sa douce moitié et de ses amis, collègues, employés et associés. Manquez-lui de respect et vous l'entendrez rugir jusqu'à faire trembler les murs !

La femme Lion est une femme forte au grand cœur, qui porte la culotte avec une maîtrise étonnante. Sans contredit, elle préfère dominer plutôt que de se soumettre. Il suffit de dire que feu Coco Chanel était Lion pour comprendre le niveau d'élégance et de classe qui habite les femmes qui sont nées sous ce signe important ! Qu'il soit homme ou femme, le Lion éprouvera de profondes difficultés amoureuses au cours de sa vie. Ses pannes de désir sont pénibles et peuvent nuire à la bonne entente conjugale. N'oubliez pas que c'est un sensoriel (la femme Lion aussi) et que pour allumer son désir, vous devez titiller ces cinq sens : l'ouïe, l'odorat, la vue, le toucher et le goût.

Votre compatibilité avec les autres signes

Entretenir une relation d'amitié avec le Capricorne et le Verseau sera préférable, puisque vos points de vue sont souvent diamétralement opposés. Vous vivrez des moments de purs délices avec le Poissons. Votre meilleur ami sera toujours le Bélier, avec qui vous pouvez marcher main dans la main et que vous comprendrez à demi-mot. Les changements d'humeur du Taureau peuvent égratigner vos relations et, à long terme, cette situation risque de devenir dramatique. Votre âme sœur appartient au signe du Cancer ou d'ascendant Cancer. La Vierge vous attirera presque par automatisme et votre couple tiendra la route. Le Sagittaire vous donnera l'impression que vous l'avez déjà rencontré dans une autre vie…

Quelques Lion célèbres

Jennifer Lopez, Sandra Bullock, feu Whitney Houston, Audrey Tautou, Halle Berry, Ben Affleck, Marc Dupré, Robert de Niro, Madonna, Dustin Hoffman, Kate Beckinsale, Arnold Schwarzenegger, Charlize Theron, Kim Cattrall, Mick Jagger.

L'année 2015 en général

La planète Jupiter collaborera avec la planète Saturne, cette année, pour vous faciliter la vie. Vous aurez donc le plaisir de constater au fil des mois que la chance commence à vous sourire sérieusement à bien des égards au travail ou en ce qui concerne la famille, l'argent, l'amour et les affaires. Une percée lumineuse ou une idée de génie vous permettra de vous défaire d'une préoccupation d'affaires ou financière. Cette percée vous apportera de nouvelles options sécurisantes, une solide confiance en vous, en la vie, en vos talents et capacités.

Vous avez sûrement connu une élévation sociale ou reçu une promotion, ou peut-être avez-vous été honoré pour vos nombreux accomplissements sociaux, humanitaires, professionnels, artistiques, d'affaires ou politiques en 2014. À partir du mois de juillet 2015 et durant une bonne partie du mois d'août, votre période anniversaire, vous amorcerez un nouveau cycle de vie spirituel qui aura un fort impact sur le développement de vos projets et leur succès. Comment ? La spiritualité (à ne pas confondre avec la religion ou les croyances religieuses) permet d'ouvrir la conscience pour mieux connecter avec notre véritable authenticité. À partir du moment où l'on est animé par un fort désir d'authenticité, un puissant changement s'opère en nous. Cette transformation crée des possibilités infinies d'ouverture de destin. Vous aurez bien des occasions d'expérimenter cette vérité durant le déroulement de l'année 2015.

Vous allez aussi réinventer votre vie amoureuse, familiale ou amicale et sociale. Ce renouvellement facilitera votre désir d'aimer, votre capacité à apprécier les petites choses de la vie et à accepter l'affection de vos proches, de vos amis et de l'être aimé. La planète Jupiter s'installera dans votre douzième secteur : vous ferez de votre maison un endroit où la joie et le plaisir auront préséance. Si un problème familial continuait de vous rendre la vie misérable, consultez votre divinité intérieure grâce à la méditation et vous obtiendrez des réponses, des inspirations puissantes.

Bonne et heureuse année 2015, chers Lion !

Alerte astrale importante pour le mois de juillet 2015

Il va se produire deux pleines lunes durant le mois de juillet. La première aura lieu le 2 juillet et l'autre le 31. La pleine lune du 31 juillet est aussi appelée « lune bleue » et les Amérindiens la vénèrent pour ses forces mystiques et magiques sacrées.

Quelques explications importantes

Le *Farmer's Almanac* est un almanach nord-américain datant du début du XIXe siècle. La définition qu'il donne de la « lune bleue » est la suivante : « Elle se produit lorsque la pleine lune apparaît deux fois dans un même mois. Ces pleines lunes reviennent toutes les 2,6 années soit une année sur trois approximativement. »

Quelles sont les forces magiques de la « lune bleue » ?

Symbolisme : aussi appelée la «lune du Grand Esprit», la «lune bleue» permet d'entrer en contact avec des forces toutes-puissantes qui nous accompagneront et nous protégeront. Cette « lune bleue » a aussi le pouvoir de matérialiser nos vœux pour nous faciliter la vie.

La lune bleue ou lune du Grand Esprit

Le Grand Esprit dont elle est porteuse fera lever en nous un grand pouvoir de construire, d'ériger, de bâtir et de développer des projets, des idées, des plans d'action ou des concepts qui dureront dans le temps, et qui nous apporteront le succès et la réussite. Ces prises d'action nous permettront dans un même souffle de nous refaire une santé matérielle, amoureuse, professionnelle, artistique, d'affaires, politique, physique, psychologique et spirituelle.

Rituel à faire le soir de l'apparition
de la « lune du Grand Esprit »

Lorsqu'elle illuminera le ciel le soir du 31 juillet, assoyez-vous paisiblement devant elle en vous assurant d'avoir une feuille de papier sur vos genoux.

Plume à la main (si vous n'en avez pas à votre portée, un crayon fera l'affaire), imaginez que vous trempez le bout de votre plume (crayon) dans la lumière de la lune, en plein centre du grand cercle blanc que forme la « lune bleue », comme si elle était un encrier suspendu dans le ciel.

Inscrivez sur votre feuille votre vœu, votre désir ou ce qu'il vous tient vraiment à cœur d'obtenir. Si vous avez choisi d'utiliser une vraie plume pour faire ce rituel, rien ne s'inscrira sur votre feuille bien évidemment. Le but de ce rituel est de vous amener à établir un contact avec cette puissante force. Mais plus encore, ce rituel a pour but ultime de vous inciter à écrire une « lettre de lumière au Grand Esprit » de manière symbolique.

Cette intention d'écrire ainsi une « lettre de lumière au Grand Esprit » fera en sorte que vous établirez un contact durant ces instants bénis, et que vous allez recevoir durant le déroulement du rituel, quelques heures ou jours après votre demande, des visions, des rêves, des idées, des réponses, des inspirations soudaines qui émergeront de votre for intérieur ainsi que des prises de conscience puissantes capables de vous faire réaliser votre vœu. Chose certaine, ce rituel va transformer votre vie ou vos perceptions concernant l'invisible à tout jamais.

Janvier

Climat général du mois

Le 20 janvier, la planète Mercure se mettra à rétrograder et vous ne vous sentirez pas toujours prêt à endosser de nouvelles responsabilités ou à vous donner corps et âme aux projets qui se présenteront alors. En fait, votre manque d'entrain lui sera imputable. Un projet en attente recevra l'approbation d'un V.I.P. et vous serez le premier à jouer sur la ligne offensive. Cela dit, durant le déroulement des deux premières semaines de ce beau mois de janvier, vous vous amuserez beaucoup lors de vos sorties avec les amis, la famille ou l'être cher. Toutefois, couvrez-vous bien la gorge, car vous serez plus sujet à prendre froid. Durant cette période, vous n'échapperez pas aux turbulences envoyées par Mercure rétrograde. Par exemple, vous aurez tendance à sauter directement aux conclusions, ce qui vous obligera par la suite à faire certaines corrections. Ces pertes de temps vous feront grincer des dents. Vous êtes donc invité à entretenir un bon sens de l'humour; il s'avérera être le meilleur moyen pour vous aider à traverser ces « zones de turbulences » !

Amour

Vous vous sentirez énergisé et mieux dans votre peau. Donc, vous prendrez plus facilement vos responsabilités familiales, vous aurez le cœur à rire plus souvent et votre partenaire de vie vous le rendra au centuple. Si vous êtes célibataire, vous serez peut-être déçu de la réponse peu enthousiaste d'une nouvelle flamme concernant votre désir d'amener un peu plus haut et un peu plus loin la relation. Son refus d'engagement pourrait même vous faire reculer ou vous amener à vous questionner sur l'amour qu'il ou elle vous porte. Finalement, après discussion, vous réaliserez sans doute que la « peur du futur » de l'être chéri est à l'origine de tout ce brouhaha. Il y a des gens qui ont tellement peur du futur qu'ils ne voient que le négatif jusqu'à se répéter inlassablement des sentences peu optimistes : ça ne marchera pas, il va finir par me quitter, à quoi bon me démener, l'amour, c'est de la foutaise, puisque dans quelques années, le désir foutra le camp ! Vous serez en mesure de comprendre ses insécurités, mais vous ne pourrez pas raisonner cet être aimé; en effet, cette peur de l'avenir ne se soigne qu'à partir de l'intérieur.

Arts

Votre pouvoir créatif sera puissant et transformateur. Il vous arrivera souvent d'écrire des vérités qui vous ouvriront les yeux, qui occasionneront chez vous des percées lumineuses de niveau supérieur. Imaginez la puissance qui vous habitera ! Votre capacité à élaborer des projets et à les mettre en action en étonnera plus d'un. Vous devrez tout de même vous adapter à des situations qui sortiront de l'ordinaire et qui se présenteront sous la forme d'événements inattendus. Vous devez cela à Mercure qui commencera sa rétrogradation le 20 janvier.

Spiritualité

Votre défi principal se présentera lorsque vous ferez la rencontre de gens immatures qui vous obligeront à vous montrer perspicace dans vos explications pour les amener à réfléchir plus loin que le bout de leur nez. Votre intuition vous secondera vraiment lorsque vous serez en contact avec ces personnes.

Carrière

Vous aurez plusieurs missions à accomplir et de nouvelles attributions professionnelles, artistiques, d'affaires ou politiques vous ouvriront la porte sur un beau renouveau. Vous vous montrerez opérationnel, brillant et déterminé à faire évoluer les projets et plans de match. Vous embaucherez des gens qui se montreront à la hauteur de vos espérances. Après l'arrivée de la pleine lune, soit le 5 janvier, il se présentera une chance de destinée qui vous ouvrira la fameuse porte sur un renouveau enthousiasmant.

Argent

La belle planète Vénus vous offrira des possibilités de faire des profits. Ou bien, vous allez recevoir des offres de travail qui s'avéreront profitables sur le plan financier et matériel. Toutefois, vous sentirez que certains clients pressent le citron pour mieux abuser de votre bonne foi. Ils s'efforceront de vous obliger à mieux les servir alors que vous donnez déjà votre 200 %. De plus, armez-vous de patience puisqu'une acceptation bancaire ne viendra qu'en février.

Février

Climat général du mois

Jusqu'au 11 février, Mercure continuera de rétrograder et, durant cette période, vous passerez par des hauts et des bas importants. Une nouvelle affectation professionnelle vous déstabilisera sur le coup, mais après un certain temps, une ou deux semaines environ, vous constaterez à quel point vous avez été privilégié et chanceux d'avoir été choisi. Vous pourrez alors sortir les confettis et fêter la bonne nouvelle avec vos amis, vos proches et la personne qui partage votre vie. Ils vous confieront sûrement alors qu'ils s'inquiétaient vraiment pour vous à cause de votre manque d'enthousiasme du début.

Dans un autre ordre d'idées, il se pourrait qu'un nouvel élu de votre cœur subisse une perte d'emploi, qu'il doive faire faillite ou se départir de biens importants, ce qui l'angoissera terriblement. Après le 11 février, tout ira mieux pour cette personne chère, puisque le souffle de destruction sera passé et qu'il se présentera des occasions de se reconstruire une santé matérielle et financière.

Amour

Si vous êtes toujours célibataire et que vous espérez trouver l'amour, la planète Jupiter qui traverse votre douzième secteur, selon l'astronomie, s'organisera pour que vous rencontriez quelqu'un de bien. Il s'agira d'une personne qui vous conviendra à merveille et qui partagera des valeurs tout à fait compatibles avec les vôtres. La relation aura donc de fortes chances de durer, de s'épanouir et de vous conduire tous les deux devant monsieur le juge ou monsieur le notaire pour sceller légalement votre union. Vous pourriez aussi décider de vous marier, d'avoir un enfant ou d'acheter une maison et, tant qu'à faire, un chalet où vous roucoulerez des jours heureux. Un voyage en amoureux serait aussi possible et vous aurez l'impression de vivre au paradis tellement les odeurs, l'endroit, la beauté de la mer et de la plage vous paraîtront surnaturels.

Arts

Vous serez plus démotivé au début du mois. D'ici la fin de la rétrogradation de Mercure, qui se produira le 11 février, un nouveau budget sera coupé de moitié. Vous vous demanderez alors s'il vaut la peine que vous vous investissiez autant pour de pareilles miettes de pain. Vous seul serez en mesure de prendre la bonne décision : persévérer ou tout arrêter. Vous rencontrerez des personnes très talentueuses dans leur domaine d'expertise artistique. Elles vous prêteront main-forte ou elles accepteront de s'associer avec vous pour mener à bien le projet coupé de moitié ou dans de tout nouveaux projets.

Spiritualité

Votre conscience spirituelle continue de s'élever, de s'accroître et, ce faisant, vous récoltez des bienfaits de la vie, des gens qui vous entourent et qui se sentent attirés par votre belle énergie.

Carrière

Si vous êtes à la recherche d'un emploi, vous allez sûrement décrocher le bon d'ici la fin du mois. Vous passerez de nombreuses entrevues et votre niveau de stress s'élèvera considérablement. Vous êtes donc invité à vous calmer. Le stress s'élève considérablement lorsque notre intention repose sur un «ne pas», comme «ne pas vouloir décevoir» ou «ne pas vouloir se faire dire non». Votre intention doit s'enraciner dans des affirmations positives comme « je suis à la hauteur, je vais réussir, j'ai confiance en mon expérience de travail et je vais honorer le poste qui me sera confié ». Un état d'esprit constructif est tout aussi contagieux qu'une expression de soi négative («ne pas vouloir déplaire», par exemple).

Argent

Tout comme un jardinier doit élaguer des arbres pour qu'ils restent en santé et qu'ils continuent de grandir, vous couperez dans vos dépenses pour permettre à votre situation financière de se développer. Vous regarderez votre budget d'un nouvel œil pour le structurer autrement. En fait, vous devez surtout éviter de faire des projections trop optimistes, puisque c'est en demeurant pratique – vos prévisions doivent reposer sur des faits et des cas de figure réalistes – que vous remporterez une belle victoire financière et matérielle.

Mars

Climat général du mois

Vous êtes le seul signe du zodiaque qui est régi par une étoile : le Soleil. Or, une éclipse solaire se produira le 20 mars dans le signe des Poissons, selon l'astronomie. Vous vous sentirez souvent fatigué, en panne d'énergie ou incapable de sortir du lit le matin. Voyez cela avec un médecin, puisque cette rencontre médicale pourrait vous éviter de voir émerger d'autres symptômes physiques incommodants. En effet, sans doute détectera-t-il d'autres petites anomalies qui auraient pu s'aggraver avec le temps et le manque de soin. Ces dernières prédictions ne sont pas coulées dans le ciment étant donné que l'éclipse solaire pourrait agir sur d'autres plans, comme vous obliger à reporter un voyage, à endosser un rôle professionnel de remplacement, à travailler seul sur un projet sans recevoir l'aide souhaitée. Ou bien, des ennemis seront démasqués par un drôle de concours de circonstances, ce qui est plutôt une bonne nouvelle même si elle demeure stressante.

Dans un autre ordre d'idées, l'hérédité familiale joue un rôle douloureux et inconscient dans votre vie. Par exemple, porteriez-vous le prénom d'un aîné de la famille décédé, d'un aïeul ou d'une grand-tante ? Ce prénom serait-il porteur des attentes de vos parents ? Sentez-vous l'obligation de vous montrer à la hauteur de ce legs ? Si vous répondez oui à toutes ces questions, vous allez devoir exiger des proches concernés de vous aider à enlever de sur vos frêles épaules ce lourd fardeau familial.

Amour

Une situation cachée sera révélée au grand jour. Une relation familiale, amicale ou amoureuse pourrait se terminer une semaine avant ou après la manifestation de l'éclipse solaire. Les voyages en amoureux seront privilégiés, mais aussi les petits déplacements ici et là pour le plaisir, les rencontres et les sorties entre amis ou les fêtes que vous organiserez à la maison. Quel beau mois pour faire l'expérience ou découvrir de nouveaux restaurants ou pour vous gâter dans un spa tout inclus ! Cependant, vous aurez tendance à réagir après coup au lieu de vous défendre sur le moment. Vous serez donc souvent en train de tenir un discours intérieur du genre : «J'aurais dû dire ceci ou cela, ré-

agir comme ceci ou cela, pourquoi n'y ai-je pas pensé sur le coup ?»
Vous auriez plutôt intérêt à cesser de vous taper ainsi sur la tête !

Arts

Bien que vous soyez d'un naturel actif, déterminé, dynamique, vif et intelligent, vous serez parallèlement atteint par moments d'une grande passivité. Encore une fois, vous devez cela à l'éclipse solaire qui se produira le 20 mars. S'il ne s'agit pas de vous-même, ce sont les associés, bras droits, producteurs, réalisateurs ou metteurs en scène qui souffriront d'inertie chronique durant le déroulement de ce mois.

Spiritualité

La planète Mercure se positionnera à une belle distance de la planète Neptune et cela poussera votre niveau de conscience à s'élever d'un cran, ce mois-ci. De fait, vous saisirez des concepts spirituels de niveau très élevé sans aucune difficulté.

Carrière

Voici un mois où vous influencerez une discussion d'affaires, politique, professionnelle ou artistique dans le bon sens ou dans un sens souhaité. Vous serez le premier surpris de voir la situation tourner à votre avantage. Ne vous pétez pas les bretelles pour autant : vous aurez tôt fait de constater qu'il reste bien des choses à accomplir avant de crier victoire. Vous signerez un contrat de travail. Un associé, un patron, un employé de confiance, un fournisseur ou un client «s'enfargera dans les fleurs du tapis» de temps en temps et vous serez alors porté à parler trop haut et trop fort. Ou bien, un patron vous encense et vous choie dans le but de vous tenir prisonnier d'une cage dorée. Cage pour cage – autrement dit travail pour travail –, mieux vaut être apprécié et reconnu que tenu pour esclave !

Argent

Vous serez porté à la dépense et de manière compulsive. Vos émotions seront souvent à fleur de peau à cause de l'argent. Si vous êtes un joueur compulsif, vous pourriez dépasser sérieusement la mesure et vous retrouver avec un problème financier de taille. Ne serait-il pas grand temps de régler ce problème?

Avril

Climat général du mois

Une éclipse lunaire se produira le 4 avril. Vous vous libérerez d'une dette ou vous déciderez de consolider vos dettes avec la banque. Ou bien, par crainte de manquer d'argent, vous vous encombrerez de trop de travail. Sinon, vous n'arriverez pas à mettre de l'argent de côté et cette impossibilité sera difficile à digérer par moments. Vous connaissez sûrement le vieil adage qui dit : « En avril, ne te découvre pas d'un fil. » Si vous ne le connaissez pas encore, vous apprendrez à vos dépens ce qu'il signifie. En effet, vous pourriez prendre froid et vous retrouver aux prises avec une mauvaise grippe, un rhume ou, pire, une pneumonie. Ainsi prévenu, vous ferez sûrement ce qu'il faut pour défaire cette prédiction. Sinon, vous allez avoir besoin de vous reposer, de prendre le temps de vivre et de rire un peu. Un bon massage de la tête et des pieds – les deux extrémités du corps – vous ferait le plus grand bien.

Amour

Votre partenaire de vie pourrait quitter la relation et tout emporter avec lui. Rassurez-vous, cette dernière prédiction s'adresse à CERTAINS Lion et pas à TOUS les Lion. Cette distinction est importante parce que le but ici n'est vraiment pas de vous alarmer inutilement. Les Lion concernés savent déjà de quoi je parle, puisque cela fait plus de deux ou trois ans que le torchon brûle entre vous et la personne qui partage votre quotidien. D'ailleurs, il apparaît clairement que vous ne partagiez que le quotidien et rien d'autre ensemble, si vous voyez ce que je veux dire ! Donc, si cette réalité vous concerne, l'éclipse lunaire qui se produira le 4 avril vous donnera l'occasion de rompre et de reprendre votre liberté. En vous libérant ainsi l'un de l'autre, vous vous offrirez la chance de reconstruire votre vie sur des bases tellement plus heureuses, belles et harmonieuses. Ou bien, l'être aimé se libérera d'une situation qui le rend malade psychiquement, physiquement et moralement. Un enfant pourrait aussi quitter le nid familial et vous ressentirez alors un grand soulagement, et cela, même si vous l'aimez de tout votre cœur.

Arts

Un associé pourrait partir avec les droits d'un projet en poche. Vous devrez alors composer avec cette situation désagréable. Une bonne manière de traverser l'épreuve serait de vous demander si « la mer des projets est morte » ou si ce départ vous libère et que le prix à payer en vaut la peine. En réalité, vous restiez attaché alors que vous aspiriez au plus profond de vous à délaisser cette personne. Alors… cher Lion, que le bon vent l'emporte ! Souvenez-vous que les INTENTIONS créent les opportunités, les occasions de changements et de transformations. Ainsi, aspirer à quelque chose d'autre doit être considéré comme une intention cachée et secrète que l'on garde en soi. Ce lâcher-prise (que le bon vent l'emporte !) vous permettra de concentrer votre énergie sur de nouveaux projets, concepts ou plans d'action. Vous pourriez même réaliser un film et l'équipe de production se positionnera derrière vous. Chemin faisant, des talents inouïs se joindront à vous.

Spiritualité

Vous apprendrez que l'inertie n'est en fait qu'une incapacité à croire en l'avenir. Observez bien votre manque de volonté de passer aux actes sans chercher à combattre. Regardez, observez sans vous juger et vous comprendrez !

Carrière

Si vous travaillez à partir de la maison sur une base régulière, vous aurez une belle ouverture autour du 11 avril. Votre Soleil vous fera rayonner et les gens parleront en bien de vous. Leur satisfaction ne tombera pas dans l'oreille d'un sourd et vous pourriez avoir une offre des plus intéressantes. De plus, vous saisirez au vol de belles occasions professionnelles, artistiques, d'affaires ou politiques, si vous œuvrez dans ces domaines.

Argent

Un coup de chance financier ou matériel se révélera être la plus belle chose qui vous soit arrivée depuis longtemps.

Mai

Climat général du mois

Les amis s'entêteront plus rapidement et vous aussi par la même occasion si vous n'y prenez pas garde ! Un proche tel que votre sœur, un frère, un cousin, une tante, un oncle ou un membre de la famille de votre partenaire de vie lancera un appel à l'aide. Peut-être s'enferme-t-il dans ses principes et qu'il abîme en agissant ainsi les relations familiales. Ou bien, ce personnage haut en couleur établit une relation fausse avec l'entourage familial et vous recevrez son appel à l'aide assez froidement. Ce proche a sûrement beaucoup souffert pour agir ainsi. Quoi qu'il en soit, la planète Mercure commencera sa deuxième rétrogradation de l'année le 11 mai, et elle agira pour vous faire réaliser que certaines personnes ont la capacité de se détacher émotionnellement et mentalement des gens qui les entourent. Ou bien, vous ressentirez le besoin de vous retirer pour penser, réfléchir ou voir clair dans une situation d'affaires, professionnelle, artistique, politique ou financière.

Amour

Un certain déséquilibre amoureux pourrait voir le jour au sujet d'un enfant, d'un proche ou encore de la mauvaise gestion du budget familial. Ou bien, un enfant n'arrive pas à savoir ce qu'il veut et sa vie tourne en rond. Vous pourriez éprouver la peur de vous engager dans une relation et vous retirer ou reculer tout comme Mercure. Une relation amoureuse progresse lentement ou encore il n'y a pas encore eu de contacts intimes entre vous deux, et vous vous demandez ce qui ne va pas. Ouvrez calmement le dialogue et vous verrez bien ce qui en ressortira !

Arts

Vous ne voulez plus être l'observateur de la vie, vous souhaitez dorénavant vous mettre en jeu. Ce renversement d'attitude vous conduira directement vers un beau succès. Ou bien, vous recherchez un but significatif pour lequel vous démener et vous n'arrivez pas à le trouver, alors vous stagnez, vous attendez que les événements décident à votre place pour agir. Si tel est le cas, vous êtes invité à relever vos manches et à vous mettre à la tâche. N'attendez plus, foncez ! Peut-être, en fait, vous inquiétez-vous trop de vos peurs, qui vous tirent vers le découragement ou le renoncement avant même que vous ayez tenté quoi que ce soit. Bref, il semble qu'un blocage intérieur ou extérieur vous empêche de créer, bâtir ou développer votre vie artistique et que vous vous laissiez faire sans réagir. Sachez qu'il n'est jamais trop tard pour se reprendre en main.

Spiritualité

Vous vous engagerez peut-être dans l'étude des différents niveaux de conscience ou des énergies appartenant à chacun des chakras.

Carrière

Un blocage vous frustrera au plus haut point. Vous entreteniez de grandes attentes concernant un projet, un emploi ou une promotion et, comme rien n'arrive, vous vous révoltez, vous crachez du feu et des tonnes de mécontentement à ceux et celles qui ont le malheur de croiser votre chemin. Respirez, cher Lion, puisqu'il va se produire un retournement de situation qui transformera ce blocage en une chance de destinée. Un patron pourrait remettre en question une ouverture de poste et vous le prendrez mal. Après discussion, vous obtiendrez réparation ou gain de cause. Au mieux, un nouvel élan sera donné à votre carrière, mais il subira des modifications ou des rectifications nécessaires au cours de son développement.

Argent

Vous serez dans une meilleure posture ce mois-ci pour rattraper les retards financiers. Vous pourriez envisager de vous procurer des objets de valeur ou de luxe : bijoux et compagnie. Ou bien, vous achèterez une voiture parce que la vôtre vient de vous lâcher ou, pour les mêmes raisons, un ensemble de bagages ou des appareils ménagers. Quoi qu'il en soit, essayez de faire ces achats avant le 11 mai pour ne pas tomber sur le citron en magasin. C'est souvent ainsi lorsque Mercure rétrograde, les achats doivent être retournés, et méfiez-vous : parfois, il n'y a pas de retour de marchandises possible. Ainsi prévenu...

Juin

Climat général du mois

Vous ne réfléchirez pas toujours de la bonne manière ou vous ferez preuve d'un illogisme qui n'est absolument pas habituel chez vous. Vous vous demanderez ce qui se passe, ce qui dénature ainsi votre faculté de penser. Le grand responsable est Mercure qui rétrogradera jusqu'au 13 juin. Vous pouvez déjà vous réjouir, puisque la rétrogradation tire à sa fin.

Dans un autre ordre d'idées, vous allez faire le ménage dans vos papiers ou documents importants : assurances, références, papiers légaux, etc. Sur le plan interpersonnel, un ami ne parlera que de lui, de ses affaires, de ce qui le dérange, le concerne, l'habite. Ce monologue risque de contenir trop de détails dont vous n'avez que faire et vous bâillerez d'indifférence et d'ennui ! Au mieux, vous vous tairez et les autres rempliront les vides. Ils monopoliseront la discussion.

Amour

Votre plus grande déception, ce mois-ci, sera de réaliser que vous ne parvenez pas à communiquer intimement avec l'être aimé, vos enfants, vos proches ou vos amis. Une sorte d'indifférence ou un flagrant manque d'intérêt vous éloigne les uns des autres. Vous aimeriez bien remédier à cette situation relationnelle, mais sans savoir comment y arriver. Imaginons que vous vous retrouviez au restaurant avec vos enfants et des membres de votre famille : certains parmi eux auront plus de plaisir à twitter qu'à entretenir une conversation avec les autres. Vous fulminerez ! Je vous entends presque leur dire : « Je peux appeler un taxi si vous voulez... pis vous renvoyer à la maison ! » En revanche, si au lieu de réagir aussi abruptement, vous décidiez de jouer la carte de la psychologie en comprenant qu'ils se dérobent ainsi, pour éviter un contact trop liant ou pour se protéger parce qu'ils ne savent pas quoi dire ou qu'ils ne se trouvent pas intéressants, vous contribueriez à leur vie d'une manière bien plus enrichissante.

Arts

Vous serez très conscient des limitations que l'on vous impose. Celles-ci peuvent être engendrées par des gens ou des circonstances impré-

vues. Vous allez aussi prendre un nouvel envol artistique. Vous recevrez des offres intéressantes. Vous allez devoir trouver un équilibre
entre avoir trop de travail et pas assez, car vous n'établissez pas de plan
d'action et vous devez prendre des bouchées doubles lorsqu'un travail
devient plus urgent. Si rien de tout cela ne vous concerne, vous accomplirez vos projets artistiques avec un grand savoir-faire.

Spiritualité

Vous tenterez d'élucider certains mystères de la vie : vous chercherez
à savoir s'il y a des « intentions supérieures » qui se servent des événements pour faire évoluer la conscience humaine.

Carrière

Votre pouvoir d'action sera grand. Vous vous constituerez un réseau de
relations professionnelles, artistiques, politiques ou d'affaires pour en
tirer profit rapidement. Les décideurs et ceux qui détiennent les rênes
du pouvoir reconnaîtront et respecteront tout naturellement vos compétences, votre savoir-faire. Sauf que vous allez entrer dans de grandes
colères lorsque les choses ne se passeront pas comme prévu. Donc,
vous devez déjà, à la lecture de ces lignes, commencer à calmer votre
élan, vos pulsions. Un conflit de travail pourrait voir le jour au cours
de ce mois important. Vous allez devoir faire certains compromis ou
accepter l'inévitable grève qui pourrait résulter d'un vote à l'unani-
mité. Quoi qu'il en soit, le mois s'annonce fantastique sauf pour une
chose : vous serez porté à réagir avec agressivité et cela pourrait même
compromettre vos relations avec un associé, un professeur, un collègue,
un patron, un client ou un fournisseur. Votre élévation sociale sera importante. Peut-être même obtiendrez-vous une situation en vue.

Argent

Vous serez souvent aux prises avec de grosses responsabilités budgé-
taires ou en train d'organiser, de planifier ou d'orchestrer un travail
afin de respecter les échéanciers financiers. Bref, le poids de toutes ces
responsabilités matérielles se fera intensément sentir, ce mois-ci.

Juillet

Climat général du mois

Le 31 juillet, une « lune bleue » se produira; les Amérindiens la vénèrent pour ses forces mystiques et magiques sacrées. Vous trouverez le rituel que j'ai préparé pour vous dans la section *Alerte astrale importante pour le mois de juillet 2015*. Vous entrez actuellement dans une période où vous assumerez une nouvelle indépendance financière, professionnelle, artistique, d'affaires ou politique. Vous allez rencontrer des personnes haut placées et qui ont du pouvoir, des groupes de gens associés à des réseaux susceptibles de vous aider et qui vous inviteront à des événements en tout genre. Bref, de nouvelles relations vont se présenter pour vous aider à réaliser cette fameuse indépendance personnelle. Vous aurez le pouvoir d'accomplir beaucoup et vous pourrez même réaliser un rêve. Si vous en avez assez de devoir vous adapter aux situations qui vous déplaisent, vous passerez à autre chose qui vous conviendra mieux. Si des membres de votre entourage ne sont pas d'accord avec vous, vous n'attendrez pas leur consentement pour agir. En somme, le temps est venu de faire les choses à votre manière.

Amour

Vous aimez aider les autres (l'être cher, vos proches et amis, vos enfants), et cela, même s'ils ne demandent rien, mais pas ce mois-ci. En effet, vous tournerez votre attention sur vous-même, mais pas de manière égoïste ou égocentrique. Chose certaine, vous prendrez conscience de votre pouvoir de séduction, de votre capacité à faire tomber des cœurs en pâmoison.

Dans un autre ordre d'idées, peut-être vous êtes-vous laissé anesthésier par un beau parleur et que vous vous réveillerez soudainement. Vous vous détacherez alors de cette personne. Vous pourriez bien sûr vouloir rester anesthésié par le désir fou que cette personne suscite en vous, mais être incapable de vous laisser encore endormir par son physique d'Adonis ou de Vénus. Lorsque nous subissons un éveil intérieur aussi puissant, le prix à payer est de ne plus pouvoir revenir en arrière ou de continuer à faire semblant !

Arts

Vous aurez tendance à reporter à plus tard ce qui pourrait être accompli aujourd'hui. S'il fait beau et que la nature foisonne dans toute sa splendeur, vous éprouverez encore plus de difficulté à vous enfermer pour créer et développer des projets artistiques ! Sinon, vous déprécierez plus facilement vos œuvres, vos créations alors qu'elles mériteraient d'être reconnues à leur juste valeur. Aussi, lors du processus de création, vous vous inquiétez trop de vos peurs et vous les laissez gagner. Ainsi prévenu...

Spiritualité

Vous développerez un intérêt spirituel pour de nouvelles connaissances, méditations ou visualisations actives. Vous êtes invité à les mettre en pratique plus d'une fois. En fait, ajouter ces pratiques à votre quotidien serait l'idéal.

Carrière

Vous serez honoré, respecté et reconnu pour vos réalisations, mais aussi pour vos talents et capacités. Les gens reconnaîtront de plus l'être humain qui se cache derrière votre professionnalisme. En tant que scientifique, vous ferez sûrement une découverte qui fera sensation dans votre domaine d'expertise. Vous ne manquerez pas d'idées géniales, mais vous devrez les expliquer à qui de droit afin qu'il saisisse vraiment la virtuosité intellectuelle qui se cache derrière. Vous ne vous assoirez pas sur le siège arrière pour vous laisser conduire, ce mois-ci. Vous sentirez plutôt l'urgence de prendre les devants, de vous retrouver aux commandes de votre destinée professionnelle, d'affaires, artistique ou politique. Plusieurs nouvelles personnes (relire au besoin la section *Climat général du mois*) vous permettront de sortir de l'ombre en vous donnant l'occasion d'endosser un premier rôle, de signer un contrat d'affaires unique, de dénicher un travail ou un poste influent au sein d'une entreprise.

Argent

Vous insufflerez à votre situation financière et matérielle une direction qui vous conviendra tellement mieux ! De plus, vous bénéficierez de sérieux et judicieux conseils de la part d'investisseurs chevronnés et qui, par-dessus tout, souhaiteront contribuer à votre succès.

Août

Climat général du mois

Voici un mois d'accalmie nécessaire avant les manifestations des deux éclipses lunaires et solaires qui se produiront le mois prochain. Vous agirez de manière plus intrépide et déterminée; vous serez prêt à entreprendre et à réaliser bien des projets, quelle que soit l'envergure des projets. Bref, vous n'aurez pas froid aux yeux, ce mois-ci, vous verrez grand et pour bien des années à venir. En revanche, vous ne prendrez pas de détours pour dire ce que vous ressentez et vous allez essuyer des ripostes assez embarrassantes ! Ainsi prévenu, vous éviterez de vous faire remettre à votre place. Si vous pratiquez un sport extrême, redoublez votre vigilance avant de vous lancer dans l'action. Un carré impliquant la planète Mars et la planète Saturne indique qu'un grand danger d'accident vous guette. Donc, évitez d'agir avec témérité, de manière irréfléchie ou, pire, par habitude. Saturne s'attaque aux os, alors les cassures seraient nombreuses si vous n'y preniez pas garde. Souvenez-vous que l'astrologie sert à vous prévenir ! Cela dit, s'il ne s'agit pas de vous, il pourrait s'agir d'un frère, d'une sœur ou d'un enfant (jeune adulte) qui pratique un sport extrême.

Amour

Les célibataires Lion pourraient faire une rencontre marquante et déterminante.

Dans un autre ordre d'idées, vous aurez du mal à vous faire entendre, mais vous ne vous gênerez pas pour diriger vos proches, vos amis et l'être aimé pour qu'ils agissent comme vous le jugerez bon. Ou bien, souvenez-vous d'avoir lu plus haut que vous aurez tendance à ne pas prendre de détours pour dire tout haut ce que vous pensez tout bas. Il va de soi que vous devrez composer avec les réactions des personnes concernées, qui n'hésiteront pas à vous confronter !

Arts

Votre talent artistique trouvera preneur et un agent ou un grand manitou dans votre domaine d'expertise – par exemple un éditeur, un chef d'orchestre, un réalisateur ou un metteur en scène – vous prendra sous son aile. Le seul petit hic est que vous refuserez souvent d'entrer dans le moule. Les tourments intérieurs servent souvent le processus de création, mais sont-ils si nécessaires ? Bien sûr que non. Le processus de création peut se révéler facile, agréable et tout aussi brillant.

Spiritualité

Les blessures intérieures doivent être d'abord reconnues pour qu'on puisse les soigner et les régler définitivement. Un sentiment d'abandon a peut-être marqué votre adolescence ou votre enfance. Si c'est le cas, vous pourriez consulter un hypnothérapeute (qui n'a rien à voir avec les méthodes d'endormissement de Mesmer), un psychothérapeute, un psychologue ou un psychanalyste. Ces personnes vous aideront à défaire vos nœuds intérieurs.

Carrière

Vous augmenterez votre cadence de travail et votre intensité stressera plusieurs collègues ou associés. À moins, bien sûr, que vous n'ayez choisi ce mois d'août pour prendre vos vacances ! Auquel cas, cette dernière prédiction ne s'applique pas à vous personnellement. Sinon, il va y avoir de l'action au bureau, ce qui vous obligera à faire des heures supplémentaires, à retrousser vos manches pour rendre à terme les travaux en cours ou les projets amorcés et en développement. Jupiter, la planète la plus bénéfique d'entre toutes, s'organisera pour vous apporter un beau succès professionnel, artistique, d'affaires ou politique. Par exemple, vous signerez des contrats qui seront à la fois intéressants et lucratifs. Si vous pensez développer une nouvelle clientèle, foncez droit devant toutes voiles déployées ! Vous réussirez à faire tomber des résistances, à franchir la porte d'une personnalité importante ou d'un gros client ou fournisseur. En revanche, pesez bien vos paroles pour ne pas lancer une attaque verbale à qui que ce soit, sinon il pourrait bien vous répondre par la bouche de ses canons !

Argent

Vous aurez l'art de saisir au vol les bonnes occasions d'affaires, financières ou professionnelles, ce qui apportera de l'eau (ou plutôt de l'argent) à votre moulin pour le faire tourner. Vous aurez les moyens de réaliser bien des choses, ce mois-ci.

Septembre

Climat général du mois

Le 13 septembre, il se produira une éclipse solaire partielle et le 28 septembre, c'est une éclipse lunaire qui cachera la pleine lune. Ce qui aura pour conséquence que les autres exerceront une énorme pression sur votre personne. À moins que vous n'exerciez sur vous-même cette pression. Qu'elles viennent de l'extérieur ou de l'intérieur, ces tensions seront parfois difficiles à gérer. Vous sentirez surtout que votre énergie mentale ou physique est suractivée et qu'elle s'épuise facilement.

Dans un autre ordre d'idées et contrairement au mois passé, les communications et les échanges se compliqueront à cause de la fermeture d'esprit des autres ou de leur manque d'écoute. Un secret de famille pourrait être révélé au grand jour. Ou bien, vous vous rongez le cœur avec un sentiment de culpabilité X, Y ou Z et qui implique un proche. Il peut s'agir d'une injustice qui a été commise à son endroit et vous ne le supportez plus. Vous vous ferez sûrement un devoir de faire la paix avec ce proche.

Amour

Une grande intensité émotionnelle vous poussera à tout dramatiser. Ou bien, vous rechercherez l'amour absolu et cet impossible « rêve » vous désenchantera. D'autres Lion établiront une relation amoureuse sur une belle et réciproque complicité. En ce sens, la belle Vénus vous offrira plusieurs occasions de rencontrer quelqu'un de bien. Certains Lion doivent s'attendre à vivre des moments troublants dans les secteurs amoureux et de la famille. Heureusement, les amis vous apporteront leur soutien et leur aide. L'éclipse solaire (le Soleil étant votre étoile maîtresse) se produira dans le secteur de vos acquis, l'argent des autres, les héritages. Donc, s'il doit y avoir héritage, c'est qu'un décès se produira et vous risquez d'être sérieusement ébranlé par ce deuil, même si vous vous y attendiez depuis longtemps. Enfin, les astres annoncent qu'une personne que vous connaissez depuis peu et qui vous est chère, l'être aimé, un ami ou un proche, pourrait s'éclipser de votre vie pour un temps. Son travail pourrait l'entraîner à s'envoler pour l'étranger.

Arts

Vous manquerez d'air par moments, vous vous sentirez à l'étroit dans l'équipe de travail ou de création. Sinon, peut-être souffrirez-vous d'un sérieux manque d'intérêt. Si cela devait être le cas, mettez un peu de piquant à votre quotidien, cela ouvrira la porte à des événements qui vous sortiront de cet « ordinaire » !

Spiritualité

Vous déciderez peut-être d'étudier de nouvelles connaissances spirituelles en vous « éclipsant » du monde pour un temps. Au début, vous vous sentirez un peu dépaysé, mais après quelque temps vous vous réjouirez d'avoir osé faire cette retraite fermée.

Carrière

Les personnes en autorité se montreront difficiles à contenter, à satisfaire. Ou bien, elles exigeront que vous vous responsabilisiez afin de répondre de vos actes. Sinon, un patron malintentionné vous donnera beaucoup de corde pour que vous puissiez vous pendre... Alors, agissez prudemment et stratégiquement. Comme il vous arrivera de ne pas pouvoir vous concentrer, vous commettrez certaines erreurs alors que chacune de vos décisions ou prises d'action se doit d'être bien réfléchie et étudiée. Si votre champ d'expertise relève du domaine de la science, de l'énergie ou des hautes technologies, vos recherches vous mèneront à faire des percées qui vous vaudront une belle reconnaissance. Votre milieu de travail pourrait être sujet à des réformes importantes, à des brisures de machineries ou à de sérieux problèmes informatiques qui occasionneront des retards et des revirements assez spectaculaires. Certains parmi vous pourraient s'engager dans de nouvelles études après avoir fait une mûre réflexion.

Argent

Étant donné que deux éclipses se produiront ce mois-ci, dont une éclipse solaire qui activera le secteur de vos acquis, l'argent des autres, les héritages, je dois préciser que si vous deviez acheter une maison, un bien immobilier ou autre, vous êtes invité à vous protéger deux fois plutôt qu'une avant d'apposer votre signature au bas du contrat d'achat.

Octobre

Climat général du mois

La planète Mercure rétrogradera jusqu'au 11 octobre et c'est sa troisième rétrogradation de l'année. Vous accorderez beaucoup d'importance à l'argent gagné ainsi qu'à votre statut financier et matériel. La planète Mars, en révolution lunaire, se retrouvera dans votre signe du zodiaque ce mois-ci. Vous ne manquerez pas de dynamisme ni de force d'action pour réaliser, produire et faire avancer les projets ou les idées. D'ailleurs, vous aurez des idées de grandeur que vous allez devoir ramener à une dimension plus réaliste. Étant donné la force d'impact des dernières éclipses, je vous inviterais à voyager par train ou par autobus si vous deviez parcourir un long trajet pour vous rendre chez un ami, un proche ou un amoureux. Non pas qu'un danger vous guette, ce n'est qu'une précaution à prendre. Inutile de préciser que vous ne devriez pas conduire en état d'ébriété, dans un état second ou si vous vous endormez facilement au volant !

Amour

La planète Neptune vous poussera à affirmer votre singularité, à l'assumer pleinement pour attirer l'attention et faire mouche. Enfin, si votre but est de rencontrer l'amour ! Si vous n'arrivez pas à bien communiquer vos sentiments, couchez-les sur papier. Cette technique vous permettra de dissiper vos doutes, vos incertitudes et vos peurs de ne pas bien dire les choses. Il se pourrait aussi que vous échangiez par courrier ou par courriel vos sentiments avec une personne rencontrée dernièrement.

Dans un autre ordre d'idées, un frère, une sœur, un cousin se montera plus distant ou il s'éloignera sans demander son reste, en catimini. Ou encore, vous trouverez difficile d'établir contact avec lui à cause de ses résistances, de ce qu'il n'ose pas dire ou exprimer. Agissez de manière diplomatique en refusant d'entrer en conflit avec lui !

Arts

Vous pourriez être porté à exprimer violemment votre différence, à vous faire remarquer à tout prix. Cela risque de vous jouer de vilains tours lors d'une audition ou de la présentation d'un projet. Vouloir la gloire à n'importe quel prix est un but atteignable si les raisons n'ont rien à voir avec une démarche narcissique ou simplement financière. Désirer être célèbre ne signifie rien pour l'Univers ! Pourquoi le seriez-vous et pas un autre ? Qu'avez-vous à offrir de plus que cet autre ? Comprenez bien que si vous désirez être célèbre pour contribuer à la vie des autres change la donne, et que l'Univers répondra alors à votre demande en un rien de temps.

Spiritualité

Lorsque j'ai écrit mon livre *Les Anges et la numérologie*, paru aux Éditions La Semaine, j'ai reçu le message que l'Univers engendre des miracles dans la vie de ceux et celles qui s'engagent à donner au suivant.

Carrière

Encore ce mois-ci, vous croulerez sous la pression des obligations à remplir, des collègues, associés, fournisseurs, clients à contenter et des patrons qui semblent vivre dans un rêve éveillé, inconscients de leurs folles exigences. Vous devriez prendre les choses avec un grain de sel et mettre un peu d'humour dans tout ce « drame » vécu au quotidien. Une bonne astuce est de dessiner un léger sourire sur ses lèvres lorsque les tensions sont fortes, insoutenables. Un léger sourire ne veut pas dire se faire sécher les dents et surtout pas afficher un sourire narquois ou prétentieux !

Argent

Quel est votre rapport à l'argent ? Peut-être faites-vous partie des Lion qui ont été privés de biens et de luxes durant une grande partie de leur vie et qui ne supportent pas l'idée de manquer d'argent. Cette peur peut être détournée par le pouvoir de l'humour. Comment ? En apprenant à vous moquer de vos travers, vous faciliterez un détachement ou un lâcher-prise. Les tensions s'estomperont un peu et la peur aussi. Il deviendra alors plus facile pour vous de désamorcer vos inquiétudes et vos insécurités matérielles ou financières. Sinon, elles risquent de vous paralyser, de vous enlever la joie de vivre.

Novembre

Climat général du mois

Vous en avez fait du chemin, en 2015 ! Ce onzième mois de l'année vous permettra de récolter les fruits de cette belle évolution intérieure, professionnelle, artistique, d'affaires, financière ou politique. La planète Uranus, qui gère les innovations, les créations et les événements imprévus, se tournera vers vous pour vous offrir le meilleur et pour engendrer de belles surprises. Vous vous lancerez facilement dans l'action et vous déploierez une débrouillardise étonnante, surprenante. Autour du 11 novembre, journée de nouvelle lune, vous allez prendre les choses en main par rapport à un projet en particulier et vous trouverez des solutions efficaces. De bonnes nouvelles aussi viendront vers vous concernant les domaines déjà mentionnés plus haut. Une nouvelle collaboration pourrait même voir le jour, ce mois-ci. Ou bien, un des fameux événements imprévus qu'enverra Uranus vous offrira de nouvelles options pour vous sortir d'une situation figée ou qui vous obligeait à faire du surplace.

Amour

Si vous avez vu le jour autour du 3 août, plus ou moins une semaine avant ou après cette date, vous allez bénéficier d'une chance amoureuse inouïe. Les autres Lion ne seront pas en reste pour autant, puisqu'une belle romance verra le jour. Si vous formez un couple bien assorti et trop heureux de vivre ensemble, vous allez sûrement continuer sur cette belle lancée amoureuse. Un mariage serait même possible ou l'arrivée de Dame cigogne ou encore la réalisation d'un beau rêve que vous cogitez depuis bien longtemps.

Arts

Vous pourriez être impliqué dans des médias sociaux ou vous lancer à leur conquête. Ils vous permettront de faire connaître vos produits et services, vos talents, vos œuvres ou projets artistiques. Ou bien, vous serez choisi pour être la tête d'affiche d'une campagne de publicité à grande échelle. Vous élaborerez un projet plutôt compliqué à démêler ou à développer, mais vous le ferez avec savoir-faire. Vous trierez un grand volume d'informations écrites ou données oralement. Aussi, vous travaillerez comme un forcené pour mener à bien un projet de livre, un scénario ou un manuscrit. La bonne nouvelle est qu'un beau succès s'ensuivra !

Spiritualité

Étrangement, certains Lion se détacheront en quelque sorte de la famille et des origines, et toucheront ainsi plus facilement l'essence d'eux-mêmes. Ce détachement n'est pas un rejet de la famille ou une finalité, mais un positionnement spirituel qui permet de se poser les vraies questions. L'une d'elles pourrait être : « Si je ne suis plus le fils de X, le frère d'Y ou la mère de Z, je suis qui ? » Une réponse riche de sens trouvera son chemin en vous à un moment donné.

Carrière

Vous vous sentirez attiré vers les hauteurs, mais dans le but de réaliser des projets concrets et pas seulement pour demeurer assis sur le trône de la réussite et du succès. Vous ne lâcherez pas facilement les buts que vous vous fixerez, ce mois-ci. Ou bien, vous vous fabriquerez une nouvelle identité professionnelle, artistique, politique ou d'affaires pour donner plus de poids à votre démarche. Par exemple, imaginons que votre logo ne donne pas les résultats escomptés; vous allez alors trouver ce qui cloche et remédier à la situation pour que le vent souffle désormais dans la bonne direction. Si vous visez un poste d'autorité, vous l'obtiendrez durant le déroulement de ce mois. Vous jouerez vos atouts le moment venu. En ce sens, vous vous montrerez stratégique et fin renard. Vous aurez le pif de dénicher les personnes qui seront en mesure de servir vos ambitions. En tant que dirigeant ou chef d'entreprise, vous affirmerez votre talent de leader et les gens emboîteront le pas derrière vous. Quel mois !

Argent

L'entreprise pourrait être victime d'un fraudeur ou subir des vols à répétition durant le déroulement de ce mois. Ce frauduleux personnage sera démasqué, fort heureusement, mais il aura eu le temps d'occasionner des pertes d'argent importantes. Ou bien, vous aurez la responsabilité de gérer un budget parce que vous serez jugé fiable et compétent en la matière.

Décembre

Climat général du mois

Ce mois pourrait se diviser en deux, puisque jusqu'au 11 décembre, journée où se produira la nouvelle lune, vous ferez d'importantes percées dans le domaine professionnel, artistique, d'affaires ou politique. Ces percées vous permettront surtout d'asseoir votre pouvoir, de mettre de l'avant des plans de match ou plans d'action sans ombrages et parfois avec une facilité désarmante. Vous vous demanderez alors où sont passés les compétiteurs. «Comment se fait-il qu'ils n'aient pas vu cette occasion et sauté dessus avant moi?» Ensuite, jusqu'à la fin du mois, vous sentirez clairement que l'action ou que les affaires sont au ralenti, comme cela se produit souvent lorsque le temps des fêtes se pointe le bout du nez. Vous planifierez sûrement des vacances en famille, car vous chercherez à accomplir quelque chose d'important avec vos proches. En passant, les réceptions seront mémorables et vous vous y amuserez beaucoup. Vous captiverez l'attention de bien du monde…

Amour

Si vous êtes célibataire et à la recherche d'une nouvelle flamme amoureuse, vous aurez la chance de faire la rencontre d'une personne d'agréable compagnie qui pourrait bien remplir le rôle d'amoureuse à plein temps. De plus, plusieurs sorties ou événements sociaux vous permettront de briller et de rencontrer quelqu'un. Que vous soyez célibataire ou marié, vous vous offrirez de bons moments et un repos bien mérité. Votre temps se consumera entre les préparatifs pour la maison et pour vos réceptions, et les rencontres avec vos proches et vos amis. Si une invitation toute spéciale vous était adressée, réorganisez votre agenda afin d'assister à cette réception plus mondaine ou à cette rencontre familiale ou amicale.

Dans un autre ordre d'idées, il se peut que certains Lion décident d'avoir une importante discussion avec l'être cher concernant l'adoption d'un enfant ou le désir de faire un enfant. Si vous avez déjà des enfants, vous élaborerez des plans avec le conjoint et l'inviterez à faire valoir ses idées, ses opinions. Imaginez combien il se sentira choyé et respecté ! Si rien de tout cela ne vous concerne, vous planifierez un voyage ou une fin de semaine en amoureux avec l'être aimé. Vous aurez souvent l'impression que l'Univers déroule le tapis rouge pour vous.

Arts

Vous consacrerez beaucoup d'efforts pour créer et développer des projets artistiques. Vous serez surtout très productif. Bien des invitations vous seront lancées et vous pourriez même être invité à marcher sur un tapis rouge en compagnie de gens connus ou qui détiennent les rênes du pouvoir. Ne laissez pas le devoir de bien paraître et de faire bonne impression prendre le dessus sur l'expression de ce qui est cher à votre cœur ! Votre rayonnement n'en sera que plus grand, cher Lion !

Spiritualité

Le jour de Noël est la fête de la lumière qui est porteuse de toute l'espérance contenue dans le germe de la nouvelle année à venir. Un peu comme l'ADN d'un arbre en devenir est contenu dans une toute petite graine. Cela tient du vrai miracle !

Carrière

Encore ce mois-ci, vous serez porté vers les sommets. Sauf que le travail tournera au ralenti à cause du temps des fêtes qui arrive à grands pas. Vous ne devriez tout de même pas vous surprendre de voir votre situation professionnelle, artistique, d'affaires ou politique subir quelques changements. Vous allez recevoir une proposition intéressante. Ou bien, vous occuperez le temps à régler un travail laissé en plan pour mille raisons possibles. L'une d'elles pourrait être que vous avez agi en délinquant en refusant de vous en occuper ! Le domaine de la vente et du service à la clientèle sera grandement favorisé, ce mois-ci.

Argent

Vous déciderez peut-être d'acheter une franchise ou de lancer votre propre marque de commerce. Peut-être en avez-vous assez d'enrichir les autres, et vous achèterez une maison, un immeuble à appartements ou un condominium.

VIERGE

Ses couleurs préférées : Les couleurs dites de terre, terracotta ou terre cuite, par exemple, l'ocre, le jaune, le bleu marine, le turquoise, le vert et les différents orangés ou rouge-brun.

Ses métaux : Le métal alcalinoterreux.

Ses pierres de naissance : L'ambre, l'agate verte ou brun-doré, la cornaline, le saphir jaune et la turquoise.

Ce que ces pierres symbolisent : L'ambre enlève les angoisses existentielles, réchauffe le corps et le cœur, favorise le processus d'auto-guérison. Lorsque la Vierge porte une agate, elle s'assure de garder les idées claires. La turquoise harmonise ses émotions. La cornaline attire la chance et le succès. Le saphir jaune lui apporte la spontanéité et la joie de vivre dont elle a tellement besoin.

Les différents aspects de sa personnalité

Le signe de la Vierge est gouverné par la planète Mercure et cet astre représente symboliquement la raison, l'expression et la vivacité mentale et verbale. Très renfermée et taciturne à ses heures, rieuse, drôle et enjouée à d'autres, la personne née sous le signe de la Vierge passe facilement d'un état d'âme à un autre. Ce signe est si méticuleux qu'aucun détail ne lui échappe. Sa nature déterminée, perfectionniste, exigeante et pointilleuse fait en sorte que tout doit être bien fait et jusque dans les moindres détails. La Vierge doit justement apprendre à lâcher prise sur son désir de perfection. En fait, ce besoin viscéral que tout soit parfait cache une peur chronique d'être jugé, rejeté ou montré du doigt en plus de lui donner l'impression de contrôler son environnement, son travail ou sa vie. Son style vestimentaire est assez classique, même si la Vierge peut afficher une grande excentricité à certains moments. Prenons pour exemple feus Freddie Mercury, Michael Jackson ou Amy Winehouse et la très vivante chanteuse Pink, qui porte des vêtements à la fois originaux, chics et sexy.

Le signe de la Vierge peut se complaire dans la routine ou se montrer borné, dictateur, autoritaire et fanatique s'il n'y prend pas garde. Encore une fois, cela lui donne l'impression de contrôler son environnement, son travail et sa vie. Chose certaine, lorsqu'une personne née sous le signe de la Vierge aime quelqu'un, elle se montre dévouée et protectrice. L'homme Vierge n'aime pas vraiment étaler ses émotions en public. Son raisonnement et son sens du devoir prédominent et ses relations amoureuses en témoignent. Il peut passer de l'optimisme au pessimisme en deux temps, trois mouvements, tout comme la femme qui est née sous le signe de la Vierge d'ailleurs. Elle sait se montrer vamp ou diva à ses heures et cette attitude fait en sorte qu'elle n'est pas appréciée à sa juste valeur, puisqu'elle attise bien souvent les jalousies. Chose certaine, elle gagne à être connue !

Votre compatibilité avec les autres signes

Votre attachement s'établit lentement, mais lorsque c'est fait, vous vous engagez pour la vie, et c'est d'ailleurs pour cette raison que vous ne vous liez pas si facilement. Le Gémeaux vous semblera fait sur mesure pour vous : même libido, même intensité et même intelligence.

Avec le Taureau et le Capricorne, le plaisir sera de la partie, et cela, dans tous les sens du terme. Le Cancer sera un compagnon gentil et réceptif. Si vous rencontrez un Lion, vos yeux se croiseront automatiquement avec une même force d'attraction. Avec la Balance, vous formerez une paire d'as gagnante !

Quelques Vierge célèbres

Shania Twain, Naomi Watts, Cameron Diaz, Beyonce Knowles, Hugh Grant, Michael Buble, Mylene Farmer, feu Amy Winehouse, feu Michael Jackson, Richard Gere, Pink, Stephen King, Keanu Reeves.

L'année 2015 en général

Votre image publique et votre carrière offrent aux yeux des autres la représentation par excellence de la personne qui sait tout et sur qui l'on peut compter en tout temps. Si vous êtes un artiste, vous souhaiterez donner libre cours à votre expression artistique. Les résultats étonneront, renverseront et aiguiseront la curiosité des gens et du public. En somme, vous susciterez l'attention. Vous cultiverez de nouvelles amitiés au sein de votre secteur d'activité artistique, d'affaires, professionnel ou politique. Cette popularité vous offrira le soutien dont vous aurez tant besoin pour réaliser vos objectifs. Votre vie sociale, encore une fois, s'en trouvera énergisée et vous bénéficierez d'appuis importants de la part de gens qui détiennent les rênes du pouvoir. D'ici le mois de juin, vous mettrez sur pied une entreprise ou développerez de beaux projets. Combien prometteuse est cette année à venir !

Il faut avouer que plusieurs d'entre vous ne l'ont pas eu facile, ces dernières années, et il est encore heureux que votre santé physique et mentale n'ait pas été affectée outre mesure. Ces expériences et épreuves de vie vous ont musclé émotionnellement et vous vous êtes renforci moralement et psychiquement. L'année dernière, vous avez

sûrement, enfin certains d'entre vous, restructuré votre secteur financier et matériel. Cette année, vous allez le faire fructifier et vous serez
outillé pour y parvenir. Vous pourriez idéaliser un travail et ouvrir les
yeux autour du mois de mars pour enfin vous libérer de cette situation
particulière. Ou bien, vous pourriez carrément décider de vous offrir
une année sabbatique ou de prendre votre retraite.

Un nouvel amour verra le jour et plusieurs parmi vous reconstruiront
leur vie sentimentale et de belle manière. Votre cercle d'amis s'élargira
et vous serez impliqué dans des groupes d'activités ou des organisations qui vous permettront de rencontrer la perle rare, d'avoir un enfant et peut-être même de vous marier si leur cœur vous en dit !

Bonne et heureuse année 2015,
chères Vierge !

Alerte astrale importante pour le mois de juillet 2015

Il va se produire deux pleines lunes durant le mois de juillet. La première aura lieu le 2 juillet et l'autre le 31. La pleine lune du 31 juillet est aussi appelée « lune bleue » et les Amérindiens la vénèrent pour ses forces mystiques et magiques sacrées.

Quelques explications importantes

Le *Farmer's Almanac* est un almanach nord-américain datant du début du XIXe siècle. La définition qu'il donne de la « lune bleue » est la suivante : « Elle se produit lorsque la pleine lune apparaît deux fois dans un même mois. Ces pleines lunes reviennent toutes les 2,6 années soit une année sur trois approximativement. »

Quelles sont les forces magiques de la « lune bleue » ?

Symbolisme : aussi appelée la « lune du Grand Esprit », la « lune bleue » permet d'entrer en contact avec des forces toutes-puissantes qui nous accompagneront et nous protégeront. Cette « lune bleue » a aussi le pouvoir de matérialiser nos vœux pour nous faciliter la vie.

La lune bleue ou lune du Grand Esprit

Le Grand Esprit dont elle est porteuse fera lever en nous un grand pouvoir de construire, d'ériger, de bâtir et de développer des projets, des idées, des plans d'action ou des concepts qui dureront dans le temps, et qui nous apporteront le succès et la réussite. Ces prises d'action nous permettront dans un même souffle de nous refaire une santé matérielle, amoureuse, professionnelle, artistique, d'affaires, politique, physique, psychologique et spirituelle.

Rituel à faire le soir de l'apparition
de la lune du Grand Esprit

Lorsqu'elle illuminera le ciel le soir du 31 juillet, assoyez-vous paisiblement devant elle en vous assurant d'avoir une feuille de papier sur
vos genoux.

Plume à la main (si vous n'en avez pas à votre portée, un crayon fera
l'affaire), imaginez que vous trempez le bout de votre plume (crayon)
dans la lumière de la lune, en plein centre du grand cercle blanc que
forme la « lune bleue », comme si elle était un encrier suspendu dans
le ciel.

Inscrivez sur votre feuille votre vœu, votre désir ou ce qu'il vous tient
vraiment à cœur d'obtenir. Si vous avez choisi d'utiliser une vraie
plume pour faire ce rituel, rien ne s'inscrira sur votre feuille bien évidemment. Le but de ce rituel est de vous amener à établir un contact
avec cette puissante force. Mais plus encore, ce rituel a pour but ultime
de vous inciter à écrire une « lettre de lumière au Grand Esprit » de
manière symbolique.

Cette intention d'écrire ainsi une « lettre de lumière au Grand Esprit »
fera en sorte que vous établirez un contact durant ces instants bénis, et
que vous allez recevoir, durant le déroulement du rituel ou quelques
heures ou jours après votre demande, des visions ou des rêves, des
idées, des réponses, des inspirations soudaines qui émergeront de
votre for intérieur ainsi que des prises de conscience puissantes capables de vous faire réaliser votre vœu. Chose certaine, ce rituel va
transformer votre vie ou vos perceptions concernant l'invisible à tout
jamais.

Janvier

Climat général du mois

Vous avez sans doute pris conscience que le milieu familial est un terrain glissant et parfois dangereux pour la santé mentale et nerveuse. Il semble qu'une obsession anime certains proches et qu'elle se traduit par une volonté de contrôler la vie des autres membres de la famille. Ainsi, des injustices en tout genre et des brisures importantes sont survenues ou surviennent encore. Cet attachement obsessif à vouloir dicter une conduite de quelqu'un ou de lui imposer un choix amoureux est à la fois malsain et destructeur. Vous vous détacherez de ces comportements dominateurs et despotiques, ce mois-ci ou d'ici la fin du mois de mars. Une grande libération s'ensuivra et vous respirerez tellement mieux la vie!

Dans un autre ordre d'idées, vous pouvez espérer des événements surprises dans plusieurs secteurs de votre vie, et de nouveaux développements vous réjouiront vraiment. Vous trouverez la maison rêvée, le condo espéré ou le terrain tant désiré depuis des lustres et vous serez en mesure de l'acheter. À ce sujet, vous êtes invité à lire le secteur *Argent* ci-après.

Amour

Vous pourriez faire la rencontre de quelqu'un plus grand que nature. Vous aurez alors l'impression de devoir prendre de grosses bouchées ou de faire des pas de géant pour vous montrer à sa hauteur. Alors qu'au fond, cette personne n'en demande pas tant ; votre présence, votre intelligence, votre charme et votre joli sourire embellissent déjà sa vie au centuple. Vous auriez donc intérêt à reconnaître vos atouts, vos forces et vos différences avec amour et respect pour attirer ces mêmes énergies vers vous. Cette personne transformera totalement votre style de vie et vous monterez d'un cran dans l'échelle sociale. Il s'agit d'un très bon parti, si j'en crois votre thème astral. Si vous formez déjà un couple, l'être aimé risque de vous mettre beaucoup de pression sur les épaules lorsqu'il s'attaquera à de gros projets de rénovations ou qu'il vous imposera sa famille, ses amis ou ses ex (peut-être parce qu'il a eu des enfants avec ces gens et qu'ils sont toujours des amis). Essayez du mieux que vous pouvez de rester vous-même, d'assumer votre propre pouvoir et de vous affirmer avec force et gentillesse tout à la fois. C'est à ce prix que vous prendrez la place qui vous revient de plein droit.

Arts

Vous aurez de l'énergie pour créer et développer des projets anciens et nouveaux. Anciens dans le sens qu'une recette qui marche mérite d'être peaufinée et remise au goût du jour afin de la garder bien en vie pour qu'elle demeure toujours aussi inspirante. N'hésitez pas à socialiser, ce mois-ci, pour les raisons déjà mentionnées dans la section *Climat général du mois*. Vous pourriez même décrocher un contrat de travail à l'étranger.

Spiritualité

Votre planète maîtresse, Mercure, se retrouvera dans votre douzième secteur, celui de la spiritualité. Vous tenterez probablement d'établir un pont entre votre conscient et votre inconscient. Vous vous interrogerez sur les profondeurs de votre psyché.

Carrière

Certains d'entre vous travaillent peut-être au sein de l'entreprise familiale, et des événements pas très rigolos vous ont sûrement poussés à remettre votre démission ou à vouloir tout quitter dans un avenir proche. Vous attendiez une porte de sortie et elle s'est présentée ou se présentera au cours de ce mois, et vous la prendrez le sourire aux lèvres et le cœur léger. Si rien de tout cela ne vous concerne, une belle libération se produira grâce à la planète Neptune, qui vous obligera à définir vos limites et à constater si les promesses ont été tenues. Cette planète puissante vous invite surtout à sortir d'une illusion professionnelle qui vous empêche d'atteindre la réussite espérée.

Argent

Si vous pensez acheter une maison, mais que vous n'avez pas suffisamment d'économies pour vous permettre de réaliser ce beau rêve, certains membres de votre famille mieux nantis pourraient vous offrir une aide financière. Cette main tendue enlèvera un poids de vos épaules.

Février

Climat général du mois

Si votre santé s'est beaucoup améliorée depuis quelques mois, elle mérite encore toute votre attention. La planète Mercure a déjà entamé sa première rétrogradation de l'année et elle se poursuivra jusqu'au 11 février, selon l'astronomie. Cela revient à dire que vous prendrez très au sérieux les histoires de famille non encore réglées. Ou bien, que vous constaterez un sérieux manque de communication entre les frères et sœurs. Ou pire, les proches fuient carrément la possibilité de régler le conflit, préférant se terrer dans le non-dit. Vous allez devoir respecter leur vitesse de croisière.

Dans un autre ordre d'idées, vous pourriez décider le plus sérieusement du monde de retourner aux études. Ou bien, vous poursuivrez vos études jusqu'au doctorat ou à la maîtrise, selon votre choix de vie. Vous ne regretterez pas cette décision, mais attendez-vous à suer sang et eau avant de parvenir au fil d'arrivée et de crier victoire ! Ainsi prévenu, vous prendrez cette décision en toute connaissance de cause.

Amour

Vous vous assurerez que tout est organisé d'avance, qu'il ne manque rien et, deux fois plutôt qu'une, vous vérifierez si tout est bien en place pour profiter du bon temps avec l'être aimé ou le nouvel élu de votre cœur. Autrement dit, vous aurez souvent l'impression d'avoir manqué quelque chose, d'avoir oublié un rendez-vous ou une date importante et vous vous surprendrez à décortiquer point par point votre liste des choses à faire avant d'aller vous coucher ou de commencer votre journée. Cette fameuse impression qu'il manque toujours quelque chose d'important créera un stress supplémentaire avec lequel vous allez devoir composer.

Arts

Vous réagirez spontanément aux occasions qui se présenteront et l'une d'elles vous comblera et vous permettra surtout de renouer avec le succès. Ou bien, si vous êtes un artiste pour le plaisir et que vous ne souhaitez pas faire carrière pour autant, vous allez croiser le chemin de personnes qui vous donneront la chance de vous impliquer dans l'organisation dont ils font eux-mêmes partie. Chemin faisant, vous vous découvrirez de nouveaux aspects de l'art ou vous réaliserez l'étendue de votre talent au contact de celui des autres.

Spiritualité

Il vous arrivera souvent, lorsque vous serez en mode « inspiration créatrice », de vivre des expériences intérieures presque mystiques. Eh oui ! Vous serez inspiré à ce point.

Carrière

Quelqu'un, qui a plutôt bonne réputation dans votre milieu de travail, vous fera une offre qu'il vous sera impossible de refuser. Vous vous retrouverez alors impliqué dans un projet professionnel, d'affaires, artistique ou politique aussi nouveau qu'inattendu. Grâce à vos efforts soutenus et à votre savoir-faire, vous obtiendrez la reconnaissance que vous n'espériez plus. Vos antennes capteront des idées géniales qui susciteront d'abord l'intérêt de hauts placés; ceux-ci n'hésiteront pas à vous aider à les mettre de l'avant. Chose certaine, vous organiserez bien votre travail en fonction des objectifs que vous vous fixerez ou qui seront fixés par une tête dirigeante. Les professeurs, enseignants ou coachs professionnels feront face à de gros défis, ce mois-ci. Vous vous embrouillerez plus facilement dans vos explications ou vous constaterez votre inefficacité à accorder votre compréhension à celle de vos élèves.

Argent

Plusieurs d'entre vous se lanceront en affaires et ce projet nécessitera un sérieux investissement financier de votre part. Quant à ceux qui le sont déjà, ils investiront une somme d'argent importante pour rentabiliser leurs projets, leurs produits ou pour pousser plus avant leurs développements d'affaires. Heureusement, vos efforts s'avéreront payants. En revanche, Mercure rétrogradera jusqu'au 11 février et un trop gros appétit provoquerait votre chute. Ce conseil astrologique cherche à vous prévenir, pas à vous faire peur ou à vous annoncer une mauvaise nouvelle.

Mars

Climat général du mois

Un membre de votre famille – peut-être votre papa ou un homme qui endosse un rôle paternel dans votre vie – vous occasionnera des tourments. Il pourrait subir des problèmes de santé physique ou mentale; sa personnalité se métamorphosera sous vos yeux et vous ne saurez plus comment vous comporter pour lui venir en aide. Après l'avènement de l'éclipse solaire du 20 mars, vous devrez prendre des décisions importantes le concernant ou vous changerez complètement votre façon d'aborder sa condition. Un proche pourrait aussi décéder et vous traverserez un deuil. Bien sûr que ce ne sont pas toutes les personnes qui sont nées sous le signe de la Vierge qui plongeront dans cette épreuve tête première, mais si cela devait se produire, vous recevriez l'aide et le soutien inconditionnel de vos proches, de l'être aimé et de vos amis.

Amour

Vous allez vivre des moments intenses, ce mois-ci. D'abord, plusieurs d'entre vous rencontreront quelqu'un de formidable et avec qui vous aurez le goût de poursuivre la relation plus avant. Le problème est que si vous formez déjà un couple, cette nouvelle relation risque de vous compliquer la vie ou de créer un remous émotionnel important au sein de la relation déjà existante. Un des deux partenaires impliqués dans ce triangle amoureux vous obligera à choisir et il n'y aura pas de retour en arrière possible. Si cela ne vous concerne pas, vous recevrez l'ultimatum de l'être cher de vous marier, de vivre ensemble ou d'apporter des changements à votre comportement.

Arts

Vous allez vivre de grandes transformations artistiques, ce mois-ci. Vous vous démarquerez et prendrez une première place bien méritée. Ou bien, vous remporterez le premier prix à un concours. Aussi, l'éclipse solaire vous obligera à faire le bilan de vos bons et mauvais coups, de vos projets artistiques en évaluant lesquels méritent toute votre attention et à mettre une croix sur ceux qui se révèlent être une perte d'énergie et d'argent. Un blocage dans votre expression artistique serait possible une semaine ou deux avant ou après le 20 mars.

Le talent surdimensionné d'un autre artiste pourrait vous pousser à remettre le vôtre en question. Ce ne serait pas la chose à faire, puisque cette personne est votre miroir et que vous devriez plutôt vous voir à travers elle. Son talent est tout simplement mieux accompli et développé. Bref, prenez exemple au lieu de vous comparer !

Spiritualité

Vous développerez l'intelligence d'entendre, de vous mettre réellement à l'écoute des autres. Cela veut dire que vous allez distinguer plus clairement les différentes formes de raisonnements de la pensée. Vous constaterez alors que certaines personnes pensent avec leur cœur tandis que d'autres pensent avec leur tête et que les deux ne s'entendent pas toujours.

Carrière

Une éclipse solaire se produira le 20 mars et de sérieux conflits pourraient survenir au travail. Il semble que vous n'apprécierez pas l'évaluation d'un patron ou la plainte d'un responsable de département. Vous lui répondrez par la bouche de vos canons, ce qui, en période d'éclipse, est la pire chose à faire ! Il serait préférable que vous vous éclipsiez du travail pour un temps ou que vous prépariez vos munitions en silence et de manière stratégique au lieu de tout balancer par-dessus bord ou de claquer la porte. Au fond, c'est vous qui perdriez au change et pas votre employeur, à qui vous faciliteriez la vie en agissant de la sorte. Bref, calmez vos émotions, dominez-les, et planifiez stratégiquement votre départ. Sinon, vous dépenserez beaucoup d'énergie à revoir vos idées afin d'être bien sûr que vous les exprimiez correctement ou adroitement.

Argent

Malgré les effets perturbants de l'éclipse solaire au travail et qui pourraient jouer sur vos sources de revenus, si vous quittiez votre emploi par exemple, vous trouverez le moyen d'obtenir une meilleure rémunération. Dans un même souffle, vous aurez accès à une qualité de vie supérieure.

Avril

Climat général du mois

Une éclipse lunaire totale se produira dans votre signe du zodiaque selon l'astronomie. Vous ne devez pas la craindre étant donné qu'elle vous aidera à mettre un terme à une relation ou à une situation qui ne doit plus avoir cours dans notre vie parce qu'elle est malsaine et destructrice. Nous n'avons pas toujours conscience du côté malsain d'une relation ou d'une personne, et la vie se charge alors de nous ouvrir les yeux. En fait, une éclipse, aussi difficile soit-elle, est une chance déguisée qui se révèle toujours après avoir fait maison nette. Si vous cherchiez à contrôler la puissance du changement qui tend à se mettre en place dans votre vie au lieu de l'accepter, même si cela ne fait pas votre affaire du tout, vous bloqueriez l'énergie et vous vous abîmeriez les mains et les pieds sur les parois des rochers à force de vous accrocher pour ne pas vous laisser emporter. Fermez les yeux et imaginez, pour faire fuir vos peurs, que vous vous laissez porter toutes ailes déployées par la toute-puissance du vent ! Il me faut utiliser une image aussi forte pour vous faire comprendre que vos peurs n'ont aucun impact sur les événements et qu'il vaut mieux composer avec la réalité.

Amour

Le poids d'un secret ou d'une culpabilité vous empêche d'être pleinement heureux. Il se pourrait que vous ayez renoncé à l'amour à cause de votre rapport au vieillissement. Bref, vous avez peut-être du mal à accepter de vieillir et c'est pourquoi vous vous retirez du monde, vous tracez une croix sur l'amour et les plaisirs de la vie. Vous devez défaire cette fausse croyance que l'amour ne répond qu'à certains critères de beauté et de jeunesse, qui seraient synonymes de bonheur assuré. Si cela ne vous concerne pas, il se pourrait que le nouveau comportement de l'être aimé vous pousse à vous interroger sur son authenticité. M'est-il toujours fidèle ? M'aime-t-il un peu, beaucoup, passionnément ou pas du tout ? Ou bien, c'est peut-être vous qui vous questionnerez sur l'amour que vous portez à la personne qui partage votre vie. Au pire, vous vous direz que l'être cher n'a pas bien vieilli ou qu'il n'évolue pas comme il le devrait et vous vous détacherez alors vraiment.

Arts

La part de fortune se retrouvera dans le secteur des arts ; vous pourriez donc décrocher un contrat artistique important. Bref, vous allez compter vos chances et les comptabiliser aussi parce que ce contrat promet d'être payant à souhait. Ou bien, vous retrouverez la motivation de créer, produire, réaliser ou développer de nouveaux projets. Il se pourrait que vous modernisiez de vieux écrits et que cette pièce de théâtre ou ce film revisité offre au public l'occasion de vous découvrir sous un nouveau jour.

Spiritualité

Vous chercherez à actualiser vos idées ou vos concepts spirituels afin de les rendre digestibles au commun des mortels, surtout si vous êtes un formateur ou un coach dans ce domaine important.

Carrière

Si vous œuvrez dans la science et les hautes technologies, l'entreprise se rive sûrement le nez sur le fait que la science fait des découvertes et qu'elles ne peuvent pas toutes être intégrées par la majorité des gens. Bien évidemment, les découvertes qui ne sont pas partagées ou mises en pratique ne rapportent pas grand-chose. Ce sont les profits qui font rouler le business après tout ! Sinon, une nouvelle technologie récemment implantée se développera si vite que vous pourriez avoir du mal à suivre le tempo. Donnez-vous le temps d'assimiler tout ça ! Ou encore, votre secteur d'expertise a une telle soif de nouveauté, de découverte et de se retrouver à la fine pointe du marché que la prudence passe souvent au second plan, et les clients incapables de suivre la cadence lanceront un sérieux appel à l'aide. Au pire, ils vont couper dans leurs achats et c'est l'entreprise qui devra assumer les surplus d'inventaire.

Argent

Vous êtes invité à lire le paragraphe intitulé *Arts*. Vous comprendrez alors combien la chance ne demande qu'à vous sourire.

Mai

Climat général du mois

La deuxième rétrogradation de Mercure se produira à partir du 11 mai et elle vous obligera à intégrer les expériences de vie passées et présentes ou plus récentes. Vous vous entendrez souvent dire : «Ah, je comprends maintenant ce qui s'est vraiment passé alors ! Wow, je vois clairement ce que X, Y ou Z essayait de me faire voir au sujet de ma vie, de mes amours ou de mes comportements!» Ou bien, vous allez revisiter des événements passés et vous revivrez tout en émotions les plus beaux souvenirs vécus avec un être aimé, un frère, une sœur, un ami ou votre maman. Vous prendrez le pouls de tout l'amour dont cette personne était porteuse, et c'est le cœur un peu lourd que vous prendrez conscience à quel point vous ne réalisiez pas alors la chance que vous aviez. Au lieu de vous culpabiliser, pensez plutôt dorénavant à goûter chaque moment présent, à apprécier les personnes qui sont dans votre vie pour ne pas reproduire la même erreur.

Amour

Vous ne vous sentirez peut-être pas suffisamment spécial et capable pour retenir l'être aimé ou un nouvel élu. Chassez ces idées de votre tête, elles ne font que vous compliquer la vie. Si l'être aimé est toujours là, c'est qu'il vous aime tout simplement ! Aussi, vous ne vous sentirez pas reconnu à votre juste valeur. Ou bien, tous les efforts que vous mettez sont à sens unique et vous rongerez votre frein. Étant donné que la planète Mercure commencera sa deuxième rétrogradation de l'année, vous risquez de sauter un plomb et de lancer au visage de votre partenaire ses quatre vérités. Ou bien, vous pourriez lancer quelques paroles abrasives à vos proches et amis et ils ne le prendront pas du tout.

Dans un autre ordre d'idées, vous hésiterez peut-être à faire un enfant sous prétexte que le monde n'est pas toujours beau et sécuritaire. Si vos parents avaient pensé la même chose, vous ne seriez pas en train de lire ces lignes. Autrement dit, ne cachez pas votre peur de devenir un parent responsable derrière ces fausses excuses, mais prenez cette décision d'enfanter ou de ne pas le faire avec tout le courage qu'elle mérite !

Arts

Une personne vous reprochera d'avoir réussi comme si cela s'était produit comme par magie, comme si vous n'aviez pas mérité votre réussite si chèrement acquise. Vous devrez lire dans le fond de son discours sa propre impuissance à se réaliser, à mettre les efforts nécessaires et à se faire confiance. Cela dit, en tant qu'artiste, votre inspiration sera puissante, mais matérialiser celle-ci dans un projet d'écriture en particulier s'avérera un peu plus ardu. Vous y arriverez, nul doute là-dessus, mais en déployant des efforts colossaux. En revanche, les artistes qui jonglent avec l'abstrait produiront des chefs-d'œuvre très inspirés.

Spiritualité

Un nouveau savoir vous viendra par l'entremise d'un rêve, d'une formation ou d'un livre, ce qui vous permettra de développer d'une manière sensée et saine votre propre pouvoir (puissance personnelle) et valeur.

Carrière

De toute évidence, vous trouverez en vous le courage de discuter de vos insatisfactions avec un patron, et cela, sans avoir honte de dire tout haut ce que vous pensiez tout bas. Si vous le faites avec respect et dans un désir sincère de concilier vos différences, tout devrait bien se passer. Dans le cas contraire, vous aggraverez la situation avec ce patron ou décideur. Donc, si vous pouviez attendre un peu avant de vous commettre ainsi, ce serait bien. Si vous travaillez comme agent secret ou d'infiltration, comme policier ou enquêteur pour une brigade antigang, vous démantèlerez un réseau de trafiquants importants. Ou bien, vous vous qualifierez et obtiendrez un poste de haute fonction dans l'un ou l'autre de ces métiers particuliers. Si ces dernières prédictions ne vous concernent pas, vous sortirez de votre zone de confort plus souvent, ce mois-ci.

Argent

Vous allez faire monter votre chiffre d'affaires ou le pourcentage de vos ventes ou commissions. Les éditeurs, artistes ou réalisateurs qui sont nés sous le signe de la Vierge mettront la main sur l'auteur, la chanson ou le scénario de film rêvé. Les profits seront élevés.

Juin

Climat général du mois

La planète Mercure, votre planète maîtresse soit dit en passant, rétrogradera jusqu'au 13 juin. Vos relations familiales, amoureuses, professionnelles ou amicales seront souvent sur la sellette. Vous vous emporterez plus facilement et les autres aussi par la même occasion. Donc, vous ne trouverez pas toujours les bons terrains d'entente. Vous chercherez aussi à plaire aux autres, à leur faire plaisir en espérant au fond de vous qu'ils vous rendent la pareille. Mais ce retour d'ascenseur ne se produira pas vraiment et vous fulminerez, les bras croisés, bien assis dans votre coin. Heureusement, cette situation subira des revirements une semaine plus ou moins après le 13 juin. Les gens se souviendront soudainement de leur dette envers vous et ils s'organiseront pour la régler. Un voyage d'affaires ou pour le travail pourrait être annulé. Tant mieux si vous avez choisi de prendre vos vacances au début de ce mois important, puisque vous ne sentirez pas vraiment les effets plus négatifs de Mercure rétrograde.

Amour

Vous allez devoir libérer la place afin d'attirer un nouvel amour. Autrement dit, tant que votre cœur se languira d'amour pour une autre personne, tant que votre tête n'acceptera pas une rupture ou tant que vous entretiendrez des souvenirs amoureux douloureux et non réglés, vous ne serez pas en mesure de reconnaître l'amour lorsqu'il se présentera et vous passerez à côté. Ainsi prévenu, puisque c'est bien à cela que sert l'astrologie, vous pourrez agir de sorte à défaire les nœuds qui empêchent le bonheur de se faire une place dans votre vie. Si ces dernières prédictions ne vous concernent pas, vous profiterez de ce beau mois de juin pour renouer avec l'être aimé. Vous pourriez planifier de petites soirées en tête-à-tête en toute tendresse. Peut-être surprotégerez-vous vos proches et amis, et ils vous sermonneront ou vous remettront carrément à votre place. Il se pourrait aussi qu'après avoir élevé vos enfants, vous n'ayez d'autre choix que de renouer avec votre féminité ou votre masculinité qui est restée longtemps à l'arrière-plan. Vous trouverez sûrement difficile de vous défaire de ce rôle parental qui vous a défini durant tant d'années.

Arts

Vous pourriez souffrir du fameux syndrome de l'imposteur, ce mois-ci; ce sentiment apparaît souvent lorsque Mercure rétrograde. La bonne nouvelle est qu'un tel sentiment est l'apanage des plus grands artistes, ce qui devrait vous encourager ! Lorsque vous passerez des auditions, vous serez porté à vous sous-estimer de telle manière que vous hésiterez bien souvent à vous lancer dans l'action. Bref, vous donnerez trop d'importance à vos peurs et à vos hésitations plutôt que de faire confiance à votre talent. Encore une fois, l'astrologie a d'abord pour but d'éviter plusieurs inconvénients et non pas de vous faire peur. Bref, il s'agit ici de possibles tournants du destin.

Spiritualité

La violence d'un parent vous a peut-être traumatisé durant l'enfance, créant inexorablement en vous une peur qui vous empêche de faire confiance à la vie ou aux gens, et vous vous angoissez facilement. Vous pourriez consulter un psychologue, un hypnologue ou un psychanalyste pour vous aider à dépasser ce blocage.

Carrière

Vos interactions avec les autres seront des plus bénéfiques. Les échanges et les discussions vous permettront de mettre la main sur une mine de renseignements. Ils contribueront à faire évoluer votre vie professionnelle, artistique, d'affaires ou politique dans la bonne direction. Vous ne serez pas toujours en mesure de distinguer les bonnes personnes des mauvaises. Vous reconnaîtrez ces gens malintentionnés lorsqu'ils chercheront à vous impressionner pour mieux vous manipuler.

Argent

Lorsque Mercure rétrograde, et je ne le dirai jamais assez, il est important de vérifier les antécédents et les références de l'entrepreneur ou de l'homme à tout faire avec qui vous voulez conclure un contrat de travail. Il se pourrait, je dis bien pourrait, vous faire faux bond et laisser les travaux en plan, mais après avoir encaissé votre chèque.

Juillet

Climat général du mois

Plusieurs changements sont à prévoir pour vous, ce mois-ci, et ils sont positifs même s'ils demandent une période de réflexion et de planification à long terme. Il semble que vous allez prendre une décision définitive concernant un travail, un projet d'affaires ou artistique ou encore votre adhésion à un parti politique. Vous cherchez surtout à trouver un emploi ou un contrat de travail qui vous donnerait une sorte de liberté d'action pour vous consacrer à autre chose qui vous allume vraiment. Par exemple, vous avez un travail alimentaire et vous n'êtes pas si malheureux, mais sans plus. Vous rêvez peut-être en silence de trouver un travail tout aussi alimentaire, mais qui vous offrirait en plus un ou deux jours de sursis pour vous consacrer à un plan de match plus personnel comme acheter et rénover des édifices à logements ou des maisons à bon prix. Le but ultime serait de faire un bon profit à la revente. Enfin, c'est à vous de voir laquelle de ces possibilités a du sens à vos yeux. Ou encore, vous vous reconnaissez dans ces prédictions et vous pouvez faire un lien. Vous devez retenir que vous obtiendrez ce que vous recherchez et d'une manière tout à fait inattendue. Vous êtes aussi invité à lire sur la treizième lune, appelée «lune bleue», et à mettre en action le rituel proposé dans la section *Alerte astrale importante pour le mois de juillet 2015.*

Amour

Ce beau mois d'été s'annonce riche en surprises sentimentales de toutes sortes. Une rencontre amoureuse serait possible. Ou bien, vous goûterez les petites attentions de l'être aimé qui, soit dit en passant, battra des records, ce mois-ci. Par exemple, il vous fera sa demande en mariage en bonne et due forme, il planifiera des soirées inoubliables ou sa tête se remplira de projets et de planifications en tout genre.

Dans un autre ordre d'idées, vous faites peut-être partie des Vierge qui ne savent pas sur quel pied danser sur le plan amoureux et vous sentez que la situation ne progresse pas. Le vent a des chances de tourner autour du 16 juillet, jour de nouvelle lune. En ce qui concerne la famille, Mercure rétrograde vous mettra dans l'inconfortable position de devoir choisir un frère, une sœur ou un parent que vous aimez et respectez au détriment de certains autres proches. Prendre ainsi position n'est jamais si facile ! Mais il faut toujours casser des œufs pour faire une omelette. D'ici le mois d'octobre, ces personnes comprendront bien des choses et vous renouerez tout naturellement.

Arts

Un beau succès artistique se pointera le bout du nez durant ce mois important. Si votre intention est de faire œuvre créatrice, choisissez bien à qui vous la présenterez. Une personne risque de chercher à s'approprier votre travail. Cela dit, l'étranger pourrait vous offrir un beau tremplin artistique.

Spiritualité

Vous découvrirez ce mois-ci d'autres trésors – des talents, si vous préférez – qui sommeillent en vous, et cet éveil intérieur vous permettra surtout de renaître d'une certaine manière.

Carrière

Tel qu'indiqué dans la section intitulée *Climat général du mois*, vous aurez de quoi vous réjouir sur le plan professionnel, artistique, d'affaires ou politique, ce mois-ci. Vous aurez même l'habileté de vous tenir sur une jambe et de garder l'équilibre. Cela veut surtout dire que quoi qu'il arrive au bureau, vous ne vous laisserez pas déséquilibrer. S'il le faut, vous vous tiendrez debout devant l'adversité à vous demander : « Comment pourrais-je régler ce problème ? Qui serait la meilleure personne pour m'aider ou me coacher ? » Vous dégagerez surtout une grande capacité d'adaptation et une faculté inouïe pour trouver des solutions. Intuitivement, vous reconnaîtrez facilement les bonnes occasions qui se présenteront à vous et il y en aura beaucoup. Vous allez faire progresser un plan de match, une idée, un concept, mais vous allez aussi vous améliorer et ajouter des cordes à votre arc.

Argent

Vous n'hésiterez pas ce mois-ci à agir pour satisfaire vos intérêts. À ce sujet, et pour éviter les répétitions, vous êtes invité à relire la section intitulée *Climat général du mois*.

Août

Climat général du mois

Vous vous impliquerez dans des situations, occupations ou projets où vous vous sentirez utile et apprécié, surtout si vous avez pris votre retraite dernièrement ou si vous avez décidé de remettre en question votre vie professionnelle pour vous consacrer au service de la société. Votre engouement pour une maison de campagne ou un chalet pourrait prendre le pas sur bien des choses, au point de vous amener à négliger la famille ou les amis. Cela dit, une opportunité se présentera pour vendre ou acheter une propriété. Vous aurez peut-être la chance de déménager dans un endroit plus adapté à vos besoins.

Dans un autre ordre d'idées, vous vous accorderez du bon temps avec les proches et les enfants. Les projets familiaux seront enthousiasmants. Un grand-parent pourrait même devenir votre nounou, le temps que vous trouviez la bonne personne pour le remplacer. La grande rentrée à l'école se prépare et vous serez très occupé à la planifier, à l'organiser et à bien l'orchestrer.

Amour

Si vous souffrez d'un blocage sexuel qui dérange votre partenaire amoureux, vous devriez consulter un spécialiste au lieu de laisser traîner les choses en espérant qu'elles se règlent d'elles-mêmes. Cette prise en charge psychothérapeutique vous aiderait à vous responsabiliser par rapport à un certain manque de réalisme. Une première piste d'interprétation serait que vous en attendez trop de la part de votre partenaire. Ou bien, ses maladresses vous font décrocher et vous n'arrivez pas à discuter de tout cela avec votre douce moitié. Par ailleurs, peut-être vous marierez-vous pour la première fois de votre vie, et même si cela fait plus de 30 ans que vous vivez avec la même personne. Ou encore, vous vous engagerez dans votre deuxième mariage. Les célibataires qui voyagent toujours en solo seront heureux d'apprendre qu'un nouvel amour les transportera vraiment. Cette personne est totalement différente du genre qui vous attire ordinairement. L'attraction sera puissante. De plus, vous aurez la chance de nouer de nouvelles amitiés qui s'avéreront plus excitantes les unes que les autres.

Arts

Vous communiquerez vos paroles et musiques, vos idées créatrices, vos textes ou vos poésies avec intensité et émotion. Si tel est le cas, on vous décernera la palme du meilleur artiste ! Voilà pourquoi les chanteurs, les auteurs-compositeurs-interprètes, les acteurs, les chefs d'antenne à la télé, les interviewers ou les chroniqueurs seront particulièrement prisés du public et de la critique. Vos apparitions en ondes feront sensation. Si vous devez débattre d'une idée devant un auditoire, vous excellerez. Bref, vous agirez sur les foules. En revanche, évitez de donner des réponses « automatiques » par manque d'intérêt et d'écoute, vous laisseriez une très mauvaise impression.

Spiritualité

Vos nouvelles compréhensions spirituelles, qui vous amènent à vous transformer de belle manière, peuvent maintenant servir pratiquement les autres. Toutefois, souvenez-vous que tant que vous servirez sans devenir un esclave, vous n'attirerez pas de leçons de vie karmique !

Carrière

En tant qu'enseignant, le retour en classe se déroulera plutôt bien. Durant les mois à venir, vous ferez passer bien plus que ce que vous direz par les mots, et vos élèves n'auront pas toujours conscience d'apprendre autant de choses juste à vous regarder agir et être. Sinon, vous ferez preuve d'une hypersensibilité et votre entourage professionnel ne captera pas toujours vos subtilités intellectuelles, morales et psychiques. Ce n'est qu'après coup que les gens reviendront vers vous pour vous confier leurs percées vous concernant. Donc, au bureau aussi, vous ferez passer bien plus que ce que vous direz par les mots.

Argent

Saturne vous invite à bien planifier vos entrées et vos sorties d'argent. Montrez-vous patient et persévérant devant les imprévus financiers et matériels qui pourraient survenir. D'un point de vue psychique, honorez votre capacité de faire de l'argent et vous ferez un grand pas en avant !

Septembre

Climat général du mois

Deux éclipses se produiront ce mois-ci. La première aura lieu le 13 septembre – éclipse solaire –, et la deuxième, le 28 septembre – éclipse lunaire totale. Vous ne devez pas craindre les éclipses, puisqu'elles ont pour but de nous libérer, c'est-à-dire d'éclipser de notre vie ce qui ne va pas ou ce qui nous rend malheureux. Par exemple, vous êtes invité à lire le paragraphe qui traite de l'argent. Vous comprendrez alors que les éclipses obligent souvent à prendre le pouls de ce qui ne va pas pour y remédier, pour nous aider à repartir sur un pied neuf. Bref, il s'agit de mises au point nécessaires et bénéfiques. Vous mettrez donc l'accent sur vos finances personnelles et, par effet de ricochet, sur l'argent des autres : les clients et les consommateurs susceptibles de faire tourner votre roue de fortune dans la bonne direction. Vous qui, d'ordinaire, préférez concentrer vos énergies sur le bon service et sur la qualité du produit, vous allez devoir diriger toute votre attention sur les profits à générer. La planète Uranus semble même dire que l'argent trouvera son chemin jusqu'à votre porte, c'est tout dire !

Amour

Si vous avez été incapable, jusqu'ici, d'apporter des changements à une situation amoureuse qui se détériorait, ou que vous n'aviez pas conscience que des éléments perturbateurs ou destructeurs abîmaient la relation, les éclipses vous aideront à mettre de l'ordre dans votre vie sentimentale. Une semaine avant ou après l'éclipse solaire, vous négocierez une entente importante et à votre avantage avec un ex-conjoint concernant une propriété en commun.

Arts

Déplacez-vous en personne pour aller à la rencontre des décideurs – réalisateurs, producteurs, metteurs en scène, etc. Bref, n'attendez pas que quelqu'un parle en votre nom, n'espérez pas que des porte-parole vous donnent bonne presse ou qu'ils fassent valoir vos talents et particularités. Après tout, on n'est jamais mieux servi que par soi-même !

Spiritualité

Entretenez votre foi par la prière, la méditation ou une introspection sérieuse et authentique.

Carrière

Vous ne manquerez pas d'idées géniales pour convaincre vos clients, fournisseurs, associés, bailleurs de fonds ou patrons du bien-fondé d'un projet, d'un concept ou d'un plan d'action. Ils emboîteront le pas derrière vous deux fois plutôt qu'une. Les éclipses apportent dans leurs sillons des changements de vie importants. Si vous avez planifié un rendez-vous d'affaires, professionnel, artistique ou politique, vous obtiendrez le poste ou les investissements tant convoités.

Argent

À moins que vous ne soyez bien nanti financièrement, vous pourriez éprouver des limitations matérielles importantes qui testeront votre niveau de débrouillardise. Ou bien, vous entretiendrez un sentiment de frustration à cause d'un blocage intérieur concernant l'argent. Ou encore, un produit, un projet ou un concept ne trouvera pas vraiment preneur et vous serez dans l'obligation de tout revoir pour corriger votre mise en marché ou son contenu pour satisfaire les besoins des consommateurs. Autrement dit, si vos produits ou services ne suscitent pas l'intérêt des consommateurs, il vous faudra faire vos devoirs et trouver ce qui est au goût du jour chez vos consommateurs cibles et vous ajuster en conséquence. Cet exemple n'en est qu'un parmi tant d'autres possibles !

Dans un autre ordre d'idées, la maison vous obligera à rédiger de gros chèques, ce mois-ci. S'il ne s'agit pas de la maison, il pourrait s'agir de bris d'appareils ménagers, de réparations majeures inattendues et imprévues, etc. Un petit animal domestique se retrouvera peut-être chez le vétérinaire et les coûts associés à son problème de santé vous feront dresser les cheveux. Au pire, la voiture de l'être aimé subira une sérieuse mise au point ou une réparation majeure ou il se procurera une nouvelle voiture. Quoi qu'il en soit, les dépenses reliées à la maison, à la voiture et aux animaux domestiques s'avéreront salées, mais vous pourriez profiter d'un emprunt bancaire si vous le désiriez.

Octobre

Climat général du mois

Vous ne serez pas toujours en accord avec les idées ou manières de penser des gens plus âgés ou que vous considérez comme plus matures. Vous vous offusquerez de leur façon de faire : ne pas mettre en pratique leurs propres enseignements, agir par abus de pouvoir ou pour satisfaire leur ego.

Dans un autre ordre d'idées, vous vous questionnez trop ces temps-ci. Sachez que vous allez entrer autour du 20 octobre dans une phase des plus excitantes sur le plan professionnel, artistique ou d'affaires. Vous jouirez alors d'une belle réputation et les gens vous feront confiance tout naturellement. De toute évidence, depuis les trois dernières années, vous avez fait énormément de progrès dans votre sphère d'activités et, dorénavant, vous êtes prêt pour jouer un rôle tellement plus à votre nouvelle mesure ! Autrement dit, vous avez bien appris vos leçons et le temps est venu de les appliquer. D'excellentes nouvelles en matière d'argent dessineront un sourire sur vos lèvres ! Vous explorerez une nouvelle technique de travail qui s'avérera absolument géniale. Vous n'hésiterez pas à donner votre temps et votre énergie pour venir en aide à vos proches et amis.

Amour

Avis aux célibataires qui sont nés sous le signe de la Vierge : l'amour agira sur vous en ce mois d'octobre comme le Soleil sur les plantes et les fleurs en plein mois de mai. C'est tout dire ! Si vous vivez des moments difficiles au sein de votre couple à cause d'un manque d'argent, par exemple, un revirement de situation dessinera un sourire sur vos lèvres. Il ne serait pas étonnant non plus que la peur de vous retrouver dans une situation amoureuse éprouvante fasse en sorte que vous exigiez de l'être cher des preuves tangibles et concrètes de son amour. Cette réconciliation n'aura lieu que si les promesses sont formelles et sérieuses. Sinon, vous refuserez de lui ouvrir de nouveau votre cœur et votre porte.

Arts

Vous manifesterez un sens artistique hors du commun. Si vous souhaitez obtenir un meilleur cachet, faites votre demande après le 19 octobre, une semaine environ après la fin de la rétrogradation de Mercure. Chose certaine, vos projets artistiques rapporteront des rentrées d'argent significatives. Cela dit, vous impressionnerez les juges lors d'une audition et serez choisi pour le premier rôle ou un rôle d'importance. Vos orchestrations musicales sortiront de l'ordinaire, vos écrits feront pâlir d'envie bien des auteurs ou écrivains, votre voix chantée épatera la galerie ou votre qualité d'interprète vous vaudra d'excellentes critiques. En somme, vous évoluerez bien sous le feu des projecteurs. Sinon, c'est votre revue, livre ou journal qui prendra une première place dans le cœur des lecteurs.

Spiritualité

Si vous œuvrez dans le secteur de la spiritualité en tant que voyant, astrologue, « coach de vie » ou analyste de rêves, vous aiderez les autres à se transformer comme jamais auparavant.

Carrière

Puisque Mercure a entrepris sa troisième et dernière rétrogradation de l'année, il se pourrait qu'un patron vous force à endosser des responsabilités qui ne feront pas votre bonheur. Vous faire imposer ainsi une directive ne sera pas si facile à avaler. Vous êtes donc invité à prendre votre mal en patience. Il a entendu vos récriminations, mais il ne peut pas agir pour l'instant. Si cela ne vous concerne pas, un nouveau travail se présentera, ce qui vous obligera à faire un choix déchirant. Ou bien, vous serez heureux de pouvoir enfin quitter un emploi qui vous tirait vers le bas depuis trop longtemps déjà. Dans un autre ordre d'idées, vous mettrez de l'avant un projet d'affaires dont la stratégie s'avérera payante à long terme.

Argent

Vous trouverez des capitaux pour faire évoluer vos projets et vos idées. Vos vieux modes de pensée en matière d'argent sont sur le point, à moins que ce ne soit déjà fait, de subir une grande métamorphose. Le monde des affaires vous apportera la possibilité de renflouer votre compte en banque et de belle manière…

Novembre

Climat général du mois

Le secteur social de votre carte du ciel de ce mois-ci sera activé. Donc, vous ferez la rencontre de personnes bien établies dans la vie. Leur manière de penser sera solide et ils articuleront bien l'intelligence supérieure qui les habite. Vous apprécierez la qualité de leur présence et de leur écoute. Vous échangerez beaucoup et les discussions s'avéreront inspirantes, enrichissantes à tous points de vue.

Dans un autre ordre d'idées, il se pourrait qu'un membre de votre famille déclenche un état de crise en colportant des tissus de mensonges à votre sujet ou en essayant de vous donner mauvaise presse auprès de vos frères et sœurs. Bien sûr que cette dernière prédiction ne s'adresse pas à tous les gens qui sont nés sous le signe de la Vierge, mais si vous vous sentez concerné, sachez que certains proches confronteront carrément cet intrigant.

Amour

Il régnera une ambiance plutôt électrisante dans le nid amoureux. Les amoureux qui souhaitent concevoir un enfant seront heureux d'apprendre que ce mois sera propice pour mettre de l'avant ce beau projet. Une demande en mariage serait aussi possible pour plusieurs d'entre vous. Ce mois sera propice aux changements importants en tout genre. D'abord, si vous n'êtes plus amoureux, vous vous séparerez. Ou encore, vous pourriez décider de vendre la maison et trouver un acheteur vivement intéressé ! Ou bien, vous serez dans l'obligation de déménager à la dernière minute, pour des raisons qui dépasseront votre propre entendement.

Dans un autre ordre d'idées, vous vous laisserez porter par votre imaginaire et votre très grande sensibilité à la beauté et à l'esthétique de l'endroit où vous vivez ou que vous déciderez d'acheter. Bref, vous vous mettrez sur le mode rénovations ou « retapage » des lieux par amour du beau, de l'élégance et du confort ouaté. Les résultats dépasseront de loin vos attentes et vous ferez chez des brocanteurs de grandes découvertes.

Arts

Vous avez dépassé le temps où vous deviez endosser un travail qui n'était qu'alimentaire. Vous vous retrouvez maintenant à la tête d'un nouveau rôle artistique plus valorisant et à la mesure de votre talent. Vous serez poussé, et cela bien malgré vous, à vous dépasser et à faire valoir vos qualités créatrices. De plus, vous allez devoir apprendre à déléguer pour pouvoir vous consacrer à un projet d'envergure. Le temps n'est plus à servir, à donner et à aider tout le monde ou, si vous préférez, à disperser vos énergies à tout vent et à votre détriment.

Spiritualité

Votre niveau de conscience s'est nettement développé depuis l'année passée. Cela vous a permis de toucher à votre propre vérité, de comprendre la puissance de l'authenticité lorsqu'elle est mise en action. Vous voilà prêt à déployer vos ailes et à donner le meilleur de vous-même.

Carrière

Les contrats professionnels, artistiques ou d'affaires, surtout si vous êtes travailleur autonome, fuseront ce mois-ci. Peut-être avez-vous mis toutes vos énergies dans un projet ces dernières semaines et que le temps est venu de conclure l'affaire. Vous n'irez nulle part sans voir clairement où vous mettrez les pieds. Vous vous montrerez plus indépendant et les gens qui, jadis, abusaient de votre bonté ou de votre bonne foi n'auront qu'à bien se tenir s'ils veulent vous garder dans leur entourage. Vous manifesterez votre propre force, un peu comme si le regard des autres avait moins d'emprise sur vous. Si vous avez mal utilisé un pouvoir à un moment donné et qu'il vous a été retiré, une nouvelle position dans les hautes sphères du pouvoir se présentera. Nul doute qu'après avoir goûté ainsi à la défaite, et que votre ego s'est plié aux règles de la vie avec un grand V, vous utiliserez ce retour au pouvoir à bon escient.

Argent

Votre bilan du mois sera que votre condition matérielle s'est beaucoup améliorée. Un fournisseur vous accordera un rabais, une banque débloquera des fonds sur des bases très avantageuses, vous recevrez un gros montant d'argent par un drôle de concours de circonstances.

Décembre

Climat général du mois

Vous aurez tendance à materner vos proches, vos amis ou votre partenaire amoureux, ce mois-ci. Par ailleurs, tout le monde s'organise pour le temps des fêtes qui approche à grands pas et vous n'échapperez pas à cette réalité, vous non plus ! Les rencontres familiales, amoureuses et amicales seront animées, agréables et plutôt bien arrosées. Il vaudrait mieux vous assurer d'avoir une chambre libre ou un matelas soufflé à la portée de vos invités ! Bref, votre maison pourrait être le point de ralliement de plusieurs proches et amis.

Dans un autre ordre d'idées, vous aurez tendance à agir sans réfléchir, à sauter aux conclusions trop vite ou à vous rebiffer pour des riens. Ainsi prévenu, vous serez en mesure de mieux vous contrôler.

Amour

Vous digérerez un peu mieux les mauvaises expériences amoureuses passées. Êtes-vous prêt à pardonner pour autant ? Il y a fort à parier que non, mais au moins vous avez fait un premier pas dans la bonne direction en commençant par les assimiler. Encore ce mois-ci, les célibataires vont rencontrer l'amour, peut-être bien lors des nombreux 5 à 7 auxquels vous prendrez part; n'hésitez pas à accepter les invitations surprises qui vous seront lancées. Comme on l'a vu dans la section *Climat général du mois*, la maison se remplira d'invités avant même que vous ayez eu le temps de vous en apercevoir ! Les visites-surprises se multiplieront et vous allez devoir faire preuve de débrouillardise pour rassasier tout ce beau monde. Cela dit, vous n'avez aucune inquiétude à avoir, puisque vous relèverez le gant avec un grand savoir-faire. Tout naturellement et sans même le chercher, les amis et les amis des amis auront la même bonne idée de débarquer chez vous.

Arts

Autour de la nouvelle lune qui se présentera le 11 décembre, vous ramènerez votre imagination débordante à un niveau très terre à terre. Autrement dit, vous ne perdrez pas votre public dans des créations «flyées» et dénuées de sens. Vous prônerez la logique et le gros bon sens dans tout ce que vous entreprendrez, réaliserez ou mettrez en scène. En combinant ainsi la puissance de votre imaginaire et votre côté pratique, vous aurez une recette gagnante entre les mains. Les gens se demanderont bien où vous puisez vos idées. Par contre, Uranus rétrogradera et vous vous montrerez plus facilement insatisfait du travail accompli, et qui se retrouvera à la poubelle. Le seul hic est que les heures passées inutilement à ce labeur ne seront pas remboursables. Vous êtes donc invité à ne rien jeter, mais à présenter votre travail à quelqu'un en qui vous avez vraiment confiance pour qu'il vous donne son avis. Ensuite, vous disposerez comme il vous plaira de votre travail. De plus, vous allez recevoir une belle publicité gratuite qui vantera vos qualités artistiques.

Spiritualité

Si vous suivez une psychothérapie, vous aurez la chance de faire de nombreuses percées lumineuses et ces prises de conscience vous serviront pour bien des années à venir. Surtout, elles vous permettront d'expérimenter un mieux-être nouveau, agréable ainsi que de reprendre goût à la vie.

Carrière

Une grande fatigue vous courbera les reins. C'est une image qui permet de VOIR qu'il est temps de prendre congé pour refaire vos forces. Si vous ne le pouvez pas, essayez autant que faire se peut de ne pas vous épuiser davantage. Si, au contraire, vous êtes à la recherche d'un emploi, vous pourriez décrocher un poste intéressant autour du 11 décembre approximativement. Ou bien, un patron vous donnera carte blanche concernant un projet ou un développement de produit ou service. Si vous œuvrez dans le domaine des assurances, de l'administration ou de la loi et de la justice, vous pourriez recevoir une nouvelle formation. Il pourrait s'agir de l'apprentissage d'un nouveau logiciel récemment implanté.

Argent

Une association d'affaires peut s'être avérée décevante. Peut-être qu'un employé s'est enfui avec le tiroir-caisse, ou qu'un client exige la lune et que vous ne pouvez lui offrir qu'une déduction sur ses achats. Quoi qu'il en soit, vous allez sans doute recevoir une augmentation de salaire, une meilleure commission ou un pourcentage plus élevé sur vos ventes.

BALANCE

Ses couleurs préférées : Vous aimez les grands classiques – le beige, le blanc et le noir –, différentes teintes de lilas ou le rose fuchsia pour faire honneur à votre planète maîtresse, Vénus, le gris pâle jusqu'au charbon de bois. Les couleurs vives doivent avoir du chic, bien s'amalgamer entre elles.

Ses métaux : Le titane, le cuivre et le chrome.

Ses pierres de naissance : La topaze rose et royale (jaune), le saphir et le péridot (chrysolite).

Ce que ces pierres symbolisent : Lorsque la Balance porte sur elle une topaze rose, elle accroît la possibilité de rencontrer l'amour en plus de s'armer d'une grande protection. La topaze royale, quant à elle, active son énergie vitale et attire la chance pure et le succès public. Le péridot chasse la mélancolie et protège contre les énergies négatives.

Les différents aspects de sa personnalité

La Balance possède une nature émotive, sensible et très intuitive. Il lui arrive de pressentir les événements à venir avec une acuité renversante. Les gens nés sous le signe de la Balance ont un tempérament ardent, et ils se montrent zélés et enthousiastes si un projet, une idée, un concept ou un plan d'action professionnel, artistique, d'affaires ou politique les intéresse vraiment. Ils consacreront temps et énergie pour le mener à bon port et avec un soin jaloux. L'un de leurs plus grands défauts est qu'ils peuvent se promener d'un extrême à l'autre, du positif au négatif, en un temps record et sans avertissement. Les plateaux de la Balance, qui représentent ce signe du zodiaque, suggèrent que l'injustice sous toutes ses formes leur est insupportable. Ils sont naturellement inclinés vers l'art, la musique et les ondes radio. Beaucoup d'animateurs et d'animatrices radiophoniques qui sont nés sous ce signe important ont fait ou vont laisser leur marque. La plus belle qualité des représentants de ce signe est qu'ils savent rallier les gens et leurs différences, ce qui n'est pas donné à tout le monde. Ils font de parfaits candidats à la présidence et excellent dans le domaine de la loi, de la politique, de la justice, de la démocratie, de la conciliation, de la diplomatie, de la médiation, etc.

La Balance recherche l'équilibre et l'harmonie amoureuse d'abord et avant tout. Lorsqu'elle trouve ces deux qualités chez une personne, elle lui démontre son attachement sincère et lui reste fidèle. Il lui arrive de se retrouver sur la corde raide à cause de sa difficulté à s'affirmer. Dans l'esprit d'une Balance, l'idée que « toute affirmation est une agression » engendre ses ambivalences, suscite ses indécisions, lesquelles se déclenchent lorsqu'elle a peur de déplaire. Il ou elle préférera alors mentir plutôt que de lancer une vérité qui risquerait de contrarier son interlocuteur, sa douce moitié, ses amis, ses parents ou ses enfants. Voilà pourquoi le signe de la Balance subit autant de tensions au sein de ses relations amoureuses, amicales et même familiales. Ses hésitations s'accentuent lorsque la Balance craint de se tromper, de faire le mauvais choix. Les gens qui sont nés sous le signe de la Balance sont appelés, à un moment ou un autre de leur vie, à connaître le grand amour. Certaines Balance se laisseront aspirer par l'autodestruction jusqu'à ce qu'elles choisissent d'aimer la vie.

Votre compatibilité avec les autres signes

Le Taureau agira comme un allié amoureux et un partenaire sensuel. Quant au Verseau, il vous offrira une relation amoureuse durable et agréable à vivre au quotidien. Avec le Gémeaux, vous vivrez des moments inoubliables et le pouvoir d'attraction sera grand. L'amour sera torride avec un Cancer et vous chérirez tous les deux votre besoin d'intense romance. Vous entretiendrez une relation bénie avec le Sagittaire, puisque vous vibrerez au même diapason.

Quelques Balance célèbres

Guylaine Tremblay, Éric Lapointe, Mario Lirette, Pierre Karl Péladeau, feu John Lennon, Jean-Jacques Goldman, Zac Efron, Toni Braxton, Hilary Duff, Gwyneth Paltrow, Sting, Marion Cotillard, Avril Lavigne, Will Smith, Catherine Zeta-Jones, Gwen Stefani, Kate Winslet, Matt Damon, Usher, Eminem.

L'année 2015 en général

Vous vous sentirez porté vers l'action par pur plaisir. Aussi, vous défendrez ce en quoi vous croyez sans tenir compte des oppositions. L'année 2014 fut une année de grandes transformations pour la plupart d'entre vous. En 2015, vous serez transporté par une nouvelle ambition professionnelle, artistique, d'affaires ou politique. Chose certaine, vous serez en mesure de créer un meilleur futur pour vous-même à partir du moment où vous mettrez cette intention en action dans votre vie. Vous réglerez des disputes familiales – un divorce, une union de fait qui s'est terminée ou une rupture familiale qui perdure. Vous rechercherez une plus grande liberté d'action au travail ou dans vos fonctions. En fait, vous subirez plusieurs changements d'emploi ou alors de nouvelles responsabilités vous allumeront vraiment. Un travail pourrait même ne pas s'avérer si payant, mais vous en retireriez de grands bénéfices dans le plaisir fou de vous donner à 200 %.

Vous pourriez choisir, si ce n'est déjà fait, de vous détourner des honneurs, de ne plus participer à une certaine comédie sociale et à ses simulacres. Il semble que vous décapiterez plus facilement les amis ou les proches qui démériteront à vos yeux, cette année. Bref, vous aurez le couperet aiguisé et vous l'utiliserez bien souvent sur un coup de tête ou lorsqu'un énervement incontrôlable s'emparera de vous. Il vous appartient de ne pas laisser vos impatiences et vos énervements vous submerger. Aussi, certains de vos amis seront foudroyés par la vie et vous aurez alors la détestable impression que le vide se fait autour de vous. Tous les cas de figure sont ici possibles : morts brutales, pertes à cause d'une rupture sans appel, communication impossible. Le but ici n'est pas de vous faire peur, mais de vous prévenir pour vous donner de la puissance.

De belles occasions d'amour se présenteront cette année. Plusieurs parmi vous trouveront l'âme sœur et ce nouvel amour comblera votre désir de bonheur. Si vous êtes déjà en couple et heureux de l'être, l'union se développera encore davantage et de manière très agréable.

**Bonne et heureuse année 2015,
chères Balance !**

Alerte astrale importante pour le mois de juillet 2015

Il va se produire deux pleines lunes durant le mois de juillet. La première aura lieu le 2 juillet et l'autre le 31. La pleine lune du 31 juillet est aussi appelée « lune bleue » et les Amérindiens la vénèrent pour ses forces mystiques et magiques sacrées.

Quelques explications importantes

Le *Farmer's Almanac* est un almanach nord-américain datant du début du XIXe siècle. La définition qu'il donne de la « lune bleue » est la suivante : « Elle se produit lorsque la pleine lune apparaît deux fois dans un même mois. Ces pleines lunes reviennent toutes les 2,6 années soit une année sur trois approximativement. »

Quelles sont les forces magiques de la « lune bleue » ?

Symbolisme : aussi appelée la « lune du Grand Esprit », la « lune bleue » permet d'entrer en contact avec des forces toutes-puissantes qui nous accompagneront et nous protégeront. Cette « lune bleue » a aussi le pouvoir de matérialiser nos vœux pour nous faciliter la vie.

La lune bleue ou lune du Grand Esprit

Le Grand Esprit dont elle est porteuse fera lever en nous un grand pouvoir de construire, d'ériger, de bâtir et de développer des projets, des idées, des plans d'action ou des concepts qui dureront dans le temps, et qui nous apporteront le succès et la réussite. Ces prises d'action nous permettront dans un même souffle de nous refaire une santé matérielle, amoureuse, professionnelle, artistique, d'affaires, politique, physique, psychologique et spirituelle.

Rituel à faire le soir de l'apparition de la « lune du Grand Esprit »

Lorsqu'elle illuminera le ciel le soir du 31 juillet, assoyez-vous paisiblement devant elle en vous assurant d'avoir une feuille de papier sur vos genoux.

Plume à la main (si vous n'en avez pas à votre portée, un crayon fera l'affaire), imaginez que vous trempez le bout de votre plume (crayon) dans la lumière de la lune, en plein centre du grand cercle blanc que forme la « lune bleue », comme si elle était un encrier suspendu dans le ciel.

Inscrivez sur votre feuille votre vœu, votre désir ou ce qu'il vous tient vraiment à cœur d'obtenir. Si vous avez choisi d'utiliser une vraie plume pour faire ce rituel, rien ne s'inscrira sur votre feuille bien évidemment. Le but de ce rituel est de vous amener à établir un contact avec cette puissante force. Mais plus encore, ce rituel a pour but ultime de vous inciter à écrire une « lettre de lumière au Grand Esprit » de manière symbolique.

Cette intention d'écrire ainsi une « lettre de lumière au Grand Esprit » fera en sorte que vous établirez un contact durant ces instants bénis, et que vous allez recevoir, durant le déroulement du rituel ou quelques heures ou jours après votre demande, des visions ou des rêves, des idées, des réponses, des inspirations soudaines qui émergeront de votre for intérieur ainsi que des prises de conscience puissantes capables de vous faire réaliser votre vœu. Chose certaine, ce rituel va transformer votre vie ou vos perceptions concernant l'invisible à tout jamais.

Janvier

Climat général du mois

Vous «danserez le slow» avec le succès, ce mois-ci. À partir du 20 janvier, la planète Mercure commencera sa première rétrogradation de l'année. Il se pourrait que vous vous disputiez avec un couple (mari et femme dans la vie) qui œuvre dans votre secteur professionnel, artistique, d'affaires ou politique. L'un d'eux pourrait tomber en pâmoison devant vous et vous naviguerez difficilement sur ces émotions instables. En fait, vous ne partagerez pas cet amour, si ce n'est une gentille affection, et une situation vous obligera à clarifier vos sentiments à l'égard de cette personne. Malheureusement, certaines personnes en mal d'amour s'inventent des histoires, se bercent d'illusions, et une simple main tendue est interprétée par eux comme une déclaration d'amour ou une demande en mariage. De petits problèmes de santé pourraient voir le jour. Rien de grave, mais les symptômes exigeront que vous interveniez et preniez rendez-vous avec votre médecin de famille. Assurez-vous d'avoir suffisamment d'heures de sommeil à votre actif, sans quoi vous vous retrouverez vite à bout de nerfs.

Amour

Plusieurs d'entre vous ont vécu de grosses transformations sur le plan amoureux l'année dernière. À cette même époque, à plus ou moins deux semaines d'intervalle, peut-être quittiez-vous votre partenaire parce que vous aviez fait une rencontre. Il se pourrait que les choses ne se passent plus aussi bien entre vous deux et vous examinerez la relation avec beaucoup de sérieux. Étant donné que Mercure rétrogradera à partir du 20 janvier, vous êtes invité à ne rien précipiter. Contentez-vous d'observer, de vous connecter avec votre ressenti le plus possible et de laisser venir les choses tout naturellement. Vous sentirez clairement lorsque le moment sera venu d'agir, de passer à l'action, de vous séparer ou de rester avec cette personne. Si tout cela ne vous concerne pas vraiment, votre vie amoureuse deviendra plus vibrante, ce mois-ci. Si vous formez déjà un couple bien assorti, vous mettrez toutes vos énergies sur la famille; les enfants en particulier grugeront énormément de temps de même que votre patience. Vous serez plus attirant et sûr de vous.

Arts

Si vous êtes un artiste, le public vous témoignera des marques d'affection et d'acceptation tangibles. Vous obtiendrez une soudaine popularité ou vous renouerez avec le succès. Vous vous retrouverez aux commandes d'un projet comme réalisateur, tête d'affiche ou metteur en scène et vous sentirez le poids de vos obligations s'appesantir autour du 21 janvier, lorsque la planète Mercure commencera sa première rétrogradation de l'année. Vous n'apprécierez pas d'être étiqueté à un rôle ou confiné à jouer un style de personnage. Un agent cherchera à vous contacter après vous avoir vu évoluer sur scène, entendu votre musique ou être tombé par hasard sur votre site Internet.

Spiritualité

Vous apprendrez ou avez appris que les émotions s'attrapent tel un mauvais rhume, et qu'il vaut mieux fuir les gens négatifs pour ne pas vous laisser contaminer par eux.

Carrière

Vous avez beaucoup appris ou étudié ces dernières années, ou votre expertise est considérable, et le temps est venu de redonner au monde ce que vous avez reçu. Vous pourriez, par exemple, mettre sur pied une formation et vouloir la donner ici même et un peu partout dans le monde. Une ouverture à l'étranger serait possible. En ce sens, des portes s'ouvriront. De plus, des occasions en or vous seront offertes pour expérimenter de nouvelles sphères d'activités professionnelles, artistiques, d'affaires ou politiques. Il vous arrivera de vous sentir bousculé par les événements, mais vous vous en sortirez très bien. Débrouillard comme pas un, aucune difficulté ne viendra à bout de votre étonnante énergie d'action !

Argent

Des contrats importants se signeront, si vous êtes travailleur autonome, et vous assureront un revenu stable et régulier. Quant aux autres Balance, vous auriez intérêt à bien organiser vos dépenses. Vous pourriez devoir renoncer à une source de revenus.

Février

Climat général du mois

Certains membres de votre famille vous donneront un éclairage important sur vous-même. En fait, vous vous reconnaîtrez en eux comme lorsque vous vous regardez dans un miroir. Leurs aspects négatifs vous sauteront au visage et leur mal de vivre vous apparaîtra familier. Ces prises de conscience vous permettront surtout de régler une bonne fois pour toutes vos propres dysfonctions et perturbations intérieures. Bien sûr que ce ne sont pas tous les gens nés sous le signe de la Balance qui connaîtront cette prise de conscience, mais ceux et celles qui l'expérimenteront seront heureux d'apprendre que l'amour pourra alors enfin s'implanter dans leur vie et s'y développer pour bien des années à venir. Tout cela dit, encore ce mois-ci, des rivalités ressurgiront avec un ou des membres de votre famille. Si vous aviez l'intention d'acheter une vieille maison à retaper, ou que vous pensiez investir dans les objets anciens ou qui ont de l'histoire, Saturne vous aidera à trouver la perle rare. Toutefois, Mercure rétrogradera jusqu'au 11 février, vous êtes donc invité à faire vérifier l'authenticité de ces objets de valeur. Ont-ils été surévalués pour vous obliger à payer le prix fort ?

Amour

Il est possible que des questions d'argent vous divisent. Ou bien, une guerre de clans pourrait éclater au sein de la famille pour mille raisons possibles impliquant une somme d'argent importante : un legs, un divorce ou la dissolution de l'entreprise familiale. Une figure paternelle ou maternelle pourrait tenter de calmer le jeu, mais elle n'y arrivera pas malgré tous ses louables efforts. Vous exprimerez plus clairement votre amour à l'être cher. De toute évidence, vous souhaiterez entretenir votre image, renouveler votre « look » pour garder la flamme bien rayonnante. Ou alors, vous mettrez tout en œuvre pour reconquérir le cœur de l'être aimé. Le 14 février, optez pour un tête-à-tête amoureux dans un restaurant où l'ambiance feutrée vous permettra de rétablir le contact avec l'être cher. Les occasions sont si rares de pouvoir le faire…

Arts

Un contrat artistique pourrait être remis sur la glace parce qu'il ne ré-pondra pas aux attentes d'un décideur. Peut-être que l'argent fera cruellement défaut pour poursuivre plus avant ou qu'un bailleur de fonds se désistera. Puis, sans crier gare, autour du 18 février, un retour-nement de situation vous laissera sans voix. Du jour au lendemain, la situation bloquée se dénouera tout naturellement.

Spiritualité

Une lecture inspirante vous ouvrira les yeux sur bien des choses et vous mettrez en pratique les techniques de méditation ou de relaxation qui vous seront dévoilées.

Carrière

D'ici le 11 février, votre destin professionnel, artistique, d'affaires ou politique pourrait changer de direction et, si tel est le cas, vous le vi-vrez mal parce que les choses ne se présenteront pas de façon très har-monieuse, ou encore parce que vous ne verrez pas bien où ce changement pourrait vous mener. Un événement fera éclater une guerre de clans et vous poussera à vous assumer pleinement et même à prendre le contrôle de la situation. Vous réaliserez que les difficultés d'un employé, collègue ou patron viennent de son manque de persé-vérance. Peut-être a-t-il pris des risques importants et qu'il doit main-tenant en payer le prix. Par ailleurs, certains collègues ou associés chercheront à prendre le contrôle d'une certaine manière en créant de la controverse. Leur esprit de compétition sera très aiguisé et vous n'hésiterez pas à vous positionner devant eux avec la tête haute et le regard froid. En fait, leur attitude vous forcera à réagir plus féroce-ment encore et vous répondrez par la bouche de vos canons.

Argent

Il arrive souvent, lorsque Mercure rétrograde, qu'un ordinateur ou un outil électronique – téléphone cellulaire ou intelligent, iPod ou tablette – nous laisse en plan. Vous n'échapperez pas à cette réalité et vous de-vrez délier les cordons de votre bourse pour remédier à la situation.

Mars

Climat général du mois

Par moments, vous souhaiterez vous voir chez vous assis confortablement dans votre fauteuil, loin de l'agitation parfois échevelée vécue au boulot, dans vos amours ou dans votre milieu familial. Une éclipse solaire se produira le 20 mars, et comme il arrive souvent en période d'éclipse, vous pourriez vous faire dérober des effets personnels : sacoche, portefeuille, carte de crédit ou de débit... Il s'agit tout bonnement d'un avertissement, un « au cas où » qui s'avère ici nécessaire. Un vol pourrait même se produire dans votre milieu de travail. La personne sera prise sur le fait, mais après avoir provoqué un sérieux branle-bas de combat dans les bureaux.

Dans un autre ordre d'idées, vous jouerez de chance dans bien des secteurs de votre vie : l'amour, l'argent, la reconnaissance professionnelle, artistique et sociale. De nouveaux projets vous permettront d'avancer stratégiquement vos pions afin de conclure de bonnes affaires.

Amour

Vous allez peut-être vivre une relation amoureuse en montagnes russes. Par la suite, votre ciel relationnel s'éclaircira d'une très belle lumière. Si votre couple bat de l'aile, il ne serait pas étonnant que la situation s'aggrave et que vous en veniez à la conclusion qu'il vaut mieux tout quitter. Les répercussions seront énormes et vous pourriez être victime de violence conjugale. Bien sûr que mon travail d'astrologue, encore une fois, consiste à vous aviser des dangers, à vous prévenir de tout ce qui risque d'arriver, et ce cas de figure doit être considéré avec sérieux ! Si tout cela ne vous concerne pas, vous serez souvent sur la défensive et vous vous montrerez intense dans vos réactions. Vous pourriez devenir très agressif devant le laisser-aller d'un proche, d'un ex-conjoint ou concernant la tournure que prendra un divorce ou une séparation de fait. Si vous êtes célibataire, vous pourriez vivre une passion amoureuse et sexuelle qui durera le temps d'une éclosion florale. Cela dit, vous développerez de nouveaux intérêts intellectuels avec certains amis choisis pour la qualité de leur intelligence. Chose certaine, vous apprécierez leur compagnie au plus haut point.

Arts

Vous traverserez quelques courants négatifs qui se profileront une ou deux semaines avant l'arrivée de l'éclipse solaire qui se produira le 20 mars. La planète Mars vous obligera à reconnaître et à comprendre vos blocages créatifs. La planète Saturne, quant à elle, vous permettra d'éclaircir les raisons qui font que vous nagez souvent à contre-courant. Ensuite, vous serez en mesure de désamorcer ce petit quelque chose qui vous empêche d'emprunter le chemin de la réussite, du succès ou de l'action créatrice. Beaucoup d'artistes se heurtent à un mur à un certain moment de leur vie. L'important est d'arriver à le traverser... et c'est bien ce que l'éclipse solaire vous aidera à faire, ce mois-ci !

Spiritualité

Vous travaillerez sur vos peurs et sur vos insécurités, celles qui vous empêchent souvent de prendre certains risques, même s'ils sont calculés, ou d'aller de l'avant. C'est comme si vous vous priviez d'emprunter l'autoroute de la vie, préférant rouler sur l'accotement ! Ces limites que vous vous imposez vous apparaîtront moins nécessaires.

Carrière

Si vous travaillez dans une ambiance lourde et insoutenable, vous aurez la chance de dénicher un nouvel emploi autour du 5 mars. Cette journée de pleine lune vous apportera un nouveau travail qui vous délivrera de cet enfer. La même prédiction s'applique aux Balance qui n'ont plus de travail et qui cherchent depuis des lunes à trouver une bonne place. Vous pourriez même vous tourner vers un ancien employeur ou recevoir un appel de ce dernier. Cette personne se fera un plaisir de vous reprendre à son service ou de vous aider dans vos démarches pour vous faciliter la vie. Alors, n'hésitez pas à faire appel à votre réseau. Les interventions du destin seront imprévisibles, surprenantes, enlevantes. Tenez-vous prêt !

Argent

L'être cher va recevoir une excellente nouvelle concernant un nouveau travail, son salaire ou une rentrée d'argent inattendue. Ce qui, bien sûr, aura des répercussions sur votre mieux-être à vous aussi !

Avril

Climat général du mois

Il se peut que plusieurs d'entre vous se soient vus dernièrement dans l'obligation de déménager ou de quitter le toit familial. Ou bien, un co-locataire a pris ses jambes à son cou et la sortie de secours sans préavis, et vous vous êtes retrouvé à couper les sous en quatre pour rejoindre les deux bouts. Si vous n'avez rien vécu de tel, il se pourrait que d'ici le 18 avril, vous vous retrouviez dans cette situation. Ainsi prévenu, vous pourrez déjà avoir un plan de rechange en tête. Une éclipse lunaire totale se produira le 4 avril, et une relation amicale risque de mal se terminer : la jalousie pourrait être la cause de cette rupture. Par exemple, imaginons que vous ayez rencontré quelqu'un de bien, sexy, mature, gentil et bien nanti par-dessus le marché, bref, la perle rare. Une amie ou un ami fera tout en son pouvoir pour vous le chiper. Vous « éclipserez » alors ce prétendu ami de votre vie.

Amour

Décidément, vos amours ne sont pas jojo depuis un certain temps. Ce mois d'éclipse lunaire totale n'y échappera pas. Encore une fois, si votre couple fonctionne à plein régime et que tout est beau sous le soleil des tropiques, la vie continuera de vous apporter ses bienfaits. Cela dit, vous risquez d'avoir un sérieux coup de cœur pour une nouvelle per-sonne qui se pointera le bout du nez dans votre secteur relationnel ou lors d'un événement social important auquel vous serez invité. Donc, ne refusez aucune invitation à sortir. Si un ami souhaitait vous présen-ter quelqu'un, acceptez ! Au pire, vous passeriez une belle soirée en compagnie d'un charmant compagnon qui pourrait même devenir un ami pour la vie. Ne commettez surtout pas l'erreur de jouer au plus fin avec l'être aimé ou un nouvel élu, vous ne feriez que le blesser et geler la relation. En jeter plein la vue pour provoquer des réactions aurait l'effet contraire ! Désabusé par vos déceptions amoureuses, vous pro-jetez peut-être cette frustration à la tête des gens qui n'ont rien à voir avec tout cela et vous sapez ainsi vos chances de bonheur. Ainsi prévenu, à vous de voir…

Arts

Vous vous attaquerez à un nouveau projet et vous chercherez à le peaufiner, à lui donner une belle gueule pour le présenter à des décideurs importants, qui ont le pouvoir de donner un sérieux coup de pouce à votre carrière artistique. Vous avez si peur de faillir, de ne pas vous montrer à la hauteur que vous amplifiez vos tensions. En fait, il s'agit d'un manque flagrant de clairvoyance en ce qui concerne votre talent et vos réalisations passées. Ou bien, vous êtes d'un tempérament impossible à satisfaire et c'est pour cette raison que vous ne reconnaissez pas votre valeur artistique.

Spiritualité

Lorsque nous acceptons les répliques qu'on nous retourne, nous faisons nos premiers pas sur le chemin de la compassion sincère. Il s'agit là d'une des plus belles leçons de vie !

Carrière

Vous allez prendre conscience que vous projetez, même sans en avoir tout à fait conscience, une certaine froideur au travail. Vous réaliserez aussi qu'il vous arrive de refuser de donner raison à votre interlocuteur ou de reconnaître ses oppositions et de les honorer sans pour autant vous sentir diminué, rejeté ou mis au banc des accusés. Lorsque deux têtes se rencontrent, il y a celle qui dit oui à tout, mais qui n'en pense pas moins, et celle qui se permet d'émettre son point de vue. En effet, il ne s'agit que d'un point de vue après tout ! Le sien vaut le vôtre et le vôtre vaut le sien. Si rien de tout cela ne vous concerne, vous vous sentirez moins vulnérable et en position de force. Vous vous enflammerez pour un nouveau projet d'affaires, artistique, professionnel ou politique. Votre emballement sera contagieux.

Argent

Vous serez porté à dilapider votre argent pour des futilités. Sauf qu'après vous être donné tout ce bon temps et offert ces luxes, vous allez devoir rembourser votre carte de crédit. Si vous avez les moyens de vous offrir tout ce que vous désirez dans la vie, vous aurez alors tendance à payer très cher certains « désennuis » pour ensuite le regretter. Ils ne combleront évidemment pas le vide intérieur !

Mai

Climat général du mois

Le 11 mai, la deuxième rétrogradation de la planète Mercure se produira, ce qui vous poussera à mettre le doigt sur une blessure insoup-
çonnée qui joue un rôle tout aussi insoupçonné. Voyez que Mercure
qui rétrograde n'agit pas toujours pour nous faire perdre patience !
Durant tout ce mois, vous serez porté à lancer à tout vent des informations importantes et d'autres plus encombrantes, voire inutiles.
Donc, si vous êtes un enseignant, un formateur ou un coach de vie ou
autre, vos interlocuteurs devront démêler l'important de l'encombrant
et ce ne sera pas une partie de plaisir. Ou bien, vous déborderez
d'idées, mais serez incapable d'en mener même une seule à terme. Au
début de ce mois particulier, plusieurs Balance se retrouveront aux
prises avec des gens souffrant de troubles psychiques, dépressifs ou
émotionnels. L'une de ces personnes pourrait être un collaborateur, un
associé, un patron, un ami proche, un ex-conjoint, le conjoint actuel ou
un membre de la famille. Vous ne vous laisserez pas désarçonner pour
autant puisque vous mettrez tout en œuvre pour lui apporter le soutien
et l'aide qu'une telle situation requiert.

Amour

Voici un mois de prospérité amoureuse pour plusieurs Balance ! Il se
pourrait même que vous rencontriez l'Amour avec un grand A. C'est
vous dire à quel point la chance vous sourira en ce domaine ! Dans un
tout autre registre, celui de l'amour filial, vous pourriez devoir affronter l'animosité ou l'agressivité d'un enfant ou d'un parent. Il est tout à
fait possible qu'il souffre d'un problème de consommation, d'agressivité ou qu'il refuse de prendre ses responsabilités et qu'il vous oblige à
le faire à sa place. Si un parent souffre de la maladie d'Alzheimer, sa
santé risque de s'aggraver. Ou bien, une sœur ou un frère souffrira
soudainement de dépression ou de paranoïa et son état devra être soi-
gné au plus vite. Bien sûr, il ne s'agit là que de situations possibles,
mais au moins vous seriez armé pour bien réagir si cela se concrétisait.

Arts

Vous porterez plusieurs chapeaux artistiques, ce mois-ci. Il vous arrivera d'en perdre votre latin, mais pas votre savoir-faire ni votre talent.

Vous ne saurez pas toujours comment agir avec un artiste, si vous êtes son agent, parce qu'il tiendra deux discours dans un seul. Par exemple, il vous annoncera une nouvelle inventée de toutes pièces juste pour avoir vos impressions. Autrement dit, il jouera à cache-cache pour savoir ce que vous pensez vraiment de ses performances, de ce qu'il devrait ou non faire. À force d'agir aussi hypocritement, il perdra votre confiance.

Spiritualité
Un nouvel amour vous permettra de renouer avec le plaisir de vivre et de goûter pleinement les nombreux moments présents hautement spirituels.

Carrière
Une bonne nouvelle vous réjouira autour de la nouvelle lune du 18 mai, une semaine avant ou après. Aussi, les gens malfaisants (vous en connaissez sûrement un ou deux) chercheront à vous atteindre. L'esprit de vengeance les animera, mais ils n'arriveront pas à ternir votre réputation ! Vous serez sauvé par la cloche, juste au bon moment, par une tierce personne qui vous mettra au courant des intentions de cet intrigant. Si la situation devait dégénérer, soumettez cette problématique au département des ressources humaines. N'hésitez pas à produire le plus de preuves à l'appui possible... Si vous êtes un patron ou que vous occupez un poste de haute responsabilité, méfiez-vous d'un employé qui chercherait à vous séduire. Vous trouverez cela très flatteur et invitant sur le coup, mais les insistances de cette personne vous obligeront à lui couper l'herbe sous le pied et vite. Vous pourriez même devoir répondre à des accusations graves, et cela, même si elles ne sont pas fondées...

Dans un autre ordre d'idées, vous supplanterez un rival, un compétiteur ou un prétendant à un poste supérieur ou de premier plan.

Argent
Les activités et loisirs s'avéreront dispendieux. En fait, la pratique d'un nouveau sport vous obligera peut-être à vous équiper de A à Z et vous glisserez un peu dans le rouge.

Juin

Climat général du mois

Vous serez la saveur du mois ! Tout le monde s'arrachera votre présence et vous lancera des invitations. Vous ne saurez pas toujours où donner de la tête. Cela dit, vos parents étaient peut-être si hors du commun que vous avez beaucoup souffert de cette situation. Au lieu de voir uniquement l'aspect négatif de cette marginalité, prenez aussi en compte vos chances. Ces fous fabuleux vous ont sûrement apporté des outils psychiques et intellectuels supérieurs à la moyenne. Cet héritage vous suivra toute votre vie ou vous a toujours suivi depuis que vous avez mis le pied dans ce monde. Ou bien, vous êtes vous-même un parent qui sort de l'ordinaire par votre profession, travail ou notoriété médicale, sociale, artistique, d'affaires ou politique. Dites-vous que cela comporte des avantages. Par ailleurs, la planète Mercure rétrogradera jusqu'au 13 juin, ce qui vous permettra de faire le point sur vos amours, vos activités sociales, sportives, artistiques, professionnelles, politiques ou sur certains investissements ou projets d'affaires. Malencontreusement, un ami pourrait vous reprocher votre succès et votre réussite. Rappelez à sa mémoire vos années de vaches maigres, vous l'aiderez à relativiser !

Amour

Il ne serait pas étonnant que vous vous montriez plus introverti, en ce début de juin. Vous serez donc moins sujet à vous mettre en évidence, à prendre la première place ou à vous avancer vers les autres pour aller à leur rencontre. En fait, vous vous comporterez davantage en spectateur : vous observerez les autres se mettre au premier plan pour susciter l'attention et s'épuiser à démontrer leur valeur dans l'arène de la vie. Bref, une certaine timidité vous empêchera d'aller vers les personnes qui vous intéresseront. Toutefois, après le 13 juin approximativement, vous vous affirmerez bien mieux et avec une assurance plus solide.

Dans un autre ordre d'idées, vous donnerez beaucoup d'amour à l'être cher, à vos enfants, à vos parents et vous accorderez une place toute spéciale à vos amis. Vous aurez une grande influence sur eux et vous le remarquerez à la façon qu'ils réagiront devant vos conseils, vos idées et même vos farces et attrapes (vous êtes un joueur de tours et humoriste à vos heures, non?). Vous verrez alors un grand respect se dessiner sur leur visage.

Arts
Étant donné que Mercure rétrogradera jusqu'au 13 juin approximativement, assurez-vous de protéger l'une de vos œuvres. Quelqu'un pourrait être tenté de faire main basse sur votre travail sans avoir à vous payer vos droits d'auteur. Dans un autre ordre d'idées, vous sauverez un temps fou en vous assurant les services d'un artiste évoluant dans votre sphère d'activité. Il vous aidera à diriger votre créativité dans la bonne direction. Vous éprouverez à certains moments deux émotions intenses simultanément : une grande fatigue et un sentiment d'accomplissement qui sera très porteur. Le succès n'est pas loin, vous le touchez presque !

Spiritualité
Vous allez régler une attitude de méfiance exagérée à la limite de la paranoïa qui vous tire trop souvent vers le bas ou qui vous empêche d'entretenir de vraies relations avec les autres. Bravo !

Carrière
Vous allez reconnaître un collègue, un patron, un associé, un fournisseur ou un client à sa juste valeur. Ou bien, vous allez le découvrir sous un autre jour. De grands et beaux imprévus animeront votre vie professionnelle, artistique, d'affaires ou politique. Comme il est indiqué dans la section *Climat général du mois*, vous ferez le point dans l'un ou l'autre de ces secteurs. Vous évaluerez surtout la valeur de votre travail, de vos idées, de votre implication. Ensuite, vous prendrez les décisions qui s'imposeront à vous. En fait, cet exercice vous permettra de défaire ce qui ne vous convient plus ou d'ajuster votre tir pour vous rendre la vie plus facile et belle.

Argent
Vous prendrez la décision d'apporter des changements importants concernant vos finances, mais vous ne pourrez pas les réaliser tout de suite. En fait, cette impossibilité est une sorte de protection qui vous invite à faire une réflexion plus en profondeur.

Juillet

Climat général du mois

Oyez, Oyez… le beau mois de juillet est arrivé ! Tout d'abord, vous êtes invité à mettre en action le rituel de la «lune bleue» expliqué dans la section *Alerte astrale importante pour le mois de juillet 2015*. Elle se produira le 31 juillet. La planète Jupiter se joindra au Soleil dans votre dixième secteur, celui de la carrière, de l'ambition, des honneurs et de la réputation publique. Vous serez proclamé l'artiste du mois, le patron de l'année, le Chef avec un grand C. Ou bien, vos travaux et recherches seront reconnus et honorés. Vous pourriez même recevoir un prix, une médaille d'honneur (encore les honneurs) ou un montant en argent bien sonnant et, pourquoi pas, vous vous retrouverez en nomination pour obtenir le prix Nobel ! Les travailleurs ne seront pas laissés en reste. Ils recevront une promotion, un meilleur salaire, une reconnaissance bien méritée ou une distinction professionnelle. Si vous êtes à la recherche d'un emploi, vous dénicherez la perle rare. Quel mois !

Amour

Vous existerez à travers un nouvel amour. Cette relation ne vous mettra pas à l'abri de grandes frustrations affectives qui vous rappelleront un passé douloureux vécu avec votre père ou votre mère. En effet, l'amour vous sera prodigué selon les humeurs de l'élu et vous réagirez très fortement à cette dynamique relationnelle troublante. Ou bien, vous chercherez à être reconnu par l'être aimé comme vous cherchiez à être reconnu par l'un de vos deux parents lorsque vous étiez jeune et plus vulnérable. Aujourd'hui, vous devez reconnaître que si cet enfant n'est plus, l'adulte, lui, continue de souffrir. Si ces prédictions s'avèrent exactes, vous êtes invité à consulter un hypnologue, un psychothérapeute, un psychologue ou un psychanalyste.

Arts

Les amis ou les nouvelles relations que vous aurez la chance de nouer ce mois-ci seront porteurs d'espoir et de grandes réalisations. À ce sujet, vous êtes invité à relire la section *Climat général du mois*. Vous allez recevoir des prix et des honneurs pour votre travail artistique présent et passé. Aussi, le nœud nord ou la Tête du Dragon se retrouvera dans votre onzième secteur, et votre adhésion à n'importe quel groupe ou association dans votre domaine d'expertise s'avérera un appui très puissant. Souvenez-vous que souhaiter qu'il arrive quelque chose ne vous mènerait nulle part, puisque c'est en vous lançant dans l'action que vous atteindrez vos objectifs !

Spiritualité

Vous allez comprendre que l'amour entre deux personnes doit se vivre dans une sorte de désintéressement matériel et sans tenir compte de l'apparat qui le rend encombrant, décevant et ennuyant à la longue.

Carrière

En plus de ce qui déjà été prédit dans la section *Climat général du mois*, que vous devriez relire soit dit en passant, vous n'hésiterez pas un instant à vous mettre de l'avant, à endosser des responsabilités plus importantes, à vous lancer ou à vous préparer à vous lancer dans une campagne à la chefferie ou, encore, à développer des projets d'affaires d'envergure. Cela ne veut pas dire que vous ne jonglerez pas avec une certaine controverse ou que vous ne serez pas montré du doigt ni jugé pour vos idées, mais au moins vous aurez le courage de vos opinions et le cran de les assumer. Aussi, vous pourriez «réformer» des choses, et ce verbe d'action est bien limité pour exprimer le changement en profondeur que vous mettrez de l'avant au sein de l'entreprise, du parti auquel vous appartenez ou de la profession que vous exercez. Vous apporterez surtout des clarifications nécessaires afin de rallier tout le monde à la raison, c'est-à-dire à adhérer à la réforme. En plus, vous bénéficierez d'appuis importants qui seront animés d'un bel esprit fraternel.

Argent

Toutes les prédictions dont est porteur ce mois magique vous porteront tout naturellement vers un beau succès financier et matériel.

Août

Climat général du mois

Voici un mois où l'amour occupera une toute première place dans votre vie. À moins, bien sûr, que ce ne soit déjà fait et que vous roucouliez avec l'être cher une vie enlevante et enrichissante. La plupart d'entre vous connaîtront une réussite tardive. Alors, si vous avez 55 ans et plus, et même dans la plus jeune cinquantaine, un nouveau succès vous emballera. Ou bien, vous avez peut-être pris votre retraite et vous vous demandez ce qu'il adviendra de vous si vos revenus ne sont pas tout à fait adéquats. Si c'est le cas, vous pouvez vous réjouir, puisque des occasions uniques et formidables vous permettront de réorienter votre vie dans une direction souhaitée. En fait, vous mettrez en terre un germe nouveau qui se développera au fil des mois à venir. En attendant, sécurisez votre position actuelle.

Amour

D'entrée de jeu, je vous ai indiqué que l'amour occupera la toute première place dans votre vie. Vous rencontrerez, avant de découvrir le trésor tant recherché, des personnes extrêmement belles et sexy, mais aussi très instables. Ces relations vous obligeront à faire un examen de conscience, Vous comprendrez alors à quel point vous choisissez mal vos partenaires de vie parce que vos choix amoureux sont peut-être basés sur l'apparat, ce dont je vous entretenais le mois passé, ou sur l'apparence physique qui, bien évidemment, vous donne le goût de consommer l'amour, mais sans jamais totalement le ressentir jusque dans vos tripes. Tout cela dit, vous aurez le talent indéniable d'enthousiasmer les autres avec vos idées, vos expériences de vie et vos histoires qui ne manqueront pas d'originalité. Bref, vous susciterez un grand attachement chez vos amis et vos proches. Vous pourriez décider de vous marier, d'avoir un enfant ou de réitérer votre engagement sincère envers l'être aimé qui partage déjà votre vie.

Arts

Vous êtes invité à extérioriser davantage votre talent artistique. Vous entendrez souvent ces commentaires lors de vos prestations : laisse-toi aller, abandonne-toi, ne laisse pas la peur du jugement des autres figer ton expression artistique… Bref, vous serez appelé à vous défaire du regard des autres et de l'angoisse qu'il suscite en vous. Un tel change-ment de comportement est exigeant et il n'est pas rare qu'il nous affecte émotionnellement. Cela dit, votre instinct créatif sera magni-fique. Si vous êtes doué pour la musique, vos compositions vous conduiront aux portes d'un très beau succès.

Spiritualité

Si vous souffrez d'une dépendance affective, des événements vous per-mettront de défaire cette problématique une bonne fois pour toutes. Bref, vous renaîtrez à la vie. Mais avant de renaître, vous allez vivre au sens propre (le corps physique peut être affecté) tout comme au figuré (d'une manière plus intériorisée) un très douloureux lâcher-prise qui s'avérera nécessaire pour dépasser vos résistances.

Carrière

Vous éprouverez des difficultés à accepter les attitudes irréfléchies ou les gens qui se poseront comme les détenteurs de LA vérité. Il pourrait s'agir de collègues, patrons, clients, fournisseurs, associés, agents, déve-loppeurs, employés ou encore d'une compagnie. Vous vous montrerez plus conservateur dans votre façon de dire les choses parce que vous adopterez une manière de voir plus sérieuse. Vous prendrez surtout le temps de bien réfléchir à votre prise d'action et vous scruterez vos projets à la loupe pour bien les développer. Imaginez combien vous n'apprécierez pas les personnes qui agiront ou parleront sans avoir pris le temps de bien réfléchir à leurs actions ou de peser leurs paroles... En ce qui vous concerne, vous auriez intérêt à éviter d'énoncer certaines vérités sur la place publique. Par ailleurs, un ralentissement des affaires vous obligera à revoir et corriger un plan de match ou une publicité qui ne rapporte pas vraiment les résultats escomptés. En fait, vous corri-gerez le tir de belle manière.

Argent

Vous allez travailler fort pour rentabiliser vos idées et projets. Vous pourriez même amasser dans le secret de l'argent dans le but de réali-ser un grand rêve.

Septembre

Climat général du mois

Ce mois est porteur de deux éclipses : des secrets seront dévoilés. Il est possible que vous entendiez des choses pas très agréables qui circulent sur votre compte ou au sujet de personnes que vous aimez et respectez. Ou bien, votre santé, vos conditions de travail ou les produits et services que vous représentez subiront des changements importants et inattendus. Au moindre symptôme physique, consultez votre médecin. Si vous devez utiliser des outils tranchants ou de la machinerie lourde pour exécuter votre travail, redoublez votre vigilance. Mon but ici n'est pas de jouer à l'oiseau de malheur, mais de vous prévenir pour vous éviter de déplorables blessures. Il en va de même pour votre petit animal domestique : il pourrait tomber malade, se blesser et se retrouver avec une patte dans le plâtre. Si vous deviez subir une opération chirurgicale, vous allez récupérer rapidement. L'opération réussira haut la main et le mal, la douleur ou le malaise s'éclipsera totalement. Durant un mois de double éclipse, il n'est pas rare de voir des événements négatifs se transformer en événements positifs. Il s'agit en fait de chances déguisées et qui ne prendront tout leur sens à nos yeux qu'après leur manifestation.

Amour

La nouvelle lune qui se produira le 13 septembre – journée d'éclipse solaire – mettra votre partenaire de vie sous tension. Il agira de manière erratique et ses humeurs en dents de scie vous le prouveront. Des changements importants surviendront dans votre vie amoureuse ou familiale. Vous pourriez recevoir une demande en mariage qui métamorphosera votre vie du tout au tout. De conjoints de fait, vous deviendrez des époux – mari et femme. Ce n'est pas rien ! Ou bien, vous allez recevoir une déclaration d'amour qui, encore une fois, transformera votre statut de célibataire en relation de couple à temps plein. Voyez que les éclipses ne sont pas toujours négatives et, au contraire, synonymes de « tout détruire pour tout reconstruire autrement, différemment ». Cela dit, assurez-vous de bien connaître un nouvel amoureux avant de vous engager sérieusement. Avancez lentement, prenez le temps de vous apprivoiser ! Aussi, vous pourriez réaliser soudainement qu'il se passe quelque chose d'anormal avec votre partenaire sans pouvoir mettre le doigt dessus. Puis boom! Surviendra une explosion émotionnelle et des vérités vous sauteront au visage !

Arts

Vous auriez intérêt à vous isoler pour créer. Les autres seront aux prises avec les deux éclipses et ils ne seront pas si agréables à côtoyer. Vous pourriez même vous retrouver avec tout le travail sur les épaules parce qu'ils s'organiseront pour s'éclipser du portrait. Ainsi prévenu, prenez garde...

Spiritualité

Offrez-vous de moments de prière et d'introspection. Vous en retirerez de grands bienfaits.

Carrière

Plusieurs informations vont venir à vos oreilles de manière soudaine et inattendue; elles vous permettront de prendre une décision importante concernant votre avenir professionnel, artistique, d'affaires ou politique. Une éclipse lunaire totale se produira le 28 septembre et la planète Uranus fera des siennes en plus. Donc, il se pourrait que quelque chose d'imprévu se produise dans votre environnement professionnel, artistique, d'affaires ou politique. Vous vous sentirez outragé par les propos d'un partenaire d'affaires, associé, patron, collègue ou un membre de votre parti ou association. Ou bien, sa manière de se comporter vous irritera vraiment parce qu'elle portera préjudice à l'image de l'entreprise, du parti ou de l'équipe. Ou encore, vous apprendrez par un drôle d'événement que des personnes agissent derrière votre dos pour contrecarrer votre action. Tant mieux si vous les démasquez, puisque ces gens n'auront plus le pouvoir de vous nuire. Voyez cela comme une belle protection des forces d'en haut !

Argent

Montrez-vous prudent dans vos négociations d'affaires et d'argent. Assurez-vous de mettre sur papier vos ententes et de les légaliser comme il se doit. Il se pourrait que vos placements d'argent soient quelque peu malmenés en ce mois de septembre. Vous vous referez nul doute là-dessus, mais pas ce mois-ci. Cela dit, j'ai déjà vu une configuration semblable et la personne a remporté une assez belle cagnotte à la loterie.

Octobre

Climat général du mois

Certains d'entre vous pourraient subir un sérieux coup de foudre dans leur milieu de travail. Plusieurs personnes remarqueront ce qui se passe et vous ne serez pas en mesure de cacher cette relation. Étant donné que la planète Mercure rétrogradera jusqu'au 11 octobre, vous n'arriverez pas à vous faire une idée claire de ce que vous voudriez accomplir, réaliser, produire ou développer. Une personne de votre entourage méprise peut-être ses propres blessures pour se montrer plus forte qu'elle ne l'est et ne supporte pas la sensibilité des autres, qu'elle juge comme de la faiblesse. Si vous savez de qui je parle, vous ne pourrez tout de même pas la forcer à changer. Comme j'aime à le dire : « On peut mener un cheval jusqu'à la rivière, mais on ne peut pas le forcer à boire. » Ou bien, cette personne se montre exigeante et autoritaire, ce qui refroidit ses relations avec les autres. Elle pourrait vous confier que les gens la rejettent; expliquez-lui alors les effets boomerang occasionnés par son caractère autoritaire et ses exigences. Mais si vous doutiez de son écoute, faites-lui tout simplement lire ce paragraphe !

Amour

Il se peut que vous ayez grandi dans un milieu familial sans complaisance et qu'aujourd'hui vous ayez du mal à offrir de la tendresse et de la douceur dans un élan spontané. Vous aimez bien recevoir de la douceur, mais vous n'arrivez pas à l'offrir sans artifice, tout naturellement. Vous devenez vite mal à l'aise et vous vous refermez ou vous vous réprimez. Si c'est le cas, vous êtes invité à faire une introspection afin de régler ce malaise intérieur. Pourquoi ? Parce qu'un nouvel amour vous est prédit ce mois-ci et que vous serez alors en mesure de vous abandonner et d'agir avec naturel, spontanément et sans stress. Je ne suis pas en train d'insinuer que vous n'êtes pas généreux, sensuel, gentil et adorable. Je remarque simplement que vous pourriez éprouver des difficultés à dispenser tendresse et douceur de manière spontanée. Nuance !

Dans un autre ordre d'idées, la maison deviendra une sorte de centre névralgique où les courriels, les nouvelles et les correspondances de toutes sortes afflueront. Vous pourriez aussi décider d'acheter une maison à deux, d'investir dans la décoration ou de rénover de fond en comble les anciennes structures.

Arts

Vous élaborerez plusieurs projets, mais aucun d'eux ne fera votre affaire. En fait, vous n'arriverez pas à vous décider. Vous admettrez avoir de bonnes idées, de belles histoires à raconter et le talent pour les coucher sur papier, mais que le cœur n'y est pas ! Ce manque de conviction se métamorphosera en une énergie d'action plus assumée autour du 11 octobre, lorsque la planète Mercure ne rétrogradera plus vraiment.

Spiritualité

Cette nouvelle maturité d'esprit ou ouverture de conscience qui tend à s'incarner en vous vaut son pesant d'or ! Vous en retirerez d'heureux bénéfices lorsque vous sentirez la « légèreté de l'être » vous habiter et vous transporter.

Carrière

La clé de votre succès ce mois-ci résidera dans votre capacité à vous remettre en cause ou à remettre en cause votre travail, un projet ou une association d'affaires. Vous allez devoir vous responsabiliser sur le plan collectif ou humanitaire. Autrement dit, en tant que propriétaire, chef d'entreprise ou chef de parti (si vous œuvrez dans le domaine de la politique), organisateur ou personne d'affaires, vous allez devoir tenir compte de la masse moins bien nantie lorsque vous élaborerez vos stratégies ou vos plans de match. Étrangement, vous ferez s'accroître comme jamais auparavant votre popularité et votre chiffre d'affaires. Le retour de l'ascenseur sera phénoménal.

Argent

Si vous devez régler un litige professionnel ou autre, assurez-vous d'être bien représenté. Le coût de l'avocat pourrait être négocié sur le pourcentage de l'argent perçu, par exemple. Bref, ne vous privez pas des compétences d'un avocat par peur des coûts.

Novembre

Climat général du mois

Vous échangerez d'excellentes idées avec les amis, ou bien avec des associés d'affaires qui, avec le temps, sont devenus des amis. Sauf qu'ils vous donneront des recommandations ou des conseils que vous jugerez difficiles à suivre. Dans ces moments-là, prenez une grande respiration et mettez votre esprit sur le mode «accueil»! Vous ne le regretterez pas, vous verrez ! Les relations familiales ne seront pas toujours de tout repos. Les amis vous aiguilleront sur vos préoccupations, vous remonteront le moral le moment venu ou si cela s'avérait nécessaire. Les connaissances bien maîtrisées que possèdent ces personnes vous serviront grandement. Elles partageront tout naturellement leur savoir avec vous et, encore une fois, elles contribueront à améliorer votre vie au plus haut point. Les échanges seront extrêmement enrichissants et inspirants. Vous ressortirez de vos conversations avec plus d'assurance et une vision des choses renouvelée.

Amour

L'être cher jouera parfois avec vos émotions pour arriver à vous faire entendre raison, pour vous amener à comprendre combien vous lui manquez, ce qui n'est pas un mal en soi. Sinon, il semble que la relation se développe sur un fond de culpabilisation : l'être aimé vous reproche vos absences lors de certains événements familiaux et toutes les bonnes raisons que vous avez le génie d'élaborer pour vous tenir loin de vos proches. Ou bien, votre manque d'implication au sein du couple refroidit les ardeurs de votre partenaire et il vous le fait savoir en feignant le détachement dans le ton et le geste. Il apparaît donc que vous ayez un examen de conscience à faire pour rétablir la situation entre vous deux. D'autant plus si vous aimez vraiment votre douce moitié et que vous ne voulez pas la perdre. En résumé, vous allez devoir mettre de l'eau dans votre vin pour entretenir l'harmonie au sein de votre couple.

Arts

Des enseignements forgeront votre esprit créatif de belle manière. Ils feront de vous un nouvel artiste enrichi d'un savoir que beaucoup de gens vous envieront. Tous les médias télé et la plate-forme Internet seront particulièrement favorisés, ce mois-ci. À tout le moins, vous utiliserez ces rampes de lancement pour faire avancer votre carrière artistique ou lui donner un second souffle. Les réseaux sociaux sont des outils formidables pour mousser des ventes, faire connaître des œuvres ou de nouvelles créations. Alors, n'hésitez pas à vous connecter ! Cela dit, vous connaîtrez un beau succès ici et même à l'international.

Spiritualité

Si vous pensiez avoir compris bien des choses, vous verrez que ce n'était que de la « pointe de l'iceberg ». Vous aurez des prises de conscience qui vous renverseront, ce mois-ci, si j'en crois l'amas planétaire important qui se retrouvera dans ce secteur de votre carte du ciel.

Carrière

Des événements hors de l'ordinaire vont se produire au travail ou dans votre secteur d'activité artistique, d'affaires ou politique. Il semble que vous ne les verrez pas venir, mais lorsqu'ils se présenteront, vous vous prétendrez que vous aviez l'intuition que cela arriverait. Une personne haut placée ou qui détient un pouvoir décisionnel important au sein de l'entreprise insistera pour que vous suiviez à la lettre ses directives. Sur le coup, vous n'apprécierez pas son ingérence dans votre travail, mais à la lumière de certaines révélations, vous comprendrez les raisons qui la poussent à agir ainsi et vous acquiescerez à sa demande. De plus, vous pourriez mener de front plusieurs projets pour lesquels vous devrez garder secrète la nature exacte de vos fonctions. Si vous œuvrez comme policier, détective ou agent double ou secret, vous tomberez sur la « grosse affaire judiciaire ». À la suite de vos interventions, vous pourriez être promu au grade de lieutenant ou quelque chose du genre.

Argent

Vous recevrez une assistance financière en provenance de l'étranger ou d'une entreprise dont la maison mère est à l'extérieur de nos frontières. Ou bien, vous ferez un emprunt hypothécaire ou bancaire. Il vous aidera à mettre de l'avant vos projets.

Décembre

Climat général du mois

Vous nagerez dans les secrets en ce mois de festivités. Les investiga-
tions secrètes, les études privées ou les formations en développement
personnel occuperont une bonne partie de votre temps. Ou bien, vous
déciderez d'entreprendre des études autodidactes à partir de la maison. Vos opinions proviendront d'un profond ressenti, ce mois-ci.
Plusieurs Balance pourraient voyager pour aller à la rencontre de leurs
proches et amis en ce mois de décembre. Vous déciderez peut-être de
devancer vos voyages pour revenir avant que l'achalandage dans les
aéroports ne devienne trop insupportable ou insoutenable. Après tout,
énormément de gens voyagent les jours avant, pendant et après Noël
et le Jour de l'An. Par ailleurs, vous allez recevoir d'excellentes et
d'excitantes nouvelles de la part d'un frère ou d'une sœur ou d'un
enfant (jeune adulte). Cet enfant vit peut-être à l'étranger avec sa
femme et vos petits-enfants, et il vous annoncera leur arrivée parce
qu'il souhaite ardemment fêter Noël et le jour de l'An avec vous. Surtout, vous devez éviter les excès et vous passerez un mois magnifique
rempli de belles surprises en tout genre !

Amour

Plusieurs Balance rencontreront l'amour, ce mois-ci. Dans un autre
ordre d'idées, vous vous dépenserez beaucoup pour les autres, mais
vous exigerez leur pleine collaboration. Si ces gens font la sourde
oreille, vous ne serez pas long à vous désister, à faire machine arrière,
à tout laisser en plan : vous ne vous laisserez pas abuser... Aussi, vous
passerez vos messages à coup de non-dits tout en laissant transparaître
vos insatisfactions et vos frustrations afin que vos proches et amis et
même l'être aimé comprennent que vous n'êtes pas content de leurs
agissements ou de leurs manques de respect à votre égard. Autour du
11 décembre, journée de nouvelle lune, vous pourriez recevoir une
nouvelle magnifique – votre partenaire pourrait vous annoncer qu'elle
attend un enfant ou qu'il ou elle a décroché un nouvel emploi. Bref,
ces nouvelles vous réjouiront vraiment.

Arts

Vous allez recevoir, ici aussi dans ce secteur important, des nouvelles excitantes et enlevantes durant les deux premières semaines du mois plus particulièrement. Décembre est généralement moins occupé et donc plus propice aux activités sociales. Vous allez sûrement assister à plusieurs déroulements de tapis rouges ou à de nombreux 5 à 7 qui, soit dit en passant, se déploieront dans le faste et la splendeur. Les réceptions ou soupers de Noël organisés par des clients, fournisseurs, producteurs ou réalisateurs respireront le grand luxe. Vous pourriez même recevoir des cadeaux d'une grande valeur, qui vous laisseront sans voix. Bref, mettez-vous sur votre trente et un et acceptez de vous laisser conduire en limousine à ces beaux rendez-vous ! Il se pourrait aussi qu'un ami vous invite à l'accompagner à l'une de ces soirées. Allez-y sans broncher !

Spiritualité

Vous développerez votre intérêt pour la méditation ou vous reprendrez vos sessions de méditation laissées en plan pour mille raisons possibles. Ou encore, vous explorerez de nouvelles pratiques psychiques : l'hypnothérapie, par exemple.

Carrière

Si vous œuvrez dans le domaine de la santé, vous apprécierez sûrement les changements qui tendent à se mettre en place depuis quelque temps. Ou bien, vous travaillez à l'international et vous attendez le renouvellement de votre contrat de travail. Sachez que vous l'obtiendrez autour du 11 ou du 18 décembre. Les Balance qui évoluent dans le domaine de la publicité, de la télévision ou de la radio recevront d'excellentes nouvelles concernant un projet. Si vous devez vous présenter à une entrevue ou à une audition, vous la passerez haut la main et vous pourrez célébrer votre engagement comme il se doit.

Argent

Votre magasinage s'avérera productif : vous trouverez les cadeaux parfaits et à un bon prix, ce qui vous ravira. Un nouveau travail ou projet produira des revenus intéressants et vous sentirez un poids s'enlever de sur vos épaules.

SCORPION

Ses couleurs préférées : Les couleurs franches : le rouge, le blanc et le noir. Beaucoup de Scorpion portent très bien le jaune.

Ses métaux : Le magnésium, le métal et l'argent.

Ses pierres de naissance : Le grenat rouge, le diamant noir et la topaze jaune.

Ce que ces pierres symbolisent : Selon certains chercheurs américains, le diamant noir serait d'origine extraterrestre. Ces savants soutiennent qu'on trouve ces diamants à cause de la chute sur Terre de météorites. Plus symboliquement, le diamant noir est un puissant canalisateur qui unit le ciel et la terre; il agit sur l'âme, le cerveau, le créateur en soi et permet d'inciter, d'initier, d'inspirer, bref, il octroie des qualités de maître d'œuvre. À la lumière de ces informations, il apparaît évident que le diamant noir peut aider le Scorpion à mieux gérer ses contradictions. Le grenat rouge donnera au Scorpion la chance de rencontrer l'amour et de vivre heureux en amour. La topaze jaune apporte une clairvoyance plus équilibrée et elle aide à calmer la colère et le découragement en activant sa force intérieure.

Les différents aspects de sa personnalité

Le Scorpion représente la huitième maison du zodiaque : la mort, l'héritage, l'investigation sous toutes ses formes, la sexualité et l'argent des autres, et celui que l'on économise à la sueur de son front et de ses efforts. Plus symboliquement, ce signe du zodiaque fait référence au premier amour et à la première expérience sexuelle, à la régénération, à la contradiction qui rend si mystérieuses la vie et la mort, à la fin et à l'éternité, à l'alpha et à l'oméga. Le Scorpion est lié au mythe de la mort et de la renaissance, voilà pourquoi ce signe fait peur. Pourtant, il a tout à offrir. Cet être silencieux, tantôt provocateur et tantôt angoissé par le manque d'argent ou la peur de mourir et parfois même de vivre, est un grand sensuel, un mystique à la recherche de la vérité. Ses contradictions sont nombreuses : il recherche la vérité alors qu'il préfère se taire, se cacher pour ne pas se révéler. Sa grande sensibilité entraîne souvent des comportements inattendus. En fait, il est capable du meilleur comme du pire et il doit apprendre à vaincre ses démons intérieurs.

Brave, tenace, déterminé, le Scorpion est capable des plus grandes réalisations. Ses découragements sont phénoménaux et, simultanément, il peut se relever en un rien de temps, c'est à n'y rien comprendre parfois. Sa logique est simple, réaliste et efficace : il a besoin d'argent pour vivre et il fera tout en son pouvoir pour ne pas en manquer. Jamais ! Aussi, il ne pardonne pas l'offense et peut se révéler vengeur, railleur et destructeur. La femme Scorpion est extrêmement brillante et sait se montrer tout aussi déterminée et efficace. L'homme et la femme Scorpion sont à la fois charismatiques et dominants, et ces deux caractéristiques représentent bien, encore une fois, leur nature contradictoire. Les magiciens, hypnologues, occultistes, sorciers et médiums possèdent souvent un ascendant Scorpion ou sont nés sous le signe du Scorpion. Ses amours sont passionnés et sa sexualité parfois débridée peut lui jouer de vilains tours. Il aime plaire et conquérir, mais lorsqu'il est lui-même conquis, son cœur n'a qu'un port d'attache.

Votre compatibilité avec les autres signes

Votre signe le plus compatible demeurera toujours le Poissons, puisque ce qui se passe entre vous deux demeure du domaine du grand mystère et de la magie sur tous les plans. Vous vous reconnaîtrez dans les yeux pétillants du Bélier. Avec un Taureau, vous devrez combiner amour et affaires pour que ça fonctionne. Vous vous entendrez à ravir avec le

Gémeaux, qui reconnaîtra facilement votre nature sensuelle. Le Sagittaire vous prêtera allégeance et il sera loyal.

Quelques Scorpion célèbres

Leonardo di Caprio, Chris Noth, feu Jeff Buckley, Bjork, Marc Labrèche, Jean-Michel Anctil, le prince Charles, Hillary R. Clinton, Bill Gates, Fabienne Larouche, Anne Hathaway, Brittany Murphy, Alain Delon, Katy Perry, Julia Roberts, Meg Ryan, Scarlett Johansson, Puff Daddy, Demi Moore, Calista Flockhart, Diana Krall.

L'année 2015 en général

L'année 2014 fut remplie d'émotions fortes. Pour la plupart d'entre vous, ce fut la santé qui a été ébranlée et qui vous a obligé à vous reprendre en main. Cette année, vous serez plus actif physiquement, et ce, dans tous les secteurs de votre vie, incluant celui de la sexualité, mais ne tenez pas votre nouveau bien-être pour acquis. Faites-vous un devoir de demeurer vigilant et de ne pas plonger tête première dans les excès !

Dans un autre ordre d'idées, les premiers mois de l'année seront particulièrement favorables aux études universitaires et collégiales ainsi qu'aux enseignements acquis de manière plus autodidacte. Vous irez de connaissance en connaissance, puisque la planète Jupiter, reconnue pour sa grande générosité et ses coups de chance du destin, se promènera dans ce secteur jusqu'au mois de juin approximativement.

De plus, vous entrez dans une phase sociale active où vous ferez la rencontre de gens importants que la vie mettra sur votre chemin pour faire bouger votre destinée professionnelle, artistique, d'affaires ou politique et financière. Vous allez même vivre une sérieuse romance avec quelqu'un de complètement nouveau. Dans un même souffle, vous déciderez peut-être de vous marier, d'établir votre statut de conjoint de fait devant monsieur le notaire ou de vous engager formellement dans une relation de type « famille recomposée » et vous y sentir très à l'aise et heureux. Il se pourrait aussi que votre partenaire de vie améliore grandement ses sources de revenus et que vous vous retrouviez à gérer un budget enviable. Bref, vous allez faire plus d'argent et vous vous réinventerez une belle vie à deux, si j'en crois encore une fois la planète Jupiter, la grande bénéfique !

Vous rechercherez un mieux-être intérieur dans le sens de vous sentir complet et bien dans votre peau. Vous travaillerez fort aussi à créer un lieu de vie idéal et vous réussirez à le rendre confortable et beau ou vous achèverez les rénovations en suspens dans le but de tout compléter. Vous serez très touché par le vécu difficile d'un parent ou d'un proche. Vous allez devoir vous montrer particulièrement compréhensif et attentif à sa situation.

Bonne et heureuse année 2015, chers Scorpion !

Alerte astrale importante pour le mois de juillet 2015

Il va se produire deux pleines lunes durant le mois de juillet. La première aura lieu le 2 juillet et l'autre le 31. La pleine lune du 31 juillet est aussi appelée « lune bleue » et les Amérindiens la vénèrent pour ses forces mystiques et magiques sacrées.

Quelques explications importantes

Le Farmer's Almanac est un almanach nord-américain datant du début du XIXe siècle. La définition qu'il donne de la « lune bleue » est la suivante : « Elle se produit lorsque la pleine lune apparaît deux fois dans un même mois. Ces pleines lunes reviennent toutes les 2,6 années soit une année sur trois approximativement.

Quelles sont les forces magiques de la « lune bleue » ?

Symbolisme : aussi appelée la « lune du Grand Esprit », la « lune bleue » permet d'entrer en contact avec des forces toutes-puissantes qui nous accompagneront et nous protégeront. Cette « lune bleue » a aussi le pouvoir de matérialiser nos vœux pour nous faciliter la vie.

La lune bleue ou lune du Grand Esprit

Le Grand Esprit dont elle est porteuse
fera lever en nous un grand pouvoir
de construire, d'ériger, de bâtir
et de développer des projets, des idées,
des plans d'action ou des concepts
qui dureront dans le temps, et qui nous
apporteront le succès et la réussite.
Ces prises d'action nous permettront dans
un même souffle de nous refaire une santé
matérielle, amoureuse, professionnelle,
artistique, d'affaires, politique, physique,
psychologique et spirituelle.

Rituel à faire le soir de l'apparition
de la lune du Grand Esprit

Lorsqu'elle illuminera le ciel le soir du 31 juillet, assoyez-vous paisiblement devant elle en vous assurant d'avoir une feuille de papier sur vos genoux.

Plume à la main (si vous n'en avez pas à votre portée, un crayon fera l'affaire), imaginez que vous trempez le bout de votre plume (crayon) dans la lumière de la lune, en plein centre du grand cercle blanc que forme la « lune bleue », comme si elle était un encrier suspendu dans le ciel.

Inscrivez sur votre feuille votre vœu, votre désir ou ce qu'il vous tient vraiment à cœur d'obtenir. Si vous avez choisi d'utiliser une vraie plume pour faire ce rituel, rien ne s'inscrira sur votre feuille bien évidemment. Le but de ce rituel est de vous amener à établir un contact avec cette puissante force. Mais plus encore, ce rituel a pour but ultime de vous inciter à écrire une « lettre de lumière au Grand Esprit » de manière symbolique.

Cette intention d'écrire ainsi une « lettre de lumière au Grand Esprit » fera en sorte que vous établirez un contact durant ces instants bénis, et que vous allez recevoir, durant le déroulement du rituel ou quelques heures ou jours après votre demande, des visions ou des rêves, des idées, des réponses, des inspirations soudaines qui émergeront de votre for intérieur ainsi que des prises de conscience puissantes capables de vous faire réaliser votre vœu. Chose certaine, ce rituel va transformer votre vie ou vos perceptions concernant l'invisible à tout jamais.

Janvier

Climat général du mois

Vous pourriez vous sentir inadéquat et fragile lorsque la rétrogradation de Mercure se mettra en branle autour du 20 janvier. De plus, Mercure rétrograde expose ce que nous cherchons à tenir secret par l'entremise d'événements parfois rocambolesques. Cette planète, lorsqu'elle entreprend son recul, nous met dans des situations où nous devons nous transformer et grandir intérieurement. Alors, si vous vous remettiez en question afin de vous défaire d'une facette de votre personnalité qui vous nuit dans vos rapports avec les autres, c'est que la rétrogradation de Mercure s'est mise en action. Vous pourriez aussi chercher à vous défaire de l'image que vous projetez en société. De plus, il n'y a pas que les aspects négatifs de notre personnalité que Mercure aime bien amener à notre conscience, il y a aussi nos plus belles qualités que nous refusons de reconnaître à cause d'une fausse modestie ou d'une fragilité sur le plan de l'affirmation personnelle.

Dans un autre ordre d'idées, vous le sentirez clairement lorsque vous aurez besoin d'un intermédiaire qui réglera les urgences du moment : un agent d'artistes, d'affaires ou administratif, un chasseur de têtes, un avocat, un comptable, un notaire, etc.

Amour

Vous blesserez l'être aimé plus facilement avec vos paroles, ce mois-ci. Ainsi prévenu, vous êtes maintenant conscient de l'impact qu'auront vos critiques, vos réactions et vos gestes sur la personne qui partage votre vie. Vous pourriez faire une rencontre importante, et cela, que vous soyez en couple ou célibataire. Il se pourrait aussi que vous vous lanciez dans une quête éperdue de l'Amour avec un grand A, mais les rencontres s'avéreront trompeuses et décevantes. En fait, l'autre (femme ou homme) ne peut pas être convoité pour satisfaire un vide intérieur ou être perçu comme un objet de satisfaction ou d'excitation purement physique. Qu'elles soient bonnes ou mauvaises, ces relations vous apprendront beaucoup de choses à propos de vous-même.

Arts

Imaginons que vous soyez un artiste et que vous ayez besoin d'un visa pour travailler à l'étranger ou ailleurs dans le monde et même sur un paquebot transatlantique qui sillonne les mers du Sud. Il est certain que vous obtiendrez ce fameux visa, carte verte ou passeport d'entrée dont vous aurez besoin pour exercer votre métier artistique. Vous pourriez même passer des examens ou des interviews et vous qualifier haut la main. Si vous travaillez dans le domaine de la télévision, des capsules Web ou de l'écriture, vos performances seront très remarquées et vous décrocherez un poste comme lecteur des nouvelles, animateur, journaliste ou un contrat d'édition avec une maison reconnue.

Spiritualité

Vous vous en faites parfois beaucoup pour vos proches, vos amis et l'être aimé. Un de vos enfants pourrait se retrouver dans un centre de désintoxication et vous vous culpabiliserez. Au lieu de cela, demandez-vous comment vous pourriez contribuer à améliorer sa vie.

Carrière

Vous êtes prêt pour embrasser de nouvelles aventures professionnelles, artistiques, d'affaires ou politiques. Les autres vous éloigneront souvent de vos priorités avec leurs problèmes ou leurs difficultés. Derrière les portes closes de votre bureau ou celles de votre directeur ou patron (ce qui est très Mercure rétrograde), vous allez apporter plusieurs améliorations à un projet ou à un plan d'action. Vos efforts pour le peaufiner et le parfaire s'avéreront payants en fin de compte et ne seront pas que des coups d'épée dans l'eau. De plus, vous maîtriserez bien vos outils de travail.

Dans un autre ordre d'idées, vous tomberez sur de bonnes occasions d'emploi sans vraiment le faire exprès.

Argent

S'il vous n'avez pas d'emploi ou que vous vous retrouvez temporairement sans emploi, vous allez vous refaire une santé matérielle grâce à un nouveau travail.

Février

Climat général du mois

La planète Mercure a entrepris sa première rétrogradation de l'année le mois passé et elle continuera de reculer jusqu'au 11 février approximativement. Sa rétrogradation s'attaquera à votre manière de penser et de communiquer, à vos frères, sœurs et même amis et voisins. Ils pourraient subir de petits accidents qui les obligeront à cesser de travailler pour un temps. Il s'agira d'un « recul » nécessaire pour qu'ils se refassent une santé ou une meilleure condition physique.

Dans un autre ordre d'idées, vous ne manquerez pas de ressources intellectuelles, ce mois-ci. Par contre, vous aurez tendance à céder aux pressions extérieures. Vous ne devriez pas craindre de diffuser les informations spécialisées dont vous disposerez. Bien sûr, il y aura des barrières à franchir, sauf que vous n'en êtes pas à votre première course à obstacles. Dans un autre ordre d'idées, vous n'accepterez pas d'être dominé ou incité à faire des choses qui ne vous intéressent pas. Par ailleurs, votre visage exprimera vos insatisfactions intérieures. Bref, vous aurez la face longue, le ton de voix désajusté ou vous lèverez les yeux en l'air tout en expirant d'un trait.

Amour

Vivre à deux est un défi de tous les jours à relever. Vos émotions seront souvent en dents de scie et vous ne serez pas toujours à votre meilleur. Dans ces moments-là, au lieu de réagir inconsidérément, sortez faire un tour, défoulez-vous totalement dans un sport ou une activité physique de votre choix. L'être aimé subira lui aussi le grand recul de Mercure et il pourrait réagir promptement ou ne pas supporter vos états d'âme. Il s'ensuivra alors de bonnes prises de bec. Bref, le défi que la planète Mercure rétrograde vous envoie sur le plan amoureux est de vous exprimer de manière adéquate. Ainsi, vous devriez toujours garder en tête cette question cruciale : « Si on me parlait sur un ton semblable au mien, si on employait les mêmes sarcasmes ou si on me prenait de haut comme je le fais en ce moment, comment est-ce que je réagirais ? » Se mettre à la place de l'autre est un bon truc pour éviter de s'enliser dans une mauvaise communication. La nouvelle lune se produira dans le secteur amoureux, vous pourriez donc faire une rencontre amoureuse marquante et déterminante pour les années à venir.

Arts

Un bel élan créatif vous permettra de prendre conscience de votre valeur, de vos talents, de ce qui vous distingue des autres ou fait de vous quelqu'un d'unique et de spécial. Il s'agit d'un cadeau de la part de la planète Neptune. En contrepartie, vous allez devoir taire vos peurs, phobies ou anxiétés, ce mois-ci. Il se pourrait qu'un problème personnel interfère avec votre travail ou un contrat de travail et que vous receviez un ultimatum de vous reprendre en main et vite. Il serait aussi possible qu'une personne cherche à salir votre réputation en répandant des propos mensongers et vous déciderez de lui faire parvenir une mise en demeure. Vous distinguerez, à travers les agissements de cette personne, une jalousie morbide et destructrice que vous n'auriez jamais imaginée possible.

Spiritualité

Voici un mois merveilleux pour vous retirer afin de faire le vide et de réfléchir à la suite logique de votre vie.

Carrière

Vous recevrez beaucoup de commentaires positifs concernant votre travail, vos compétences et vos accomplissements. Vous étendrez votre influence. Cette belle reconnaissance se traduira par une augmentation de salaire, une promotion ou des contrats intéressants. Votre vie professionnelle s'installera dans une certaine routine, mais malgré cela vos activités professionnelles seront parfois multiples, doubles.

Argent

La maison nécessitera des rénovations. Sinon, un bris ou un gel des tuyaux, pour ne donner qu'un exemple bien de saison, vous obligera à délier les cordons de votre bourse. Ces irritants vous rendront impatient. Dans ce cas, assurez-vous que la personne responsable des réparations ait les compétences et les connaissances nécessaires pour bien accomplir le boulot.

Mars

Climat général du mois

Ce mois se construira autour d'une éclipse solaire importante qui se produira le 20 mars. Cette éclipse touchera particulièrement votre cinquième secteur de vie, c'est-à-dire la romance ou la vie amoureuse, les sports et la créativité, les jeux de table (poker et compagnie) ou le royaume du jeu (la loterie, le casino, etc.) ainsi que la spéculation (opération financière ou commerciale basée sur les fluctuations du marché en tentant de prévoir les prix). Vous pourriez remporter la cagnotte ou tout perdre en une seule soirée. C'est un risque à ne pas courir lorsqu'une éclipse d'une telle onde de choc doit se manifester !

Dans un autre ordre d'idées, vous extérioriserez plus facilement certaines de vos tendances négatives et vous vous laisserez aller à l'impulsivité, à la colère et aux coups de tête, ce mois-ci. Si vous êtes un jeune adulte au tempérament casse-gueule, un risque-tout ou trompe-la-mort, soyez doublement vigilant durant ce mois important. Évitez les sports extrêmes, la haute vitesse ou les comportements excessifs qui ne sont jamais de mise (la violence verbale, physique et le taxage) et tout ira bien.

Amour

Autour du 5 mars approximativement, vous connaîtrez de bons moments amoureux. Une rencontre pourrait faire chavirer votre cœur de célibataire endurci. Cette personne s'affichera plus « libertine » qu'elle ne l'est en réalité. Alors, si après avoir été bien aguiché, vous vous retrouviez le bec à l'eau… tentez du mieux que vous le pourrez de calmer votre frustration. Ou bien, vous quitterez une prison relationnelle et, après avoir retrouvé votre liberté, vous commencerez à vous réaliser, à respirer mieux et à pleins poumons. Si rien de tout cela ne vous concerne parce que vous vivez le grand amour, vous vous éclipserez tous les deux sous des cieux plus cléments. Vous étendrez le cercle de vos relations et c'est grâce à l'une d'elles que vous réaliserez un projet très audacieux.

Arts

Vous aurez l'art de séduire le grand public par votre talent, votre approche artistique et vos œuvres. Vous allez acquérir un nouveau prestige, une grande réussite sociale et artistique et les liaisons amoureuses seront plus faciles. Le hic est que cette personne pourrait se servir de vous pour arriver à ses fins. Ou bien, c'est vous qui vous en servirez goulûment et cette personne vous mettra devant un fait accompli ou devant votre manque d'authenticité au moment même où vous déciderez de tirer votre révérence. Le but de l'astrologie est de vous prévenir en comprenant qu'une éclipse lève le voile sur nos inauthenticités, c'est son rôle. Que nous en soyons conscient ou non, et même si nous ne cherchons pas à faire du tort volontairement, mais à nous amuser juste un peu, une éclipse se montrera sans pitié pour notre réputation, notre famille ou notre carrière. Ainsi, si vous choisissiez d'embrasser vos pulsions, vous serez au courant des risques et périls inhérents.

Spiritualité

Visez l'entraide mutuelle en adhérant à un centre spirituel, à un club sélect ou à une association fraternelle. Vous serez étonné de tout ce qui vous arrivera.

Carrière

Vous pourriez faire un voyage éclair pour votre travail, vos affaires ou vos obligations financières. Ou bien ce voyage sera annulé à la dernière minute et pour mille raisons possibles : le client est tombé malade, l'entreprise où vous deviez vous rendre a subi un désastre, etc. Vous avez une direction claire, mais pas le pouvoir financier pour faire démarrer les projets ou les plans d'action qui remettraient sur la carte l'entreprise ou le secteur professionnel, artistique, d'affaires ou politique où vous évoluez. Évitez surtout de vous épuiser à essayer de tout régler, à courir partout pour trouver des solutions, des idées. Vous ne feriez qu'attirer de petits accidents qui retarderaient encore plus votre lancée. Le succès n'est pas loin, persévérez ! Vous pourriez même décider de changer votre horaire de travail pour trois jours semaine, par exemple.

Argent

Vous serez un peu plus stressé en ce qui concerne l'argent. Une grosse rentrée serait possible, mais de grosses pertes aussi (voir la section *Climat général du mois*).

Avril

Climat général du mois

Une alerte astrale annonce qu'une éclipse lunaire se produira le 4 avril dans votre douzième secteur, celui de la santé, de la maladie, du travail dans l'ombre et des ennemis secrets, cachés. Des vérités vous sauteront soudainement au visage et vous comprendrez intuitivement pourquoi telle ou telle personne se permet de vous manquer de respect, ou vous aurez la confirmation claire que quelqu'un feint d'être gentil alors qu'il vous évite. Tant mieux… vous n'aurez plus à vous soucier de ces hypocrites ! D'ailleurs, vous prônez que mieux vaut avoir l'heure juste que de se faire jouer dans le dos impunément. Bien sûr que ce ne sont pas tous les Scorpion qui traverseront cette épreuve du feu, mais ceux et celles qui la subiront seront heureux d'apprendre qu'il s'agit là d'une chance déguisée, d'une libération nécessaire pour vous affranchir de gens indésirables.

Amour

Vous allez devoir ajuster votre manière de vous comporter si vous voulez créer un meilleur environnement familial, amical et amoureux. La détresse d'un isolement pourrait être disproportionnée, ce mois-ci. Vous êtes donc invité à relativiser votre situation pour ne pas la contaminer d'énergie encore plus négative et souffrir davantage.

Dans un autre ordre d'idées, beaucoup de femmes nées sous le signe du Scorpion décideront d'avoir un enfant ou d'en adopter un. Bref, votre horloge biologique sonnera et vous ne pourrez pas faire la sourde oreille ! En revanche, si votre situation amoureuse ne vous permet pas de fonder une famille, vous déciderez peut-être de quitter la relation. Sinon, vous constaterez à quel point votre mère ne répond pas à l'idéal que vous recherchez et vous souffrez beaucoup de cette situation. S'il ne s'agit pas de votre mère, c'est de votre famille dont il est question. Le «chacun pour soi» semble faire partie de la dynamique familiale !

Arts

Vous allez rayonner sur les planches, à la télé, sur Internet ou à la radio, ce mois-ci. Ou bien, vous rechercherez votre voie pour vous réaliser pleinement. Sinon, vous la trouverez et vous serez alors en mesure de faire évoluer votre carrière artistique dans le bon axe. Vos écrits trou-veront preneurs ou vous vous lancerez dans un nouveau projet d'écri-ture pour lui donner vie. Cette « grossesse » artistique ne sera pas toujours de tout repos, mais vous allez tenir bon. De plus, de nouveaux projets se profileront et vous aurez donc l'embarras du choix.

Spiritualité

Vous dégagerez une grande curiosité pour la spiritualité et peut-être même pour une nouvelle religion ou une très ancienne. Quoi qu'il en soit, cette ouverture vous permettra d'accroître vos connaissances déjà assez avancées sur ces sujets importants.

Carrière

Voici un mois idéal pour importer ou exporter vos talents, produits et services ou pour dénicher le bon importateur ou exportateur. Vous connaîtrez donc une belle augmentation de vos revenus.

Dans un autre ordre d'idées, vous ne supporterez pas d'être enfermé dans un cadre étroit ou de ne pas gagner votre vie comme il se doit. Vous réagiriez vivement si quelqu'un cherchait à vous imposer sa dicta-ture ou sa manière de faire les choses. Si vous faites du travail au noir, vous pourriez être victime d'une indiscrétion de la part d'une personne. Bref, elle cherchera à vous nuire. Laissez-moi vous poser la question qui tue : pourquoi travaillez-vous au noir alors que vous risquez d'être découvert et puni à tout moment ? Ou, si vous préférez, pourquoi ne légalisez-vous pas votre situation afin de vivre votre vie professionnelle au grand jour ? Imaginez, vous ne dépendrez plus jamais de la bonne foi des autres !

Dans un autre ordre d'idées, ne vous positionnez pas comme un agent provocateur en mal de justice. Vous vous feriez éclipser de l'entreprise !

Argent

Concentrez-vous sur de petits objectifs matériels ou financiers pour le moment. Ensuite, vous réajusterez votre tir comme il se doit. Voici un mois idéal pour exercer vos talents de négociateur afin de payer le prix le plus bas possible. Vous ferez des économies substantielles.

Mai

Climat général du mois

À partir du 11 mai approximativement, Mercure se mettra à rétrograder. Il s'agit de sa deuxième rétrogradation de l'année. Mercure vous plongera dans une sorte d'attitude de méfiance et vous vous refermerez comme une huître à certains moments. Vous vous sentirez exclu plus facilement, interrompu dans votre désir d'intervenir ou d'accomplir quelque chose. Vous devez éviter à tout prix de réagir en vous imposant pour que les autres vous reconnaissent et vous acceptent. Lorsque Mercure rétrograde, il nous rend plus volontaires et entêtés, et l'ego est brassé dans tous les sens ! Vous chercherez à museler votre trop grande sensibilité, mais vous n'empêcherez pas les larmes de couler pour autant; vous ne devez pas avoir honte de vos émotions. Vous assumerez dès lors tellement mieux votre nature humaine et sensible. Vous vous attarderez à essayer de comprendre vos manquements et vos inauthenticités afin d'être VRAI envers vous-même, ce qui est très louable.

Dans un autre ordre d'idées, vous serez plus sujet à attraper des virus et infections en tout genre, ce mois-ci. Au moindre symptôme bizarre, consultez un médecin.

Amour

La nouvelle lune se produira dans le septième secteur, celui du mariage et des relations que vous entretenez avec les autres, mais il touche aussi des activités sociales et intellectuelles. Donc, vous ressentirez un fort besoin de vous impliquer, de vous responsabiliser socialement, de vous lier d'amitié ou d'amour avec une personne en particulier. Vous ne serez pas toujours d'accord avec le conjoint sur sa manière de faire. Votre détermination sans borne mettra tout en œuvre pour résoudre les problèmes. Vous irez même jusqu'à créer des interférences ou à casser les décisions de l'être aimé. Vous feriez mieux de l'appuyer, de lui assurer votre soutien et votre confiance; vous éviteriez ainsi une crise que vous n'oublierez pas de sitôt si elle se produit. Maintenant que vous êtes prévenu, vous pouvez éviter la catastrophe.

Arts

Une association artistique pourrait voir le jour et vous en retirerez de grands bienfaits. Vous signerez un gros contrat et vos projets pourront enfin se matérialiser. Ici aussi, tout comme il est indiqué dans le secteur de la carrière, la loi de l'offre et de la demande vous permettra d'agrandir votre clientèle et votre réseau de distribution.

Spiritualité

Une bonne cure santé dans un spa vous permettait de vous relaxer et d'aller plus profondément dans votre respiration. Vous en retirerez de grands bienfaits spirituels.

Carrière

Vous communiquerez et échangerez beaucoup avec vos clients, associés ou patrons. Des contrats légaux accapareront toute votre attention. Certaines personnes voudront aller trop vite en affaire et vous leur mettrez un frein. Les débats intellectuels, les contestations et la compétition entre employés ou collègues seront nombreux. Vous analyserez les fondements et les structures de votre travail, de votre entreprise ou de vos projets artistiques, professionnels ou d'affaires. Sinon, vous achèterez ou transformerez vos installations ou équipements déjà existants afin d'obtenir un meilleur rendement et d'être à la fine pointe de la technologie. Vous vous ferez surtout un devoir de répondre à la demande toujours grandissante de votre clientèle et de vos distributeurs. Si cela s'avère exact, c'est que vous avez déjà emprunté le chemin du succès et de la réussite puisque vous êtes tombé sous la bonne étoile de la loi de l'offre et de la demande.

Argent

Si vous deviez vous lancer dans de grosses dépenses, évaluez bien vos moyens financiers. Revenons à ce qui a été dit plus haut et posez-vous les questions suivantes : combien de temps dureront ces nouvelles installations ? Serez-vous en mesure de répondre à la demande de vos clients ou de vos distributeurs durant ce temps ou devront-ils aller voir ailleurs ? Quelle solution gagnante des deux côtés vous permettrait de garder une mainmise ? S'il le faut, demandez l'avis de vos clients et distributeurs. Ils en ont vu d'autres et vous conseilleront très bien.

Juin

Climat général du mois

Vous devriez vous défaire de cette « montagne de règles » ou de cette rigueur, inflexibilité ou sévérité que vous vous infligez et qui monopolise toutes vos énergies et vous empêche de «voyager léger» dans la vie. Si vous ne souffrez pas de ce mal de l'âme dictant que tout doit être parfait (même les autres), vous vous sentirez poussé à revoir votre système de valeurs. Bref, vous remettrez en question vos exigences. Par exemple, vous rencontrerez des personnes qui vous permettront, comme dans un miroir, de voir les valeurs fausses : les conventions de la société, les rôles que les gens adoptent, les idées fausses que vous entretenez peut-être à propos d'une religion, d'un peuple, d'un ami ou d'un proche en particulier. Aussi, un enfant ou un ami cher à votre cœur pourrait se retrouver sans défense devant une situation familiale, scolaire, professionnelle, amoureuse ou amicale stressante qui implique un individu plutôt violent. Ou bien, un enfant se rebellera contre votre autorité et vous allez devoir composer avec cette situation délicate. Si vous vous retrouviez impuissant à aider cet enfant, demandez de l'aide à votre famille, à vos amis et même à un psychologue, psychothérapeute ou psychanalyste.

Amour

Vous ferez une jolie place à l'amour dans votre vie. Il s'agit d'un mois propice pour planifier une vie à deux, concevoir un enfant ou vous établir dans un nouveau nid d'amour. De nombreux projets verront le jour et, d'un commun accord, vous vous y lancerez allègrement. En revanche, ceux et celles dont la relation bat de l'aile depuis longtemps n'hésiteront pas à faire le point, à réévaluer leur implication ou leur désir d'implication, puisque Mercure continuera sa rétrogradation dans ce secteur important jusqu'au 13 juin. En fait, vous apprendrez surtout beaucoup de choses au sujet de vos peurs, de vos angoisses existentielles, sur l'amour de vous-même, entre autres choses. Une désillusion amoureuse, un ennui profond ou une prise de conscience soudaine, que votre partenaire de vie est plus un ami qu'un amoureux par exemple, vous donnera l'occasion d'ouvrir la discussion à ce sujet et pour votre plus grand bien à tous les deux.

Arts

En tant qu'artiste, vous mettrez tout en œuvre pour accomplir ce que vous ressentez en votre for intérieur. Vous serez plus disposé à recevoir des conseils, mais pas de la part de n'importe qui. Vous choisirez vos coachs avec parcimonie. L'imagination et la créativité seront à l'honneur, ce mois-ci, et vous pourrez donc développer des projets avec facilité.

Spiritualité

Vous apprendrez à donner de l'amour tout en gardant les deux pieds sur terre. De plus, vous refuserez de vous laisser enfermer dans une structure ou un passé débilitant.

Carrière

Les autres ne comprendront pas toujours vos aspirations, votre quête et le but de votre démarche professionnelle, politique, artistique ou d'affaires. Inutile de vous acharner à vous expliquer ce mois-ci, étant donné que Mercure rétrogradera jusqu'au 13 juin approximativement et qu'il aime bien provoquer des fermetures d'esprit. Mieux vaut continuer de déployer vos efforts pour mener à terme vos objectifs, de vous concentrer sur votre travail, bref, de vaquer à vos affaires uniquement. Sinon, vous changerez de stratégie commerciale ou de marketing parce qu'elle est désuète et qu'elle sert mal le développement de l'entreprise. Soit vous déciderez de mettre un terme à une association, soit vous mettrez de l'avant une nouvelle stratégie pour stimuler les ventes internes et externes. Assurément, vous aurez la chance, et ce, à plusieurs reprises, de démontrer votre savoir-faire professionnel de manière éclatante.

Argent

Un patron, un associé ou un décideur vous fera clairement savoir qu'une coupe dans le budget initialement accordé sera mise de l'avant. Essayez, autant que faire se peut, de ne pas prendre cette situation d'une manière trop personnelle. Vous questionnerez votre sécurité matérielle et prendrez des décisions importantes à cet égard. Vous déciderez peut-être de rencontrer votre directeur de banque ou votre comptable pour discuter d'un plan de fonds de pension ou de retraite à votre mesure.

Juillet

Climat général du mois

Vous trouverez dans la section *Alerte astrale importante pour le mois de juillet 2015* un rituel à mettre en œuvre durant la manifestation de la «lune bleue» qui se produira le 31 juillet. C'est avec plaisir que je vous le propose, car je crois que vous vous amuserez beaucoup à écrire votre lettre de lumière ! Cela étant dit, d'importants et d'heureux changements vont se produire dans plusieurs secteurs de votre vie : amoureux, familial, financier ou matériel et professionnel, artistique, d'affaires ou politique, si vous œuvrez dans ce domaine. Tout d'abord, vos deux planètes maîtresses – Pluton (même si elle n'est plus considérée comme une planète par les scientifiques, l'astrologie lui confère toujours ses lettres de noblesse) et Mars – sont placées à des angles productifs dans votre carte du ciel. Cela signifie surtout que des occasions nouvelles, que vous n'auriez peut-être pas reconnues avant, vont se présenter et que vous les prendrez à bras le corps avec une détermination sans faille. Que même si des éléments négatifs survenaient (la vie n'étant pas un jardin de roses), vous trouveriez le courage de vous ajuster et de prendre les bonnes décisions ! Une personne que vous estimez beaucoup risque de vivre des événements totalement imprévus qui l'ébranleront.

Amour

Une semaine ou deux avant l'arrivée de la deuxième pleine lune du mois qui se produira le 31 juillet, vous entrerez dans une période amoureuse prospère. Il semble que toutes vos démarches pour vous permettre de rencontrer l'amour seront fructueuses. La bonne fortune vous sourira aussi par l'entremise d'un enfant, d'un proche – il pourrait vous offrir une partie d'un héritage dès maintenant –, de l'être aimé – il dénichera peut-être un emploi mieux rémunéré et vous goûterez aux joies de l'abondance ou de la liberté d'action qu'offre une augmentation des revenus. Étant plus à l'aise et dans la possibilité de composer avec un meilleur budget, vous offrirez à vos enfants, à vos proches et même à vos plus chers amis des coups de pouce qu'ils apprécieront vraiment. Vous pourriez aussi explorer de nouvelles avenues avec l'être aimé : un mariage, une union de fait ou fonder une famille. Sinon, vous planifierez un voyage, une croisière ou des vacances de rêve avec votre douce moitié.

Arts

Vous pourriez vous inscrire à un cours d'écriture ou de littérature et vous y sentir très à l'aise, et cela, quel que soit votre âge, statut ou position sociale. Vous réussirez alors à créer un groupe d'entraide magnifique avec les autres étudiants. Vous découvrirez à quel point vous avez du talent au fil des formations ou des cours. Si vous êtes déjà un écrivain aguerri, une école de renom pourrait vous approcher pour vous offrir de coacher des ateliers. Ou bien, vous allez recevoir des offres artistiques qui vous sortiront de votre ordinaire et vous accepterez pleinement ces nouveaux défis. Dans ce cas précis, vous découvrirez combien vous pouvez compter sur votre expertise, votre expérience et votre savoir-faire artistique. Bref, grâce à ces solides acquis, vous ne serez jamais pris au dépourvu, ayant toujours en tête une manière nouvelle de faire les choses. Steve Jobs, feu le grand maître d'œuvre de la compagnie Apple, avait pour ligne de conduite « de ne pas faire mieux que les autres, mais de faire différent des autres ».

Spiritualité

Une formation ou une nouvelle connaissance en développement personnel et spirituel vous permettrait de faire des percées lumineuses importantes concernant les différents secteurs de votre vie.

Carrière

Il se pourrait que vous ressentiez un vide professionnel. Ou bien, vous avez essuyé un manque de soutien de la part d'un patron, d'un associé ou d'un leader dans votre parti politique. Voilà pourquoi vous compensez en vous protégeant beaucoup trop. Ou encore, vous vivez en vase clos au bureau alors que vous devriez vous contraindre à vraiment plonger dans le travail, les projets ou faire équipe avec vos collègues et patrons.

Argent

Vous compterez avec plaisir vos nouveaux acquis financiers et matériels, ce mois-ci.

Août

Climat général du mois

Le grand télescope de l'univers se tournera vers le secteur de votre carrière professionnelle, artistique, d'affaires ou politique. Des occasions en or rendront possible la réalisation de vos projets, même s'ils sont audacieux, puisque la planète Jupiter se positionnera dans ce secteur. Toutefois, il vous refuserez certaines offres parce que vous les trouverez peu réalistes. Dans un autre ordre d'idées, de nombreuses désillusions familiales se produiront. Par exemple, certains membres de votre famille n'arriveront pas à s'entendre à la suite d'un décès (problèmes reliés à un héritage) ou du départ d'un parent pour un centre d'hébergement et vous ne parviendrez pas à décider qui gérera ses biens ou patrimoines familiaux. Ou encore, ces mêmes personnes vous reprocheront votre style de gestion. Peut-être que vous ne vous entendez plus avec un locataire ou un colocataire à cause d'une mésentente concernant l'argent du loyer ou les frais de condo. S'il ne s'agit pas d'un locataire ou colocataire, il pourrait s'agir d'un copropriétaire mal dans sa peau ou de mauvaise foi et qui ne se gêne pas pour critiquer vos faits et gestes. S'il le faut, vous lui signifierez votre insatisfaction en lui faisant parvenir une mise en demeure de votre avocat !

Amour

Si vous roucoulez des jours joyeux avec votre douce moitié, vous continuerez sur cette belle lancée. Ou bien, le conjoint représente une sécurité matérielle par son compte de banque, son statut social ou son sens des réalités; son côté protecteur vous rassure. Vous avez entretenu une relation intense durant les derniers mois et voilà que cette personne vous fera savoir qu'elle «ne se sent pas à la hauteur», qu'elle «a besoin de réfléchir». Autrement dit, elle ne veut pas s'engager et butine de fleur en fleur en quête de nouveauté. Des conflits émergeront et ils impliqueront vos parents, vos enfants ou des membres de votre famille que vous chérissez. Dans tout ce brouhaha, surtout si des questions d'argent sont en jeu, certains proches exigeront que vous preniez pour eux alors que vous préférerez garder vos distances. Ils pourraient vous faire connaître leurs insatisfactions par la bouche de leur canon. Vous vous retrouverez donc coincé entre l'écorce et l'arbre sans possibilité de sortie. Ainsi prévenu, vous serez peut-être tenté d'aller faire un tour dans un pays étranger, le temps que passe la tempête. Si vous ne le pouvez pas, vous allez devoir faire face à l'adversité.

Arts

Des contrats novateurs vont se retrouver sur votre bureau et vous ferez tout en votre pouvoir pour vous montrer à la hauteur.

Spiritualité

Vous prendrez les grands moyens à votre portée – méditation, visualisation créatrice – pour trouver l'équilibre intérieur dont vous avez tant besoin. Chose certaine, vous ne serez pas déçu de la maîtrise que vous acquerrez.

Carrière

Il se peut que vous ayez quitté une sorte de prison professionnelle, artistique, d'affaires ou politique et que, maintenant que vous avez retrouvé votre liberté, vos rêves puissent enfin commencer à se réaliser. Dans un même souffle, vous pourriez refuser un travail ou un projet qui irait à l'encontre de cette nouvelle liberté. Chemin faisant, vous allez devoir cultiver l'art des réseaux sociaux parce qu'ils paveront l'avenue de belles opportunités. Bref, vous qui êtes d'un naturel casanier, vous allez devoir piler sur votre réticence pour mieux élargir votre cercle social. Voyez que c'est par l'entremise de ce nouveau cercle de gens que vous réussirez à mener à bon port les fameux projets audacieux déjà prédits dans la section *Climat général du mois*. Jusqu'au 14 août approximativement, vous serez entouré de gens à l'esprit brouillon et au caractère paresseux. Leur inefficacité jouera sérieusement sur vos nerfs. Une mauvaise compréhension de ce qui a été expliqué, demandé ou exigé pourrait entraîner une suite de quiproquos sans fin au travail. Cela dit, les travailleurs autonomes réussiront à décrocher d'avantageux contrats.

Argent

Vous allez récolter le fruit de vos projets, idées ou plans de match parce qu'ils se sont avérés payants. Ou bien, vous chercherez à reconquérir votre indépendance financière ou matérielle.

Septembre

Climat général du mois

Attachez bien votre ceinture, puisque deux éclipses vont se produire ce mois-ci. L'éclipse solaire se manifestera le 13 septembre et l'éclipse lunaire le 27. Les planètes Pluton et Mars sont vos alliées les plus sûres et elles lèveront une belle protection sur vous. Ainsi, vous subirez les effets des éclipses, certes, mais à un niveau d'intensité moindre. Vous devez vous assurer d'avoir des plans d'urgence pour un projet artistique, politique, d'affaires ou professionnel en particulier. De plus, vous ne devriez pas embaucher de nouvelles recrues, ce mois-ci. Les éclipses se mettraient alors en action et cette personne quitterait ses fonctions du jour au lendemain. Lorsque les nouvelles ou les problèmes se mettront à débouler, vous n'aurez pas assez de vos deux oreilles et de vos deux mains pour tenir bon. Juste au moment où vous sentirez que c'est plus tranquille, que vous pouvez relâcher un peu de lest, vlan !, une autre série d'événements se produira.

Dans un autre ordre d'idées, il serait possible que vous remarquiez que quelque chose cloche en ce qui concerne votre santé. Des symptômes pourraient se manifester. En revanche, un mois d'éclipses est idéal pour subir une opération chirurgicale délicate (toutefois, évitez absolument les opérations d'ordre esthétique) pour « éclipser » un problème de santé.

Amour

Une éclipse aime bien tester le maillon faible d'une relation. En fait, le destin (l'univers, si vous préférez) veut le meilleur pour vous : une relation heureuse, qui tiendra la route et dans laquelle vous vous sentirez apprécié, productif et heureux. L'éclipse lunaire du 27 septembre endosse déjà le rôle de balayer tout ce qui vous empêcherait d'atteindre cet objectif. Là où le bât risque de blesser, c'est si vous ne réalisez pas vraiment que cette personne n'est pas faite pour vous et que vous vous accrochez désespérément. La seule façon de vous épargner cette souffrance serait de plier l'échine, de vous soumettre à ce qui est. Aussi, une éclipse ferme la porte sur un passé douloureux. Voyez qu'elles ne sont pas toujours si négatives ! Pour compléter ce beau tableau, Mercure entamera sa troisième et dernière rétrogradation de l'année. Cette planète est passée maître dans l'art de corriger une situation que nous n'avons pas su reconnaître, ou que nous avons reconnue, mais sans avoir le courage de la corriger.

Arts

Du côté des arts... le soleil luira sous les tropiques ! En somme, vous élaborerez des projets importants. Il se pourrait aussi que vous vous retrouviez à la tête d'un nouveau plan d'action artistique. Vous êtes tout de même invité à relire le paragraphe ci-dessus et à appliquer les prédictions du secteur de l'*Amour* à celui des *Arts*.

Spiritualité

La méditation ou la prière vous aiderait vraiment à traverser les situations de crise... si de telles situations devaient se manifester !

Carrière

Bien sûr que vous pourriez connaître la fin d'un chapitre professionnel, artistique, d'affaires ou politique, ce mois-ci. La bonne nouvelle est que même si les éclipses enlèvent ou défont, elles reconstruisent en mieux tout ce qu'elles ont détruit. Encore une fois, elles agissent pour réparer nos erreurs de jugement ou pour redresser une mauvaise tangente que prend un destin. Vos clients ne seront pas toujours en mesure de vous dire ce qu'ils ont en tête d'une manière claire et rationnelle (c'est que Mercure rétrogradera à partir du 17 septembre). Vous allez donc devoir les deviner. Heureusement, vous avez du talent dans ce genre de communication : les non-dits, ça vous connaît ! Vous serez témoin de plusieurs changements au sein de l'entreprise et la pression qui viendra d'en haut, de la haute direction, sera parfois intenable. Vous allez devoir suivre le rythme et ne pas relâcher vos efforts, ce dont je vous sais parfaitement capable.

Argent

Un bon montant d'argent pourrait vous tomber entre les mains. Ou bien, les initiatives de l'être aimé s'avéreront lucratives.

Octobre

Climat général du mois

Il vous arrivera d'avoir peur de ne pas arriver à atteindre les objectifs et vous amenuiserez alors votre désir d'action. Pourtant, vous ne devriez pas vous en faire. D'autant plus que des événements positifs vous permettront de ne plus douter de vous ainsi. Vous aurez la chance de repartir à neuf sur le plan amoureux et sur des bases tellement plus saines. La vie vous enverra des signes clairs pour vous faire voir qu'un projet n'est peut-être pas encore viable, mais qu'il mérite d'être poussé à un niveau supérieur. Vous prônerez que tant qu'à faire quelque chose, autant que ce soit bien fait, et ce n'est pas tout le monde qui emboîtera le pas derrière vous. Vous allez trouver des solutions intelligentes aux difficultés qui se poseront. Il ne serait pas étonnant que vous décidiez de vous inscrire à une formation spécialisée. Vous allez parfaire vos connaissances malgré les dépenses encourues. Une offre d'emploi des plus alléchantes sur le plan matériel vous sera présentée. Vous ne tarderez à vous décider, puisque le salaire offert stimulera votre décision.

Amour

Si vous avez subi un revers et un échec dans votre couple, vous ne serez pas long à vous refaire une nouvelle vie amoureuse. Lorsque ce nouvel amoureux viendra, tenez surtout compte de ses agissements, car les belles paroles ne sont que du vent ! C'est à ce prix que la confiance s'installera. Aussi, le conjoint pourrait partir à l'étranger ou être appelé à se déplacer pour le travail, et c'est vous qui vous retrouverez avec toutes les responsabilités quotidiennes sur les bras. Quelques irritants familiaux nécessiteront une bonne explication. Une simple rénovation pourrait se traduire par une totale remise à neuf. Vous devez cela à la planète Neptune qui rétrogradera dans votre quatrième secteur, celui de la maison. Sinon, le partenaire amoureux s'attaquera à un projet de rénovation important, sans avoir au préalable demandé conseil à un expert, et boom !, un bris de tuyau occasionnera un dégât d'eau important, par exemple. Ainsi prévenu, vous pourrez éviter ce genre d'accident regrettable.

Arts

Vous dénicherez un projet plus conforme à vos aspirations. Par ailleurs, vous vous montrerez plus sensible à votre environnement de travail et vous trouverez des solutions efficaces pour améliorer les relations. En tant qu'artiste, vous aurez tendance à vous isoler pour créer. Les autres créateurs nés sous le signe du Scorpion se retrouveront sur une scène à l'international, ce qui donnera un souffle nouveau et puissant à votre carrière.

Spiritualité

Vous entrez dans une période où vous ferez de grandes percées spirituelles : vos valeurs s'émanciperont et votre vision du monde s'élargira. Les conférenciers, les coachs de vie ou du domaine de la spiritualité qui sont nés sous le signe du Scorpion verront leur carrière prendre un nouveau tournant.

Carrière

Un client pourrait annoncer qu'il quittera votre entreprise dans les mois à venir parce qu'il a décidé de fermer son commerce ou qu'il doit faire faillite. Vous avez trimé dur pour l'avoir comme client et voilà que ses malchances mettent un point final à votre belle relation d'affaires. Vous aviez vu que ça n'allait pas depuis belle lurette déjà, mais jamais à ce point. La surprise sera d'autant plus grande. Il vous manquera sûrement parce que vous aviez tissé des liens serrés. Si vous vous retrouvez sans emploi, ne vous tourmentez pas, car un nouveau travail comblera vos espérances. Vous pouvez déjà commencer à entreprendre des démarches, à envoyer votre curriculum vitæ ou à faire appel à votre réseau ou à vos amis pour voir s'ils sont en mesure de vous tendre une perche. De tous les signes du zodiaque, vous détenez la palme du débrouillard et du fonceur par excellence ! La perspective d'un beau succès s'ouvre devant vous.

Argent

Un déblocage de fonds vous permettra d'obtenir de l'argent pour la recherche, le développement, l'implantation d'une nouvelle technologie ou la formation professionnelle. Assurez-vous de respecter le budget alloué !

Novembre

Climat général du mois

Autour du 11 novembre, la planète Mercure ne rétrogradera plus et vous pourrez enfin respirer. La nouvelle lune se produira dans votre douzième secteur, celui de la santé et de la spiritualité. Il se pourrait bien que vous retrouviez la santé après une longue période de maladie. Ou encore, vous vous sortirez d'une dépendance à la drogue, à un médicament, au jeu, à la boisson ou à autre chose de tout aussi nuisible à votre condition physique, morale et psychologique. Ou bien, c'est un proche qui se retrouvera en cure de désintox, et vous l'accompagnerez ou lui apporterez votre soutien inconditionnel.

Amour

L'amoureux pourrait avoir le moral à plat et éprouver de la difficulté à remonter la pente. Vous saurez le requinquer, mais au prix de nombreux efforts et, malheureusement, vous finirez par vous lasser de lui servir de soupape. Votre couple reprendra du mieux, même que l'amour renaîtra de plus belle entre vous deux. Les célibataires vivront des moments magiques. Sortez en société... Que l'on sache que vous existez, comme j'aime à l'écrire ! Sinon, comment arriverez-vous à rencontrer quelqu'un ? Par ailleurs, vous pourriez être dans l'obligation de faire un choix ou de vous positionner pour ou contre un proche ou un ami. Ou bien, la famille exercera une forte pression pour vous obliger à quitter une relation toxique. Ouf ! Le conseil qui revient est de faire comme Mercure : prendre un recul nécessaire avant de passer à l'action.

Arts

Vous ferez la manchette dans les médias écrits, radiophoniques ou télévisés. La bonne nouvelle est qu'il se présentera des occasions en or de vous faire valoir et de promouvoir votre dernière création artistique. Sinon, les journalistes, commentateurs, chroniqueurs, animateurs et conférenciers nés sous le signe du Scorpion seront extrêmement favorisés financièrement. Vous réglerez, entre autres choses, une question salariale, de droits d'auteur ou de pourcentage associé à votre travail d'artiste. Si vous devez signer un contrat important, faites-le une semaine après la rétrogradation de Mercure si possible. Si vous n'avez pas d'autres choix, assurez-vous de bien lire les petits caractères !

Spiritualité

Vos connaissances seront valorisées par les personnes qui croiseront votre chemin. Si vous souhaitez fonder une école d'enseignement spirituel, prêtez une attention toute particulière à votre intuition, elle vous sera extrêmement utile. Vous pourriez même rencontrer un nouvel amour lors d'une séance de méditation, durant un cours de yoga ou de gymnastique respiratoire, c'est dire à quel point ce secteur sera favorisé, ce mois-ci.

Carrière

Vous vous montrerez extrêmement efficace au travail – vous ferez penser à un TGV en action, si je puis dire. Vous ne craindrez pas de relever des défis, de pousser la note et d'agir pour faire bouger les choses. Vous établirez de nouveaux contacts et ils contribueront à votre avancement professionnel, artistique, politique ou d'affaires. Sinon, vous développerez une nouvelle clientèle, un réseau de personnes influentes. Aussi, vous vous retrouverez avec plusieurs projets ou équipes de travail à gérer. Vous ne perdrez pas pied facilement parce que vous pourrez vous reposer sur votre solide expertise ou expérience de travail. Vous mènerez la parade avec une main de fer dans un gant de velours et pourrez compter sur votre précision intellectuelle, ce mois-ci. Vous serez donc en mesure de mieux cerner les problèmes et de prévoir des solutions. En revanche, un manque de confiance en vos capacités pourrait faire tourner la sauce. En succombant à vos peurs, vous reculeriez au lieu d'avancer. Ainsi prévenu, vous éviterez de tomber dans ce piège.

Argent

Ce mois est favorable à tout ce qui concerne l'argent – un développement d'affaires ou une décision financière importante apportera sans doute des changements notoires à votre situation matérielle. Vous pourriez même faire une réclamation et recevoir l'argent tant espéré. Quel mois!

Décembre

Climat général du mois

Plusieurs occasions ouvriront la porte à des amitiés épanouissantes. À tout le moins, quelque chose de fécond, de très inspirant et d'encourageant va ressortir de vos conversations ou de projets impliquant des amis. Les élans viendront tout naturellement du cœur ! Un événement heureux pourrait vous faire bondir de joie : une grossesse, une adoption ou un projet de mariage, de construction ou de rénovation verront le jour de manière tout à fait inattendue. La part de fortune qui s'est positionnée dans votre dixième secteur suggère que vous êtes en voie de vivre une belle réussite professionnelle, politique, artistique ou d'affaires. Vous recevrez la reconnaissance professionnelle que vous méritez. Toutefois, le succès a un coût ! Il vous éloignera de votre famille, de vos amis et de l'être aimé. Espérons que vous saurez gérer tout ça ! Vos idées vont faire une forte impression sur les gens qui détiennent le pouvoir. D'ailleurs, l'une d'elles pourrait transformer votre réalité professionnelle !

Amour

Vous socialiserez comme jamais ! Votre confiance en vos moyens de séduction vous permettra de serrer la main à des gens charmants et prêts à s'investir. Vous devez absolument, ce mois-ci, ne pas chercher à blesser la personne qui partage votre vie ou que vous fréquentez. S'il devait y avoir émergence de tension relationnelle, c'est que le non-dit a pris la place et qu'il vous éloigne l'un de l'autre. Ou bien, ces mêmes non-dits articulent un ennui profond que vous n'arrivez plus à dépasser. Bref, vous seul serez en mesure d'évaluer votre vie à deux comme il se doit. Les vraies choses doivent être dites, discutées et les nuages gris éliminés du paysage amoureux, sans quoi votre couple risque de se heurter à des problèmes importants. Sinon, une mésentente pourrait ébranler le couple à cause d'un malentendu impliquant un proche ou un enfant. Le temps des fêtes sera particulièrement animé, agréable et bien orchestré. Tenez-vous prêt à vivre de belles éventualités !

Arts

Votre carrière publique prendra un nouvel essor. Est-ce que le projet dans lequel vous êtes engagé correspond à votre vision artistique ?

Voilà une question à laquelle vous devrez répondre au cours du mois. Est-ce que l'associé, le producteur, l'éditeur ou le metteur en scène saisit bien le sens de votre démarche artistique ? Voilà un autre point d'interrogation qui vous obligera à mettre les pendules à l'heure. Vous êtes donc appelé à chercher objectivement ce qui bloque votre montée vers les sommets, ce qui vous donnera l'occasion de corriger le tir. Vous pourrez donc résoudre intelligemment tous les problèmes qui se poseront.

Spiritualité

Les épreuves forgent l'ego et l'âme, puisque devant l'inévitable il faut parfois rendre les armes. Les émotions infantiles, les réactions et les décisions basées sur les préjugés pourraient jouer contre vous. Vous devrez donc favoriser l'ouverture d'esprit et l'acceptation de « ce qui est », sans vous décourager ni perdre espoir.

Carrière

Les outils technologiques ou la machinerie actuelle sont inadéquats et affectent le rendement de l'entreprise. Sinon, vous entreprendrez des démarches importantes pour trouver un emploi ou un contrat de travail. Vous pourriez même décider de réorienter votre carrière dans un autre secteur. En ce sens, des imprévus formidables pourraient se produire et diriger votre vie professionnelle, artistique, d'affaires ou politique dans une toute nouvelle voie. Vous vous sentirez très à l'aise dans vos nouveaux bureaux. Si rien de tout cela ne vous concerne, vous apporterez certains ajustements à l'équipe de travail parce que trop de laisser-aller a fait du tort au service à la clientèle et qu'une mauvaise presse commence à circuler. Vous agirez donc pour que chacun tire le poids du chariot en toute équité. Vous rétablirez ainsi votre réputation et celle de l'entreprise.

Argent

La nouvelle lune se produira dans votre deuxième secteur, celui de l'argent gagné à la sueur de votre front ou par le travail. Vous saurez, par l'entremise de géniaux tournants du destin, renflouer votre bas de laine et vous allez profiter au maximum des belles choses : repas au resto, vin haut de gamme et vêtements griffés.

SAGITTAIRE

DU 23 NOVEMBRE AU 22 DÉCEMBRE

Ses couleurs préférées : Vous aimez les différents coloris de pourpre et de violet. Les couleurs rouge et noir vous siéent à ravir.

Ses métaux : L'étain et la cassitérite, qui est un composé d'oxyde d'étain.

Ses pierres de naissance : L'améthyste et la citrine. Ces deux pierres sont presque jumelles.

Ce que ces pierres symbolisent : La couleur violette tout en transparence de l'améthyste symbolise l'élévation spirituelle, la pensée supérieure. Mettez une améthyste sous votre oreiller et elle agira comme un excellent capteur de rêves. La citrine, quant à elle, est réputée pour aider à accumuler l'or et l'argent, bref, la richesse.

Les différents aspects de sa personnalité

Le signe du Sagittaire est représenté par un centaure pointant son arc et sa flèche vers le firmament. Il symbolise donc l'obligation qu'a tout être humain de percer les mystères du ciel, de l'invisible. Voilà pourquoi le Sagittaire s'entoure d'amis qui sortent des sentiers battus, qui ont une belle évolution spirituelle ou intellectuelle, qui sont en mesure de plonger dans les abysses de l'âme, mais sans pour autant adhérer aux croyances des uns et des autres. Bref, le Sagittaire préfère entretenir le doute plutôt que de se laisser convaincre, mais il écoutera attentivement tout ce qui sortira de votre bouche. Il doit découvrir les mystères par lui-même, c'est la seule loi en laquelle il croit. Chose certaine, le Sagittaire se sent aussi à l'aise avec un mystique qu'avec un homme d'affaires. Voilà pourquoi ses amis sont si disparates, différents les uns des autres. L'élément feu lui permet d'être expressif, dynamique, voire excellent communicateur. Son enthousiasme est contagieux. Il est reconnu pour être le grand débrouillard du zodiaque. Cet être unique aime boire, rire et manger, il ne capitule pas facilement. Il lui arrive de manquer de courage et de ne pas mener à bien ses intentions. Le Sagittaire est un être sociable et social, mais sa nature profonde reste indépendante. Il n'est pas rare qu'il se montre un peu condescendant, beau parleur, vaniteux et séducteur, mais il mettra tout en œuvre pour ne pas blesser l'être qu'il aime et chérit.

Étant donné que le Sagittaire habite la neuvième maison et qu'elle représente l'étranger dans la grande roue du zodiaque, il rencontre souvent l'amour de sa vie en d'autres pays. D'ailleurs, les lois des pays où il aimerait vivre en compagnie de son être cher marquent souvent le destin du Sagittaire. S'il ne s'agit pas de sa vie amoureuse qui l'appelle à l'étranger, c'est son travail ou un désir viscéral de découvrir le monde, l'inconnu, qui le poussera vers l'ailleurs. Au sens propre comme au figuré, son besoin de percer le ciel et les mystères de la vie, de la mort et de la vie après la mort le force à cheminer, à se questionner profondément et pour alléger son fardeau, il s'offrira des vacances en terres lointaines.

Votre compatibilité avec les autres signes

Le Capricorne vous permettra de vivre des moments joyeux et agréables au quotidien. Avec le Verseau, vous parlerez le même langage et emploierez le même vocabulaire érotique. Le Poissons vous amènera à vivre des moments de purs délices et de complicité. L'amour conjugué au mode Bélier vous conduira à explorer des contrées inconnues de votre propre sexualité. Le Cancer sera compatible s'il n'y a pas d'insatisfactions qui surgissent sur votre route. Avec un autre Sagittaire, « le ciel sera la seule limite »!

Quelques Sagittaire célèbres

Christina Aguilera, Woody Allen, Scarlett Johansson, Tyra Banks, Kevin Parent, Francis Cabrel, André-Philippe Gagnon, Caroline Kennedy, Booba, Taylor Swift, Jamie Foxx, Katie Holmes, Brad Pitt, feu Édith Piaf, Vanessa Paradis, Jay Z, Nelly Furtado, Trey Songz, Sinead O'Connor, Britney Spears, Steven Spielberg, Tina Turner.

L'année 2015 en général

Plusieurs Sagittaire mettront toutes leurs énergies pour acquérir une liberté nouvelle, et ce, qu'importe le prix à payer, ce qui risque de provoquer bien des interférences s'ils forment déjà un couple, s'ils sont conjoints de fait ou s'ils ont eu des enfants. Ou bien, c'est du point de vue purement matériel et financier que vous mettrez tout en œuvre pour vous réaliser et vous libérer d'une situation avilissante, rétrograde ou carrément déshonorante compte tenu de vos études, de votre talent artistique ou de vos nombreuses capacités professionnelles, d'affaires ou politiques. Bref, ceux et celles qui n'en peuvent plus de gratter les fonds de tiroir vont tout simplement porter leur attention sur des ouvertures et des possibilités de renflouer leur compte en banque. Cela dit, les Sagittaires étudiants réussiront haut la main dans leurs études. La planète Uranus vous fera souvent passer d'un extrême à l'autre. Il existe plusieurs soins « antistress » comme la méditation, la visualisation, la psychanalyse, la psychologie ou l'acupuncture et l'hypnose.

Le passage du nœud nord ou « la tête du dragon » en maison 10 vous promet une réussite professionnelle, artistique, d'affaires et politique inhabituelle. Les efforts que vous déploierez pour réaliser, produire, développer ou créer seront couronnés de succès. De plus, bien des gens contribueront à votre essor. Bien sûr, au fil du déroulement des mois d'éclipses et de Mercure rétrograde, vous devrez particulièrement observer les conseils qui vous seront prodigués, mais en dehors de cela l'année s'annonce magnifique. Le premier conseil astrologique est de ne jamais rester les bras croisés, quoi qu'il arrive, et de vous ménager des moments de repos.

Plusieurs célibataires Sagittaire prendront conscience qu'ils ont tendance à choisir le mauvais partenaire comme si, inconsciemment, ils se laissaient séduire par des amoureux faiseurs d'épreuves. Par exemple, l'amoureux dégagera une attitude affectée ou il se dissimulera, il feindra d'être ce qu'il n'est pas ou son discours se révélera mensonger. Vous apporterez de grandes transformations à votre manière d'aimer et de choisir vos partenaires. La clé? En vous aimant vous-même d'abord, vous serez en mesure de reconnaître vraiment les autres et de mieux choisir l'être cher.

Bonne et heureuse année 2015, chers Sagittaire !

Alerte astrale importante pour le mois de juillet 2015

Il va se produire deux pleines lunes durant le mois de juillet. La première aura lieu le 2 juillet et l'autre, le 31. La pleine lune du 31 juillet est aussi appelée « lune bleue » et les Amérindiens la vénèrent pour ses forces mystiques et magiques sacrées.

Quelques explications importantes

Le *Farmer's Almanac* est un almanach nord-américain datant du début du XIXe siècle. La définition qu'il donne de la « lune bleue » est la suivante : « Elle se produit lorsque la pleine lune apparaît deux fois dans un même mois. Ces pleines lunes reviennent toutes les 2,6 années, soit une année sur trois approximativement. »

Quelles sont les forces magiques de la « lune bleue » ?

Symbolisme : aussi appelée la « lune du Grand Esprit », la « lune bleue » permet d'entrer en contact avec des forces toutes-puissantes qui nous accompagneront et nous protégeront. Cette « lune bleue » a aussi le pouvoir de matérialiser nos vœux pour nous faciliter la vie.

La lune bleue ou lune du Grand Esprit

Le Grand Esprit dont elle est porteuse fera lever en nous un grand
pouvoir de construire, d'ériger, de
bâtir et de développer des projets,
des idées, des plans d'action ou des
concepts qui dureront dans le temps,
et qui nous apporteront le succès et la
réussite. Ces prises d'action nous permettront dans un même souffle de
nous refaire une santé matérielle,
amoureuse, professionnelle, artistique, d'affaires, politique, physique,
psychologique et spirituelle.

Rituel à faire le soir de l'apparition
de la lune du Grand Esprit

Lorsqu'elle illuminera le ciel le soir du 31 juillet, assoyez-vous paisiblement devant elle en vous assurant d'avoir une feuille de papier sur vos
genoux.

Plume à la main (si vous n'en avez pas à votre portée, un crayon fera
l'affaire), imaginez que vous trempez le bout de votre plume (crayon)
dans la lumière de la lune, en plein centre du grand cercle blanc que
forme la « lune bleue », comme si elle était un encrier suspendu dans le
ciel.

Inscrivez sur votre feuille votre vœu, votre désir ou ce qu'il vous tient
vraiment à cœur d'obtenir. Si vous avez choisi d'utiliser une vraie plume
pour faire ce rituel, rien ne s'inscrira sur votre feuille bien évidemment.
Le but de ce rituel est de vous amener à établir un contact avec cette
puissante force. Mais plus encore, ce rituel a pour but ultime de vous
inciter à écrire une « lettre de lumière au Grand Esprit » de manière
symbolique.

Cette intention d'écrire ainsi une « lettre de lumière au Grand Esprit »
fera en sorte que vous établirez un contact durant ces instants bénis, et
que vous allez recevoir, durant le déroulement du rituel ou quelques
heures ou jours après votre demande, des visions ou des rêves, des
idées, des réponses, des inspirations soudaines qui émergeront de votre
for intérieur ainsi que des prises de conscience puissantes capables de
vous faire réaliser votre vœu. Chose certaine, ce rituel va transformer
votre vie ou vos perceptions concernant l'invisible à tout jamais.

Janvier

Climat général du mois

Vous consacrerez toute votre énergie à fixer dans la réalité une nouvelle sécurité matérielle. En fait, vous refusez de continuer de vous contenter de miettes. Vous voulez gagner plus d'argent et être seul responsable de vos moyens financiers. Qui pourrait vous en blâmer ? Il vous arrive de vous laisser arrêter par le manque d'argent et vous freinez alors votre élan, vos plans d'action ou vos projets. Vous devez vous ouvrir de plus en plus à la possibilité de faire foisonner vos revenus en vous obligeant à défaire certaines croyances du genre : je suis né pour un p'tit pain ; je ne crois pas que je puisse acquérir la fortune et la gloire ; la réussite me fait peur ; la jalousie et l'envie de mes proches et de mes amis les pousseront à me laisser tomber ; à quoi me servirait la richesse si c'est pour me retrouver seul ? « Les croyances de chaque personne déterminent ce qu'elles feront, et surtout, ce qu'elles ne feront pas dans leur vie[1]. » La question qui tue, comme dirait Guy A. Lepage : quelles sont vos croyances ? Quels sont les pensées ou les jugements que vous entretenez à propos de l'argent, du pouvoir et du succès ?

Amour

Vous ne manquerez pas de fougue amoureuse, ce mois-ci. Il se pourrait même que vous fassiez une rencontre passionnée. Si vous formez déjà un couple bien assorti, vous chercherez à sauver la face plutôt que d'accepter et de reconnaître vos torts. Un enfant pourrait naître avant terme et dans d'excellentes conditions. Alors, si votre fille, votre nièce chérie ou une amie chère à votre cœur devait accoucher avant la date prévue, tout se déroulera très bien, puisque la maison des épreuves est extrêmement bien aspectée par le Soleil qui activera l'intelligence des médecins, chirurgiens et autres spécialistes qui prendront soin de sa personne et du nouveau-né. Étant donné que votre secteur financier

---

1 Ces paroles, je les ai entendues de la bouche d'Alexandre Nadeau qui est un expert en transformation humaine. Il a écrit plusieurs livres et donné des conférences, désormais gravées sur CD, qui traitent de ce sujet important. Je vous invite à les lire et à les écouter. Il mérite cette reconnaissance parce qu'il donne beaucoup et avec amour.

sera au cœur de vos intérêts, vous pourriez négliger votre vie personnelle et donc amoureuse. Il en va de votre équilibre de vie de vous ré-
server des moments pour vous adonner à des activités de loisir avec
l'être aimé. Après tout, cette personne partage votre quotidien. Les
cœurs solitaires ont des chances de rencontrer une personne qui partagera les mêmes centres d'intérêt qu'eux et elle deviendra très spéciale à
leurs yeux.

Arts

Voici un mois où vous mettrez l'accent sur un projet artistique en particulier. Vous allez relever avec brio les défis qui se présenteront à vous.
À certains moments, vous croulerez sous le volume de travail, mais vous
aurez au moins la satisfaction de gagner plus d'argent. Vous apprécierez aussi une certaine stabilité pour créer et développer des concepts
artistiques. Ou bien, vous rechercherez un endroit tranquille pour créer
de la musique ou de nouveaux effets scéniques.

Spiritualité

Offrez-vous des moments de relaxation par l'entremise de la méditation. Vous apprécierez les bienfaits d'une bonne visualisation.

Carrière

Si vous désirez changer d'emploi, ou que vous êtes à la recherche d'un
emploi, ce mois vous promet des changements positifs. Vous pourriez
obtenir plusieurs entrevues et, même si les candidats seront nombreux
à se présenter, vous tirerez très bien votre épingle du jeu. Vous pourriez
même faire un effet bœuf sur un des directeurs présents et il vous
glissera un mot à l'oreille juste avant que vous ne quittiez la réunion.
Pour produire cet effet, vous devez croire en votre expérience de travail
et le démontrer clairement lors de vos rencontres avec les personnes
intéressées.

Argent

La nouvelle lune se produira dans ce secteur important, ce mois-ci.
Alors, soyez attentif aux offres qui vous seront présentées. L'une d'elles
pourrait s'avérer très payante et pour bien des mois à venir. Si vous
étiez porté à la dépense, vous ne feriez que vous mettre en position de
carence.

Février

Climat général du mois

La planète Mercure continuera sa première rétrogradation de l'année jusqu'au 11 février approximativement. Vous sentirez un grand besoin de comprendre la nature plus profonde de votre être. Si votre travail au quotidien est très physique, vous constaterez une hausse étonnante de votre énergie vitale. Toutefois, la machinerie et certains outils de travail pourraient vous faire faux bond à un très mauvais moment. En revanche, si vous œuvrez dans le domaine de l'ingénierie des systèmes, de la médecine, de la police ou de l'armée, vous ferez des découvertes importantes. Ou bien, vous vous inscrirez à un programme de mise en forme qui sortira des sentiers battus. Évitez surtout de pratiquer des sports extrêmes, ce mois-ci ; si vous le faites, redoublez votre prudence. Ainsi prévenu, vous échapperez sûrement aux blessures importantes qui prendraient du temps à guérir. Vous allez faire preuve d'une grande discipline pour mener à terme des engagements et des projets qui verront le jour sous peu.

Amour

En aucun cas vous ne devez douter de votre charme. Des changements se produiront et ils ne seront pas sans ajouter une certaine pression sur vous, entre autres parce que la nouvelle flamme vous obligera à changer votre façon de faire et d'agir. Vous vous attarderez à répondre à ses demandes et, chemin faisant, vous vous dépasserez et apprendrez à vous connaître sous un nouveau jour. L'amour est un agent transformateur et vous en ferez bel et bien l'expérience, ce mois-ci ! Vous élargirez votre cercle d'amis et votre vie sociale s'animera vraiment.

Arts

Vous allez récolter le fruit financier d'une de vos idées. Ou bien, vous allez toucher vos droits d'auteur et vous vous étonnerez du succès que vous remportez. De nombreuses possibilités favoriseront votre carrière artistique, et cela, qu'importe le domaine dans lequel vous évoluez – la danse, la mise en scène, la bande dessinée, l'écriture, l'humour ou un métier que vous exercez derrière la scène ! Les agents d'artiste nés sous le signe du Sagittaire découvriront la perle rare. Le facteur succès sera au rendez-vous et vous profiterez pleinement des chances qui se présenteront au cours du déroulement de ce mois important. Ces tout nouveaux projets vous donneront la chance d'améliorer vos talents et vos habiletés artistiques. Vous aurez surtout l'occasion de démontrer votre valeur réelle et vous verrez alors vos efforts largement récompensés. Qui dit mieux ?

Spiritualité

La rétrogradation de Mercure se positionnera dans ce secteur important, ce qui vous obligera à vous introspecter vraiment, à tourner vos pensées vers vous-même pour mieux vous comprendre et saisir les comportements négatifs ou destructeurs qui vous empêchent de réaliser vos rêves.

Carrière

Vous pourriez faire la rencontre d'un futur associé qui partagera les mêmes centres d'intérêt que vous ou qui aura la même vision du futur de l'entreprise. Bien des collègues, patrons, clients et fournisseurs bénéficieront grandement votre apport. Vous discuterez ouvertement avec eux et ils apprécieront votre franchise et vos solutions surtout. Vous aurez toujours une astuce en poche ou en tête, si vous préférez, et vous surprendrez totalement vos interlocuteurs. De plus, ces personnes solliciteront votre aide, vos conseils. Bref, vous jouerez un rôle central auprès d'elles. Le seul fait de participer à des rencontres, des séminaires, des colloques ou des 5 à 7 vous ouvrira la porte à un nouveau champ d'action et d'expertise dont vous n'avez même pas idée. Une ouverture de poste plus prestigieux serait aussi possible et vous ne manquerez pas de postuler pour l'obtenir.

Argent

Vous auriez intérêt à éviter les achats impulsifs et à surveiller de près les dépenses de l'être aimé, d'un enfant ou d'un proche. Ce dernier pourrait avoir besoin d'un coup de pouce matériel après avoir fait de folles dépenses.

Mars

Climat général du mois

Une éclipse solaire se produira le 20 mars. Elle affectera votre quatrième secteur de vie : la maison, les enfants – les jeunes adultes toujours présents sous le toit familial –, la vie domestique. Bref, la maison
subira d'heureuses ou de malheureuses transformations. Par exemple,
si vous êtes heureux qu'un de vos enfants quitte la maison pour aller
vivre sa vie, vous le prendrez bien; si, au contraire, vous voyez cela
comme une finalité trop vite arrivée, vous souffrirez beaucoup de son
départ. Ou bien, vous vous éclipserez de la maison pendant quelques
semaines pour aller vous faire bronzer sous le soleil des tropiques.
Sinon, la vie domestique telle que vous l'avez connue jusqu'ici pourrait
prendre fin à cause d'une séparation, d'un déménagement volontaire
ou occasionné par un « act of God » – une catastrophe naturelle. En
fait, une éclipse a pour premier but d'éliminer ce qui n'a plus sa raison
d'être, que nous en soyons conscients ou non. Il s'agit souvent d'une
chance déguisée qui se cache derrière le masque d'une catastrophe,
d'une finalité ou d'une épreuve de vie.

Amour

Vous ferez la rencontre de gens qui n'entendront pas toujours à rire et
vous allez devoir restreindre votre élan parfois un peu fou qui aime ri-
goler et se moquer des travers des autres. Il pourrait s'agir d'un nouvel
amoureux qui vous rebiffera à cause, justement, de sa froideur émotionnelle. Vous pourriez même lui poser un lapin à la toute dernière minute. Ou bien, vous allez vivre une relation éclair avec un personnage
haut en couleur et riche à craquer. Les augures sont encourageants,
mais en période d'éclipse lunaire, les rencontres amoureuses ne durent
pas vraiment. Ainsi prévenu, vous serez moins sujet à prendre les
choses trop au sérieux. Cela dit, si vous formez un couple, vous célébrerez sans doute un heureux événement au cours de ce mois. Il pourrait s'agir de fiançailles, d'un mariage, de l'annonce d'une grossesse ou
de la venue au monde d'un joli poupon.

Arts

Vous rêverez d'ailleurs et de vastes étendues pour alimenter votre inspiration artistique. Si vous en avez les moyens, vous parcourrez des

lieux étrangers chargés d'histoire à raconter pour vos lecteurs ou vos admirateurs. Quoi qu'il en soit, vous ne resterez pas stoïque devant les pages blanches qui se présenteront à vous, ce mois-ci. Vos qualités d'interprète enchanteront bien des connaisseurs. Vous pourriez vous adonner à une nouvelle manière de créer, de produire ou de réaliser vos projets ou idées artistiques. Il semble qu'une lecture marquante jouera ce rôle important dans votre vie.

Spiritualité

Votre grand cœur qui a toujours la main fourrée dans sa poche pour donner au plus démuni vous apportera des chances et des grâces nouvelles.

Carrière

Malgré certains doutes émis par un personnage qui détient les rênes du pouvoir au bureau, vous vous tiendrez debout et prêt à rendre les comptes exigés. Ensuite, vous irez vaquer à vos occupations et sans jamais perdre de vue que ce décideur ou patron ne mérite pas votre confiance. Cela étant dit, vous pourriez compter sur le soutien indéfectible de vos collaborateurs, associés, clients, fournisseurs, bras droits ou collègues. Les liens de complicité et d'entraide que vous développerez avec ces personnes vous assureront un beau succès. Vous connaîtrez une progression constante, mais vous allez devoir fournir les efforts nécessaires. Des changements organisationnels se mettront en place et il vous faudra composer avec une nouvelle procédure, et pas toujours claire à suivre, soit dit en passant. En somme, à cause de l'éclipse solaire, l'entreprise subira plusieurs changements importants. Une implantation informatique serait possible.

Argent

Vous allez recevoir des conseils pratiques pour bien gérer vos finances. Vous pourriez même décider de réorganiser au grand complet vos placements ou vous ferez une demande de prêt qui vous sera accordé.

Avril

Climat général du mois

Une éclipse lunaire se produira le 4 avril. Vous apprendrez bien des choses qui vous surprendront vraiment de la part de vos patrons, associés, clients ou fournisseurs et même de vos compétiteurs. Des vérités s'étaleront au grand jour et vous irez de surprise en surprise. Sinon, un nouveau travail vous permettra d'acquérir des connaissances et vous apprécierez grandement ce retournement de situation. Dans un autre ordre d'idées, vous auriez intérêt à consacrer du temps à vos loisirs et à vos passions. Vous assureriez ainsi l'équilibre dans votre vie. Les sportifs professionnels sauront se mettre en valeur ou démontrer leur valeur sportive, leurs grandes capacités physiques et mentales. Bref, vous assurerez pour plusieurs années à venir votre présence au sein de l'équipe.

Amour

Voici un mois où vous serez en mesure de construire votre vie de couple sur des bases plus solides. La nouvelle lune fera rayonner ce secteur important et vous pourriez, par exemple, faire une rencontre amoureuse marquante, significative. Vous obtiendrez le soutien et tout l'amour que vous méritez de la part de vos proches, de vos amis et de l'être aimé. Vous serez le premier surpris de voir autant d'amour dans les yeux de ces personnes. Si vous êtes célibataire, vous connaîtrez des instants inoubliables avec un nouvel élu.

Arts

Vous aurez la chance de mettre la main sur le pot d'or. En somme, vos projets artistiques rapporteront gros. Cette importante somme d'argent vous procurera surtout la liberté de créer, de produire ce que vous aimez vraiment sans devoir faire de détestables compromis. Vous n'aurez donc plus besoin de « vendre votre âme au diable », comme vous l'avez fait trop souvent, pour avoir le droit de gagner votre pain quotidien. Appréciez à sa juste mesure ce luxe que peu d'artistes sont en mesure de se voir offrir ! Vous consacrerez toute votre énergie à générer des idées ou des concepts qui vous mèneront loin sur le sentier de la réussite. Par contre, un bailleur de fonds risque de se désister en début de mois. Après le 15 avril, un nouvel appui financier va sans doute se présenter.

Spiritualité
Vous chercherez à donner un sens profond ou une direction plus claire à votre vie et vous réussirez ce tour de force.

Carrière
C'est dans ce secteur important que se produira l'éclipse lunaire au début de ce mois printanier, et comme on y a fait allusion dans la section *Climat général du mois*, vous verrez des situations, projets ou plans de match prendre une tournure intéressante. Vous pourrez élargir votre champ de compétence grâce au départ d'un patron, d'un associé ou d'un collègue. Oui, il arrive souvent en période d'éclipse lunaire que le malheur des uns fasse le bonheur des autres ! En fait, le malheur des uns est peut-être une chance déguisée qui s'organise pour transformer la destinée de ces personnes, parce que leur destin les appelle justement ailleurs et que vous avez été choisi pour remplir ce rôle, et cela, qu'ils aient été jugés compétents ou pas par la haute direction. Ou bien, une personne prendra un congé de maladie et vous serez désigné pour la remplacer. Si vous êtes en poste depuis des années, vous prendrez peut-être votre retraite, ou vous y pensez, mais vous attendez la bonne prime ou l'entente de départ avantageuse pour réaliser ce beau projet. Au pire, vous avez perdu votre emploi et vous cherchez du travail. Vous trouverez très exactement le poste qui vous convient.

Argent
Vous connaîtrez une hausse significative de vos revenus. Ou bien, vous dénicherez un emploi qui vous offrira de meilleures conditions salariales. Le choix universitaire ou collégial d'un enfant, plus particulièrement, vous poussera à avoir une bonne conversation avec votre directeur de banque. Ou alors, cet enfant décidera de son propre chef d'aller sur le marché du travail à temps partiel.

Mai

Climat général du mois

La deuxième rétrogradation de Mercure se produira ce mois-ci. À partir du 11 mai, le beau Mercure se mettra à reculer – bien sûr qu'il s'agit d'une illusion d'optique d'un point de vue scientifique, mais pour l'astrologie, ce qui se passe dans le ciel est bien réel en matière symbolique. Cette planète agira de manière à vous rendre moins tolérant et plus guerrier dans vos communications avec les autres. En fait, lorsque vous déciderez que vous avez raison, rien ne réussira plus à vous convaincre du contraire. Mais voilà... « avoir raison » n'est qu'une question de point de vue et, tout comme Mercure ne rétrograde pas vraiment, qu'il s'agit en réalité d'une illusion d'optique, votre « optique » ou votre attachement à avoir raison subira lui aussi un dérèglement puisqu'il tournera à l'envers ! Donc, votre conseil du mois serait de ne pas livrer bataille, car vous êtes trop attaché à votre seul point de vue. Lâchez prise... Laissez l'autre avoir raison et rire dans sa barbe. Ensuite, observez bien dans quel état vous vous retrouvez. Vous ferez alors une grande percée lumineuse qui transformera à jamais votre vision du fameux « j'ai raison... tu as nécessairement tort » !

Amour

Vous utiliserez au mieux votre énergie sexuelle et vous expérimenterez un bel équilibre amoureux. Avis aux célibataires : vous devriez éviter de vous baser sur les apparences et plutôt porter toute votre attention sur les traits de caractère susceptibles d'être compatibles avec les vôtres. Aussi, un comportement trop machiste risque de vous nuire lorsque vous irez à la rencontre d'une nouvelle flamme, ce mois-ci. Si vous formez un couple heureux, vous donnerez le meilleur de vous-même. Vous mettrez l'accent sur l'engagement parce que, justement, vous avez CHOISI de mener une vie de couple heureuse et enrichissante. En revanche, un ami pourrait se retrouver assis entre deux chaises et ne plus être en mesure de faire un choix éclairé. Vous allez devoir lui demander de CHOISIR au lieu de se complaire dans le mensonge et la supercherie. L'authenticité est une affaire d'honneur et de respect. Autrement dit, s'il n'est pas authentique dans ses amours, le sera-t-il dans ses amitiés ? Plusieurs cocus vous jureraient que non, mais c'est à vous de voir...

Arts

Vous allez essayer de créer un climat d'harmonie entre vos collègues ou vos associés en création. Ils ne s'entendront pas et vous vous démènerez pour qu'ils arrivent à travailler ensemble. Toutefois, comme j'aime à le dire : « On peut amener un cheval jusqu'à la rivière, mais on ne peut pas le forcer à boire ! » Vous ne devrez pas vous laisser décourager par les drôles de tournures qu'empruntera votre destin artistique. Il semble aussi qu'un changement se produira par l'intermédiaire d'une grosse boîte de production qui dira non à votre projet pour ensuite se raviser. Voyez que tous les cas de figure sont ici possibles ! Ce que vous devez retenir est que toutes ces péripéties vous permettront surtout de vous associer avec de nouvelles personnes plus susceptibles de faire avancer votre carrière artistique.

Spiritualité

Lorsqu'il y a obligation de prendre des décisions, mais que la peur de ne pas savoir comment les choses tourneront fait hésiter, il n'y a qu'à faire appel aux forces supérieures pour demander de l'aide!

Carrière

Vous vous adapterez plus facilement aux situations rocambolesques qui risquent de se produire au bureau. C'est souvent ainsi lorsque la planète Mercure rétrograde ! Toutefois, le temps est venu pour vous de développer vos attributs sociaux ou de faire appel à votre réseau social pour faire avancer vos projets, idées ou plans de match. Ensuite, vous verrez que les choses se mettront en place plus facilement que si vous aviez tout fait par vous-même. Il faut parfois s'en remettre aux autres, déléguer ou faire appel à eux pour atteindre le succès.

Argent

Certaines expériences passées vous permettent maintenant d'être mieux armé et de mieux vous protéger lorsqu'il s'agit de questions d'argent. C'est tout à votre avantage.

Juin

Climat général du mois

La planète Mercure continuera sa rétrogradation jusqu'au 13 juin et vous aurez souvent l'impression que vos associés, collaborateurs, clients ou patrons vous mettent le couteau sur la gorge pour obtenir ce qu'ils veulent. Vous n'apprécierez pas tellement leur manière de faire, mais vous n'y pourrez pas grand-chose si ce n'est d'élever votre niveau de compréhension pour mieux les servir. Pas toujours facile la vie de travailleur ! Autour du 20 juin, vous constaterez combien l'énergie a changé et que les rapports sont plus respectueux. Un ami de longue date, ou plus âgé selon Saturne, agira de manière tout à fait incompréhensible. Il se plaindra souvent que son mariage est ennuyeux, qu'il souffre d'un manque d'attention ou que sa vie semble n'aller nulle part. Dans un autre ordre d'idées, les situations tourneront au positif naturellement. Ne vous en étonnez pas. Profitez bien de ce temps béni !

Amour

Si vous sentiez que le moment est venu de déménager, vous n'hésiteriez pas à faire les démarches nécessaires. Si vous pensez vendre, attendez après le 20 juin pour tout mettre en branle et passer à l'action. Plusieurs belles options s'offriront à vous ou à vous deux, si vous formez un couple. Les effets de la planète Mercure, qui rétrogradera jusqu'au 13 juin, se feront sentir sur le plan émotionnel en ce sens que des souvenirs désagréables vous reviendront à la mémoire. Des circonstances malheureuses liées à un passé récent – les petits deuils obligatoires de l'année dernière, peut-être, ruptures et coupures amicales ou autres – ont tout de même laissé leurs traces. Le but de la planète Mercure, en ressassant ainsi tous ces souvenirs, est de vous inviter à faire le ménage ou à pardonner pour passer à autre chose. À cet effet, vous pourriez vous offrir une séance d'hypnothérapie, ou choisir une autre approche à votre convenance. L'important est de vous défaire de ces vieilles rancœurs ou de nœuds émotionnels qui n'ont plus leur raison d'être et qui vous enchaînent à un passé déjà révolu, qui n'existe plus dans le moment présent, sauf dans votre cœur et dans votre tête.

Arts

Vous maîtriserez bien votre savoir-faire artistique, quel que soit le domaine dans lequel vous évoluez : écriture, chant, animation, théâtre, journalisme, production, mise en scène, film, conte, humour. Vous vous démarquerez grâce à votre originalité et à votre approche unique et géniale. Vous endosserez un nouveau rôle avec une force intérieure magistrale. De plus, votre créativité vous propulsera vers de nouveaux sommets.

Spiritualité

Vous allez faire preuve d'une grande maturité intérieure. Vous ressentirez intérieurement que Dieu existe et que la vie avec un grand V fait bien les choses. Cette assurance vous donnera des ailes, cher Sagittaire !

Carrière

Vous aurez la chance de vous consacrer à vos projets et de bien les mener à terme. Les activités ou projets qui verront le jour auront une incidence sur vos finances. Étudiez attentivement la question avant de vous embarquer définitivement : vous devez savoir très exactement de quoi il retourne pour éviter les mauvaises surprises en cours de route. Vous avez de belles compétences et elles se traduisent par un grand savoir-faire. Certains parmi vous ont subi dans les dernières années une sorte de reconversion professionnelle, artistique, d'affaires ou politique, et cela, bien malgré eux. Voilà qu'enfin vous recevrez une offre d'emploi qui répondra parfaitement à votre expertise passée et présente. Vous vous étonnerez devant les jeux de la vie !

Argent

Un fort sentiment d'insécurité vous poussera à tout amasser. La moindre dépense se transformera en stress... Posez-vous surtout la question suivante : cette dépense sert-elle mes intérêts ? Si la réponse s'avérait être oui, donnez-vous la permission d'acheter ce dont il est question. Vous regretteriez plus tard d'avoir répondu à votre sentiment d'insécurité plutôt qu'à vos besoins.

Juillet

Climat général du mois

Nous voilà déjà au mois de juillet ! Une deuxième pleine lune brillera ce mois-ci. À ce sujet, je vous ai préparé une petite mise en scène de mon cru – un rituel plutôt amusant à mettre en pratique. Vous le trouverez dans la section *Alerte astrale importante pour le mois de juillet 2015*. La pleine lune du 31 juillet, la lune bleue selon les Amérindiens, se produira dans la constellation du Capricorne (sa position est basée sur les indications de l'astronomie) et elle se retrouvera prise en sandwich entre les planètes Pluton et Neptune. Cela signifie en gros que la force qui vous pousse à vous accomplir, à vous transformer dans un domaine en particulier comme celui de l'amour, la spiritualité ou le développement personnel, la profession, l'art, les affaires ou la politique et la matérialité est nécessaire et d'une certaine manière… curative. Pluton vous incitera à suivre votre propre chemin, votre propre vision des choses, alors que Neptune vous amènera à tenir compte des autres. Vous aussi, vous vous sentirez pris en sandwich entre ces deux forces opposées par moments durant le déroulement de ce mois important.

Amour

Une histoire d'amour que vous vivez en secret pour mille raisons possibles (par exemple, vous êtes marié, l'élu est indisponible ou vous refusez de vous engager formellement) vous pèse, vous tracasse. Ou bien, l'être aimé ne tient pas ses promesses et vous vous sentez abusé ou utilisé. Par ailleurs, vous pourriez dépenser toutes vos économies ou faire des folies pour garder un amoureux. Le but ici est de vous prévenir, de vous faire voir les pièges possibles, pas de vous faire peur. D'ailleurs, ce ne sont pas TOUS les Sagittaire qui sont sujets à vivre de tels événements, je m'adresse en fait aux plus mal lunés d'entre eux. Vous devez absolument éviter de boire à outrance, de succomber aux relations sexuelles faciles, de jouer compulsivement ou d'abuser de drogues ou de médicaments. Vous pourriez vous retrouver dans de bien mauvais draps, dans le sens où votre santé risquerait d'en être dangereusement affectée. Ainsi prévenu, vous pourrez agir en conséquence et vous éviter une hospitalisation ou une incarcération, selon le cas et la gravité des interférences envoyées par les planètes Pluton et Neptune.

Arts

Une effervescence créatrice vous animera durant tout ce mois important. Toutefois, ce bel élan créatif vous amènera à vous battre contre certaines personnes incapables de voir plus loin que le bout de leur nez. Vos œuvres exerceront un attrait particulier. Les intéressés, et il y en aura plusieurs, se sentiront interpellés par ce qui se dégagera de vos tableaux, de votre musique, de vos écrits ou de votre pièce de théâtre. Plusieurs Sagittaire reprendront un projet artistique pour l'amener plus haut et plus loin. De plus, vous ne serez pas en mesure de taire votre besoin de créer, de produire ou de réaliser des projets. Un retour aux sources serait aussi possible ! Un nouveau projet artistique verra le jour et vous serez entouré d'une équipe assez importante pour le mener à terme.

Spiritualité

La charge émotionnelle léguée par un parent pourrait nécessiter une consultation en psychothérapie, en psychanalyse ou en hypnothérapie.

Carrière

Il va y avoir plusieurs apprentissages : des formations, initiations ou stages nécessaires à la bonne marche du département, de l'entreprise ou des projets en développement. Vous voulez réussir, vous élever socialement, professionnellement, artistiquement ou politiquement et vous allez monter des échelons, recevoir un grade (si vous œuvrez dans le domaine de la police ou de l'armée). Vous vous montrerez digne de confiance.

Argent

Vous allez réaliser qu'il y a beaucoup de gaspillage au bureau. Un de vos plans d'action pourrait se retrouver sur la glace pour un temps. Il apparaît qu'un manque de fonds ou qu'une mauvaise planification du budget y est pour quelque chose.

Août

Climat général du mois

Quel beau mois pour prendre des vacances, vous envoler vers l'étranger et découvrir un nouveau pays, une nouvelle culture! C'est vous qui êtes, de tous les signes du zodiaque, le plus reconnu pour être un grand voyageur ou un grand amoureux des voyages. Vous pourriez même décider de partir sur un coup de tête avec l'être aimé qui, soit dit en passant, ne vous suivra pas toujours sur ce terrain-là ! Donc, vous risquez de vous retrouver seul à prendre une telle décision et votre partenaire de vie hochera la tête lorsque vous lui annoncerez votre intention de partir vous ressourcer en pays étranger. Si rien de tout cela ne vous concerne, vous vous montrerez parfois fanatique lorsque vous émettrez vos opinions ou ferez valoir vos points de vue. Inutile de préciser qu'un tel entêtement à vouloir imposer vos raisonnements (qu'ils soient justes et vrais ou questionnables) entraînerait des conflits et des mésententes importantes. Vous verrez s'ajouter des responsabilités que vous vous féliciterez d'avoir acceptées.

Amour

Diverses activités amoureuses et familiales intéressantes se produiront, ce mois-ci. La maison se remplira à la moindre invitation de votre part. Un nouvel amour s'annonce gratifiant et vous passerez ensemble plusieurs moments agréables. Vous pourriez rencontrer un amoureux provenant d'une autre culture ou qui est de souche québécoise, mais qui habite un pays étranger pour l'instant. Chose certaine, cet amour «longue distance» n'aura rien de banal. Si rien de tout cela ne vous concerne, vous pourriez vivre un amour qui traversera le temps.

Arts

Vous accroîtrez le champ de vos compétences artistiques par l'entremise d'un nouveau projet, concept ou création. Vous apprendrez bien des choses utiles : une manière de développer les projets, d'écrire ou de produire des œuvres. Ce savoir vous donnera des ailes en quelque sorte. L'action ne manquera pas dans ce secteur important, ce mois-ci. Il appert qu'une personnalité connue et très appréciée du grand public fera appel à vous. Ou bien, quelqu'un vous communiquera une information de taille concernant votre avenir artistique. Si vous deviez pas-

ser une audition autour du 8 août, les personnes chargées de trouver
«le» candidat ne sauront pas elles-mêmes ce qu'elles recherchent et
vous le sentirez fortement lors de la rencontre. Donnez le meilleur de
vous-même et vous serez choisi, nul doute là-dessus ! Les écrivains, plus
particulièrement, doivent s'attendre à être publiés, si, bien sûr, l'œuvre
est accomplie et que vos démarches en ce sens ont été entreprises depuis quelque temps. Vous pourriez alors recevoir une bonne nouvelle à
cet égard autour du 14 août, jour de nouvelle lune. Votre livre pourrait
même être publié en France, en Angleterre ou aux États-Unis...

Spiritualité
Vous pourriez recevoir une initiation spirituelle, en développement personnel ou chamanique. Ou alors une lecture inspirante et éclairante
vous dégagera d'une souffrance ou d'un mal-être important.

Carrière
Si vous êtes importateur ou exportateur, vous pourriez conclure une entente d'affaires avec un pays étranger. Seulement, ce pays est peut-être
en guerre ou la situation sociale a atteint une phase critique et dange-
reuse là-bas. Si vous devez vous déplacer en personne, reportez votre
voyage. Si vous n'aviez pas le choix (nous imaginons toujours les scéna-
rios possibles), assurez-vous d'être accompagné en tout temps par un
garde du corps ou des personnes de confiance. Je n'aime pas vraiment
le carré que formera la planète Mars avec la planète Saturne. Dans un
tout autre ordre d'idées, les Sagittaire qui ne se sentent pas concernés
par ces dernières prédictions pourront parfaire leurs connaissances et
leurs compétences, ce mois-ci. De plus, vous aurez la chance de découvrir de nouveaux champs d'intérêt professionnel, artistique, d'affaires
ou politique grâce à des tournures du destin qui sortiront de l'ordinaire.

Argent
À partir du moment où quelqu'un insistera pour vous emprunter une
grosse somme d'argent, dites-vous bien qu'il y a anguille sous roche !

Septembre

Climat général du mois

Vous trouverez le courage, la force et l'énergie nécessaires pour aider les autres en ce mois où deux éclipses importantes activeront le grand zodiaque. En effet, une éclipse lunaire totale se produira le 28 septembre, tandis qu'une éclipse solaire partielle aura lieu le 13 septembre. Le secteur des communications, de la manière de penser, de vos frères et sœurs et de vos voisins sera particulièrement brassé au fil du mois. Ceux-ci vivront des moments intenses – renversements de situation, changements de vie aussi soudains qu'inattendus. Vous les réconforterez sans aucun doute, mais avec un trémolo dans le fond de la gorge. L'un d'eux pourrait même subir un accident et se retrouver alité pour un temps. Cela dit, votre force d'action sera puissante étant donné que Mars s'agitera dans votre ciel astral. Vous aurez donc la chance de diriger des projets d'envergure ; d'aventure en aventure, vous apprendrez beaucoup sur vos aptitudes et compétences. Cependant, méfiez-vous de toute action impulsive ou des décisions prises sur un coup de tête. Au volant de votre voiture, apprenez à vous calmer, puisque vous serez porté à « voir rouge » et qu'une de vos impatiences pourrait vous conduire directement au poste de police.

Amour

Ici aussi, dans ce secteur important, vous serez porté à voir rouge, à vous emporter facilement, à élever le ton. Alors, l'être aimé se figera et s'éloignera de vous. Il n'est jamais si facile de se contenir lorsque des éclipses activent leurs rayonnements. Si vous êtes à la recherche de l'être qui fera palpiter votre cœur, votre esprit et votre âme, vous allez faire une rencontre amoureuse inusitée et conforme à vos aspirations. Et dans un même souffle, vous pourriez devoir renoncer à une relation ou voir s'éloigner un amour qui vous causait du chagrin. Cet amour pourrait s'éclipser pour laisser la place à cette relation nouvelle. Vous aurez alors l'étrange sensation d'aimer de nouveau et de devoir faire le deuil tout à la fois de l'autre relation.

Arts

Vous préférerez de loin vous « éclipser » pour créer dans la solitude ou plus en retrait. Les activités artistiques iront au ralenti à partir du 10 septembre approximativement. Ensuite, autour du 17, vous prendrez une vitesse de croisière plus rapide. Voici donc un mois idéal pour commencer à réfléchir sur ce que vous aimeriez mettre de l'avant pour le reste de l'année à venir. L'expression artistique passera par l'écriture et les jeux de scène ; les humoristes, comédiens ou acteurs seront particulièrement favorisés. Cela dit, vous pourriez remporter un prix prestigieux, une reconnaissance publique ou une récompense artistique bien méritée au cours de ce mois.

Spiritualité

Vous irez chercher de l'aide en joignant un groupe d'entraide aux endeuillés si, bien sûr, vous traversez actuellement ce genre d'épreuve. Ou bien, vous avez acquis une grande maturité intérieure depuis que vous avez subi une sorte d'accouchement spirituel. Faites-en profiter les autres.

Carrière

Vous verrez tellement plus loin que le bout de votre nez et demeurerez pragmatique en tout temps. Le secteur professionnel sera grandement favorisé, ce mois-ci. À tel point que vous mettrez de l'avant vos compétences et votre expertise sans que personne réussisse à remettre en doute votre savoir-faire. D'ailleurs, vous vous démarquerez des autres employés ou collègues par vos qualités de commandement et votre pouvoir décisionnel. En plus, vous vous montrerez aussi direct qu'efficace et votre coaching sera très sollicité et apprécié, ce qui n'est pas rien. Vous vous sentirez porté par un pouvoir d'action qui vous étonnera par moments ! Une situation pour le moins intolérable sera résolue.

Argent

Vous dépenserez plus d'argent que vous ne l'auriez souhaité. Qu'à cela ne tienne, les nouveaux projets qui débloqueront bientôt vous permettront de vous refaire une excellente santé matérielle. Vous aurez donc le loisir de vous réjouir et de saluer votre chance.

Octobre

Climat général du mois

Mercure continuera sa troisième rétrogradation de l'année jusqu'au 11 octobre approximativement. Les amis, les groupes de gens rencontrés lors d'un événement X, Y ou Z seront particulièrement bousculés. Par exemple, leurs souhaits, leurs rêves ou leurs espoirs pourraient s'envoler et c'est la mine basse qu'ils viendront se réfugier dans vos bras. Bref, vous serez souvent en train de consoler les uns et les autres, de leur remonter le moral ou de leur offrir votre soutien, votre aide ou votre compassion sincère. Heureusement, cela ne durera pas si longtemps, puisqu'une semaine après le 11, vous sentirez l'énergie négative se transformer comme par magie. Ensuite, vous entendrez de la bouche même de ces personnes – tellement affligées il n'y a pas si longtemps – la bonne parole. Les émotions, qu'elles soient positives ou négatives, s'attrapent tel un bon rhume et lorsqu'elles exprimeront leur nouvelle énergie plus positive, vous n'en reviendrez tout simplement pas. C'est souvent ainsi lorsqu'il s'est produit une rétrogradation de la planète Mercure : les gens se ressaisissent après avoir appris leur leçon ou compris ce qui les faisait souffrir et qui les tirait vers le bas !

Amour

La nouvelle lune qui aura lieu le 13 octobre ouvrira la porte à d'intéressantes possibilités amoureuses. Elles vont même se présenter sans que vous ayez à lever le petit doigt, c'est tout dire ! Cependant, un nouvel élu testera vos réactions. Alors, si vous avanciez que vous n'êtes pas quelqu'un de jaloux, vous risquez de passer un test qui permettra à cette personne de bien voir si vous avez dit vrai. Ainsi prévenu, vous possédez l'atout de l'authenticité. Vous réduirez un peu votre train de vie pour vous consacrer à l'être aimé, à vos enfants, à vos amis et à vos proches parents. Dans un autre ordre d'idées, vous pourriez décider d'entreprendre de grosses rénovations et elles rendront vos enfants et la personne qui partage votre vie plus irritables ou moins conciliants que d'habitude. Bref, vous allez devoir vous ajuster.

Arts

Si vous souhaitez jeter un premier jet sur le papier blanc qui repose depuis des lustres sur votre table de travail, ce mois est idéal pour « oser ».

Si vous êtes un musicien, auteur, compositeur ou chanteur, vos écrits ou votre voix vous donneront une chance de vous faire remarquer. D'ailleurs, le public appréciera votre haut niveau de créativité. Votre force créatrice se déploiera et vous n'aurez plus qu'à laisser parler vos inspirations tout à fait originales. Elles auront surtout beaucoup de potentiel. Une idée géniale, notamment, vous permettra d'explorer plusieurs possibilités artistiques. Par exemple, votre roman sera porteur d'une fameuse idée originale qui pourrait facilement se retrouver sur le grand écran. Donc, plusieurs autres projets découleront de l'œuvre. Bien sûr qu'autour du 13 octobre, les bonnes nouvelles afflueront. Vous développerez de nouveaux marchés étrangers avec une facilité désarmante.

Spiritualité

Vous rayonnerez une grande profondeur d'esprit ou, si vous préférez, une belle sensibilité intellectuelle et émotionnelle.

Carrière

Plusieurs Sagittaire se demandent si leur carrière actuelle remplit bien leurs désirs et leurs besoins. Vous vous questionnerez surtout sur certains faits passés où vous vous êtes senti utilisé ou abusé, peu importe la manière. Si cela ne vous concerne pas, vous serez témoin de certaines irrégularités ou injustices de la part de l'entreprise à l'endroit de quelqu'un de bien. Cela dit, vous pouvez être assuré que la nouvelle lune du 13 octobre vous mettra en mouvement pour rétablir et faire évoluer votre statut professionnel. Une fenêtre s'ouvrira sur votre vie et vous pourrez prendre un nouvel envol.

Argent

Vous allez démontrer votre valeur salariale, mais vous deviendrez plus émotif lorsque vous négocierez le salaire mérité. Si vous le pouvez, attendez après le 13 octobre pour emprunter de grosses sommes d'argent qui serviraient à faire évoluer vos transactions d'affaires.

Novembre

Climat général du mois

Ce mois merveilleux vous permettra d'établir votre réputation ici et ailleurs à l'étranger, de faire bonne figure et de démontrer de quel bois vous vous chauffez. Bref, vous impressionnerez un bon nombre de personnes haut placées. Les secteurs les plus favorisés seront les communications et les échanges, ainsi que le secteur social, la carrière et l'argent. Vous n'avez qu'à suivre votre bonne étoile, elle vous guidera parfaitement et c'est peu dire ! Bien entendu, vous ne serez pas à l'abri d'une sorte de dramatisation de la part de certains proches et amis, mais vous serez si transporté par vos chances et merveilleux coups du destin que vous prendrez tout cela avec un grain de sel. Cela dit, un problème familial pourrait vous sauter au visage et vous faire sursauter comme s'il s'agissait d'une boîte à surprise qui s'ouvre soudainement pour laisser apparaître un clown qui se dandine sur un ressort! Sur le coup, vous ne saurez pas trop si vous devez en rire ou en pleurer. Ensuite, vous prendrez le pouls de la situation et pourrez agir en conséquence.

Amour

La relation amoureuse sera plus facile à harmoniser, à stabiliser. En fait, vous prendrez les choses comme elles viennent sans chercher à tout contrôler. De toute façon, plus vous vous acharnerez et moins vous obtiendrez l'objet de votre désir. Ainsi prévenu... Les études ou retour aux études, les stages de perfectionnement et l'achèvement de tout ce qui est en suspens seront particulièrement favorisés : pas juste les vôtres, mais ceux de vos enfants ou de votre conjoint aussi.

Arts

Plusieurs scènes à l'international vous lanceront des invitations à vous produire, à réaliser ou à développer des projets d'envergure et qui s'avéreront payants par-dessus le marché. Quel mois! Donc, vous courez la chance d'établir des relations internationales, de vous associer avec des publications ou des maisons d'édition ou de production qui accepteront tout document écrit (scénario de film y compris) que vous présenterez à qui de droit, ainsi que des projets artistiques d'un autre ordre et qui connaîtront un grand déploiement entre les mains de personnes compétentes et prolifiques. Qui plus est, vous exprimerez vos talents de manière concrète et habile. Vous pourriez même vous inscrire à l'École des Beaux-Arts pour parfaire votre éducation artistique.

Spiritualité

Si vous n'êtes guère familier avec les énergies, les chakras ou centres d'énergie dans le corps, vous serez sûrement heureux d'en apprendre davantage par l'entremise d'un cours ou d'une formation.

Carrière

La nouvelle lune se produira dans ce secteur important. Tout devient donc possible pour vous ! Soudainement, des portes s'ouvriront, des personnes parleront en votre faveur, des coups de pouce professionnels, d'affaires, artistiques, politiques ou matériels vous faciliteront la vie. Vous compterez vos chances comme jamais auparavant. Vous pourriez même vous envoler vers un pays étranger pour le travail ou pour signer une entente d'affaires lucrative et étonnante. De plus, plusieurs options s'offriront à vous. Cet « embarras du choix », vous le devez au Soleil, cette belle étoile autour de laquelle nous tournoyons. Vous aussi rayonnerez au travail. Vos patrons, collègues, associés, employés, clients, fournisseurs et distributeurs vous encourageront et vous protégeront. Vous vous montrerez très compétitif et forcément déterminé lorsque viendra le temps d'agir et de prendre position. Toutefois, avec Pluton dans le décor, il est toujours préférable de ne pas faire deux choses en même temps lorsqu'on tient le volant. Alors, si vous deviez prendre la route pour aller à la rencontre de tout ce beau monde déjà énuméré plus haut, restez très vigilant.

Argent

La peur de manquer d'argent ne doit pas vous pousser à vous priver au point de ne plus avoir de qualité de vie. Ou bien, à contrario, vous afficherez un sérieux manque de retenue par rapport à vos dépenses. Les deux extrêmes vont se rencontrer chez plusieurs Sagittaire, ce mois-ci.

Décembre

Climat général du mois

Vous qui aimez faire la fête, vous serez bien servi en ce mois de Noël. Premièrement, les invitations pleuvront. Donc, voici un mois idéal pour organiser des soirées entre amis, pour faire la fête, socialiser et vous offrir du bon temps lors des nombreux 5 à 7 auxquels vous serez convié... Le pire qui pourrait arriver lors d'une soirée ou d'une sortie est qu'un ami s'amuse à défier tout le monde et que, d'un commun accord, vous décidiez de l'ignorer le temps qu'il réfléchisse et change d'attitude. Heureusement que le mois de décembre est plus tranquille ; vous pourrez vous la couler plus douce au travail. Toutefois, ceux et celles qui travaillent dans le domaine de la restauration, de l'amusement ou de la vente (boutiques et compagnie) se retrouveront vite débordés. Les clients s'arracheront vos conseils, vos connaissances ou vos produits et services.

Amour

Votre capacité d'enthousiasmer les autres fera un effet bœuf sur un nouveau ou une nouvelle partenaire. L'attachement sera exclusif, ce qui est bien quand on est amoureux. Dans un autre ordre d'idées, la course des événements ou les projets amoureux en cours pourraient être interrompus par plusieurs éléments extérieurs. Vous n'aurez aucun pouvoir sur tout cela. Par exemple, la maladie d'un proche pourrait retarder la date d'un mariage. Ou bien, si vous décidiez de vous marier malgré tout, l'absence de ce proche jetterait une ombre sur ce bel événement. Surveillez bien les préparatifs de votre mariage, l'organisation d'un *shower*, d'un anniversaire de mariage ou autre, ou encore les travaux de rénovation en cours. Vous pourriez vous retrouver avec des fleurs, des ballons ou une céramique jamais commandés, la mauvaise couleur sur vos murs, une décoration ou une porte d'entrée qui laissera à désirer, esthétiquement, et qui n'aura rien à voir avec ce que vous vouliez... Ainsi prévenu, vous savez ce qu'il vous reste à faire !

Arts

Vous pourriez recevoir un prix littéraire ou une reconnaissance artistique d'importance. Vous constaterez avec plaisir que les gens veulent vous entendre, vous lire ou vous voir ; vous allez donc pouvoir faire valoir votre talent dans l'un ou l'autre des secteurs artistiques où vous avez choisi de vous réaliser. Vous possédez toutes les ressources artistiques nécessaires pour vous lancer dans un projet ou dans une nouvelle activité. Quoi qu'il en soit, vous sauterez à pieds joints sur une offre parce que vous sentirez en vous l'obligation d'agir, d'oser, de rayonner.

Spiritualité

Vous vous interrogerez sérieusement sur la vie après la mort. Vous douterez surtout de l'autre côté du voile – tout cela n'est-il qu'une illusion ? Cette question fondamentale ne trouvera sa réponse que si vous y méditez et que vous laissez votre petite voix intérieure, votre intuition, vous enseigner et vous guider.

Carrière

La bénéfique planète Jupiter, votre planète maîtresse qui plus est, se retrouvera dans ce secteur important. Vous finirez donc l'année sur une note extrêmement positive, cher Sagittaire! Vous serez en mesure de vous démarquer, de montrer de quoi vous êtes capable, de faire une forte impression sur un futur employeur; vous obtiendrez sans trop faire d'efforts un poste qui vous ira à ravir. Bref, vous aurez de quoi vous réjouir! Vous goûterez aux joies du succès et de l'abondance professionnelle, artistique, d'affaires ou politique et matérielle. Vos démarches seront couronnées de succès, le contrat tant espéré vous tombera entre les mains, vos espoirs de reconnaissance seront comblés. J'arrête ici pour ne pas avoir l'air d'en mettre trop!

Argent

Il se pourrait que votre employeur décide de mettre sur pied une mégavente pour souligner le temps des fêtes et provoquer un fort achalandage. Eh bien... ça va marcher très fort et vous allez établir un record de ventes. Tant mieux si vous êtes payé à la commission !

CAPRICORNE

DU 23 DÉCEMBRE AU 20 JANVIER

Ses couleurs préférées : Le Capricorne aime les grands classiques que sont le noir et le blanc, le beige, le gris, la couleur taupe ainsi que les couleurs dites de terre, qu'il agencera avec art.

Ses métaux : Le plomb. Il provoque une intoxication aiguë ou chronique : le saturnisme. Cette maladie est ainsi appelée en référence à la planète Saturne, qui est aussi la planète maîtresse du Capricorne, symbole du plomb en alchimie.

Ses pierres de naissance : L'onyx, le jais et le quartz fumé.

Ce que ces pierres symbolisent : L'onyx lui permettra de déjouer les mauvaises ondes de la planète Jupiter lorsqu'elle est en chute dans son signe et, par ricochet, cette pierre lui attirera des chances et d'heureux coups de pouce du destin. Le jais protège contre le mauvais œil. Le quartz fumé incitera le Capricorne, très terre à terre, à prendre conscience de sa dimension spirituelle et à réaliser des projets créatifs.

Les différents aspects de sa personnalité

Le Capricorne est un penseur logique et minutieux capable de philosopher à ses heures. L'agriculture ainsi que les métiers et professions reliés à la médecine, à l'art et à l'administration lui permettront de bien gagner sa vie. L'argent est très important pour le Capricorne parce qu'il a une peur viscérale d'en manquer. Le plus étrange est qu'il n'en manque jamais. S'il ne règle pas cette peur, la vie engendrera des situations de débâcles assez importantes pour lui faire comprendre que même s'il a tout perdu, il s'en est bien sorti ! Quel karma, vous en conviendrez... Cet être est doué pour la méditation et la réflexion. Le Capricorne est capable de vous faire une analyse détaillée et en profondeur d'une situation et du facteur humain qui l'a entraînée. En résumé, les gens qui sont nés sous le signe du Capricorne sont sérieux, traditionalistes, réfléchis et appliqués, et parfois rieurs parce qu'ils ne manquent pas d'humour. Le Capricorne possède un fort sens de la responsabilité ainsi qu'une bonne mémoire qui lui permet d'apprendre et de retenir les enseignements – à moins qu'il ne souffre depuis sa naissance d'un trouble d'attention important.

Le Capricorne est peu communicatif et parfois même renfermé, ce qui ne facilite pas son intégration sociale, amicale et amoureuse. Ne vous y trompez pas : en fait, sa sensibilité est à fleur de peau et il sait se montrer compatissant, attentif et protecteur lorsqu'il aime ou apprécie quelqu'un. La planète Saturne lui confère un fort besoin de permanence et un désir de créer des projets ou des possibilités de gagner sa vie qui dureront dans le temps. Bref, il tient à la longévité de ses créations (incluant sa vie de famille), des gens (lui qui n'a aucun contrôle sur la mort) ou des sentiments (lui qui vénère l'authenticité des sentiments). Il déteste l'immaturité, la superficialité, le manque de sérieux; même s'il apprécie s'amuser et rire, à ses yeux, il y a une place pour rire et une pour agir avec maturité. De plus, il n'aime pas se lancer dans des activités périlleuses, casse-gueule. Les déceptions de la vie le rendent habituellement très méfiant.

Votre compatibilité avec les autres signes

La relation amoureuse avec le Verseau vous apportera beaucoup, puisque ce partenaire agira comme si rien n'était trop beau pour vous! Vous reconnaîtrez dans les yeux du Taureau la passion retenue qui vous étreint et ses bras vous donneront l'assurance que tout est possible. Le Gémeaux est un virtuose de la parole et sa nervosité pourrait venir à bout de votre patience par moments, mais un amour ou une affection sincère vous unit. Le Cancer langoureux et amoureux attendra sur le pas de la porte de votre cœur jusqu'à ce que vous la lui ouvriez.

Quelques Capricorne célèbres

Diane Keaton, James Lebron, Xzibit, Carla Bruni, Mel Gibson, Nicolas Cage, Kate Middleton, Véronique Cloutier, Lara Fabian, Kate Moss, René Angélil, Dan Bigras, Gérard Depardieu, Pitbull, Ricky Martin, Annie Lennox, feu Elvis Presley et Dalida, Jude Law, David Bowie.

L'année 2015 en général

Vous parez toujours à toute éventualité ; c'est votre nature responsable qui veut ça. Cette année plus particulièrement, vous vous montrerez encore plus consciencieux, prévoyant et vous vous donnerez la liberté d'exprimer vos initiatives. La famille continuera d'occuper une grande place dans votre vie. Il s'agit d'une année prolifique pour vos enfants : ils atteindront leurs objectifs ou un but précis. Toutefois, vous pourriez vous montrer possessif à l'égard d'un enfant en particulier étant donné que le lien affectif qui vous unit est très fort. Le détachement ou le lâcher-prise ne sera pas si facile à gérer ou à faire passer dans vos énergies. Cette période de turbulence pourrait se produire autour des mois d'avril ou de mai prochains. Dans un autre ordre d'idées, plusieurs Capricorne vont faire la rencontre d'une personne attentionnée, aimante et dévouée. Vous lui exprimerez vos élans du cœur et vos goûts tout naturellement comme si vous vous étiez déjà connus dans une autre vie. Les couples bien mariés et heureux de l'être stabiliseront encore davantage leur relation. Ou bien, vous sécuriserez votre secteur financier et matériel afin de vous assurer un meilleur avenir, voire une retraite confortable. Parfois, vous devrez apprivoiser avec douceur l'être aimé parce qu'il se sentira vite bousculé. Ainsi prévenu, vous pourrez agir en conséquence.

Les études seront particulièrement favorisées, cette année. Vous pourriez même battre des records en augmentant vos notes de manière très significative, si vous vous en donniez la peine. En ce qui concerne votre carrière professionnelle, artistique, d'affaires ou politique, vous serez très doué pour susciter l'émotion chez les autres et pour nouer des relations qui serviront votre montée vers les succès et la réussite. Vous serez même appelé à jouer un rôle de pionnier dans un domaine particulier; vous pourriez mettre sur pied un département, un nouveau service à la clientèle ou une nouvelle manière d'enseigner, de travailler ou de coacher les autres. Le domaine de la santé et de l'assistance sera particulièrement favorisé – vous aurez une compréhension instinctive de la façon d'aider les autres, de les soigner ou de leur apporter l'assistance technique dont ils auront besoin.

Bonne année et heureuse 2015, chers Capricorne !

Alerte astrale importante pour le mois de juillet 2015

Il va se produire deux pleines lunes durant le mois de juillet. La première aura lieu le 2 juillet et l'autre le 31. La pleine lune du 31 juillet est aussi appelée « lune bleue » et les Amérindiens la vénèrent pour ses forces mystiques et magiques sacrées.

Quelques explications importantes

Le *Farmer's Almanac* est un almanach nord-américain datant du début du XIXe siècle. La définition qu'il donne de la « lune bleue » est la suivante : « Elle se produit lorsque la pleine lune apparaît deux fois dans un même mois. Ces pleines lunes reviennent toutes les 2,6 années, soit 1 année sur 3 approximativement. »

Quelles sont les forces magiques de la « lune bleue » ?

Symbolisme : aussi appelée la «lune du Grand Esprit», la lune bleue permet d'entrer en contact avec des forces toutes-puissantes qui nous accompagneront et nous protégeront. Cette « lune bleue » a aussi le pouvoir de matérialiser nos vœux pour nous faciliter la vie.

La lune bleue ou lune du Grand Esprit

Le Grand Esprit dont elle est porteuse fera lever en nous un grand pouvoir de construire, d'ériger, de bâtir et de développer des projets, des idées, des plans d'action ou des concepts qui dureront dans le temps, et qui nous apporteront le succès et la réussite. Ces prises d'action nous permettront dans un même souffle de nous refaire une santé matérielle, amoureuse, professionnelle, artistique, d'affaires, politique, physique, psychologique et spirituelle.

Rituel à faire le soir de l'apparition de la lune du Grand Esprit

Lorsqu'elle illuminera le ciel le soir du 31 juillet, assoyez-vous paisiblement devant elle en vous assurant d'avoir une feuille de papier sur vos genoux.

Plume à la main (si vous n'en avez pas à votre portée, un crayon fera l'affaire), imaginez que vous trempez le bout de votre plume (crayon) dans la lumière de la lune, en plein centre du grand cercle blanc que forme la « lune bleue », comme si elle était un encrier suspendu dans le ciel.

Inscrivez sur votre feuille votre vœu, votre désir ou ce qu'il vous tient vraiment à cœur d'obtenir. Si vous avez choisi d'utiliser une vraie plume pour faire ce rituel, rien ne s'inscrira sur votre feuille bien évidemment. Le but de ce rituel est de vous amener à établir un contact avec cette puissante force. Mais plus encore, ce rituel a pour but ultime de vous inciter à écrire une « lettre de lumière au Grand Esprit » de manière symbolique.

Cette intention d'écrire ainsi une « lettre de lumière au Grand Esprit » fera en sorte que vous établirez un contact durant ces instants bénis, et que vous allez recevoir pendant le déroulement du rituel ou quelques heures ou jours après votre demande, des visions ou des rêves, des idées, des réponses, des inspirations soudaines qui émergeront de votre for intérieur ainsi que des prises de conscience puissantes capables de vous faire réaliser votre vœu. Chose certaine, ce rituel va transformer votre vie ou vos perceptions concernant l'invisible à tout jamais.

Janvier

Climat général du mois

La pleine lune du 5 janvier enverra de bonnes ondes à la planète Uranus et des occasions nouvelles, inédites et surprenantes vont se présenter. Aussi, la planète Mercure entamera sa première rétrogradation de l'année à partir du 20 janvier, jour de l'arrivée de la nouvelle lune. Donc, vous vous surprendrez souvent à manquer de confiance en vous et pour des raisons futiles. Ou bien vous constaterez, à travers un cours, une formation ou un projet, ce qui vous distingue des autres en bien comme en moins bien. De plus, vous ferez preuve d'ingéniosité. Vous aiderez un parent et vous aurez une percée inattendue et touchante à son endroit. Une semaine avant la rétrogradation de la planète Mercure, vous vous occuperez d'un projet familial important. Aussi, votre planète maîtresse, Saturne, se baladera dans votre onzième secteur de vie, celui des amis, groupes sociaux, sorties et rencontres sociales. À cet effet, vous prendrez votre rôle social et relationnel très au sérieux. Vous recevrez beaucoup de compliments sur votre tenue vestimentaire, votre coiffure ou votre personnalité radieuse, à titre d'exemple. Cela dit, une vieille amitié pourrait chercher à vous contacter par l'entremise de votre réseau social ou professionnel.

Amour

Vous atténuerez votre pouvoir de séduction par choix, ce mois-ci. Un peu comme si vous aviez besoin de calme et de sérénité. Cela n'empêchera pas un nouvel amour de se présenter dans votre vie, mais vous rechercherez surtout de la tendresse. Ce nouvel élu vous apprivoisera avec douceur et patience en évitant de vous bousculer. Puis, cette même personne s'acharnera et se montrera tenace au point de vous faire fuir par la porte côté jardin ! Voyez que vous passerez d'un extrême à l'autre sans trop comprendre ce que la vie tente de vous dire. Prenez tout cela avec un grain de sel, enfin… autant que faire se peut, parce que la rétrogradation de Mercure culbutera bien des têtes et vous ne pourrez qu'observer leurs étranges agissements, leurs dispositions mentales contradictoires. Au pire, vous briserez une relation parce que vous vous sentirez incompris et jugé.

Arts

Si vous enseignez l'art, par exemple le chant, l'humour, le théâtre ou la musique, janvier vous sera particulièrement favorable. Vous pourriez même former un élève surdoué qui vous laissera sans voix bien souvent. Ou bien, vous vous appliquerez à développer des projets, des idées ou des concepts qui sortiront totalement des sentiers battus. Vous pourriez faire la rencontre d'une personne dont les aptitudes vous épateront, mais son caractère invivable ou sa trop grande intensité risquent de vous faire reculer. Cela dit, vous aurez droit à une belle publicité médiatique. Chose certaine, vous ne vous engagerez que si les risques sont calculés.

Spiritualité

Vous vous questionnerez beaucoup sur la vie après la mort ou sur le droit de mourir dans la dignité. De nouvelles réflexions accapareront votre esprit tout naturellement concernant ces sujets importants.

Carrière

La progression de votre carrière se fera par à-coups, épisodiquement. La vitesse de croisière ira au ralenti et cela vous irritera par moments, mais vous ne relâcherez pas vos efforts. En ce sens, votre détermination vous permettra de durer, de tenir bon malgré ce fâcheux ralentissement. Aussi, les voyages d'affaires seront nombreux ou vous voyagerez beaucoup plus pour rencontrer vos clients, des gens d'affaires, des fournisseurs, des producteurs ou des distributeurs. Ou bien, vous allez développer ou prendre en charge un nouveau réseau de personnes. Il y a aussi fort à parier que vous allez devoir vous procurer un passeport, une carte de travail ou que vous allez faire affaire avec un agent de l'immigration pour entrer dans un pays étranger.

Argent

Vous serez plus attaché à vos biens matériels et vous ne lâcheriez pas prise facilement si vous deviez vendre des biens ou vous défaire de certains articles – bijoux, meubles, objets d'art ou autres.

Février

Climat général du mois

Il semble qu'une situation ou un problème à la maison nécessitera votre attention immédiate. Ou bien, une surcharge de travail affectera votre vie de famille. Ainsi, les enfants ou le conjoint vous reprocheront vos absences prolongées. Sinon, vous sentirez clairement, à travers les réactions de vos proches, leurs insatisfactions. Si vous œuvrez dans le domaine de la télé (chef d'antenne, journaliste, caméraman, preneur de son, lecteur de nouvelles, etc.) ou des journaux, une histoire vous obligera à travailler jour et nuit, à vous déplacer sur le terrain pour rendre la nouvelle en direct ou à laisser tomber vos responsabilités ordinaires pour vous consacrer entièrement à cette nouvelle. À cet effet, vous allez recevoir des aides et une assistance technique extraordinaires. Cela dit, la planète Mercure rétrogradera jusqu'au 11 février approximativement et vous pourriez éprouver des problèmes électroniques, technologiques, électriques ou de sons et d'images au cours de vos reportages.

Amour

Un nouveau partenaire vous apportera tout naturellement la richesse et le pouvoir. Seulement, vous pourriez avoir peur d'assumer tout ça au début de vos fréquentations. Sinon, vous vous sentirez mal à l'aise devant les réactions exagérées de vos frères, sœurs et amis. Imaginons que vous fassiez la rencontre d'une artiste connue et que votre sœur est une admiratrice finie de cette personne. Lorsque vous la verrez se pendre à son cou, vous interviendrez pour la calmer. Ceci n'est qu'un exemple parmi tant d'autres possibles ! Si vous formez un couple depuis quelques années déjà, il semble qu'une lutte entre vos deux volontés vous empêchera de vivre l'amour tout simplement. Les complications viendront du fait que vous voulez avoir raison tous les deux et assumer votre autorité. Même les non-dits ne seront pas de tout repos ! Ou bien, vous ne serez pas prêt à sacrifier vos ambitions pour la famille et, bien sûr, cela envenimera la relation. À ce sujet, vous êtes invité à relire la section *Climat général du mois*.

Arts

La planète Vénus, associée à l'Art avec un grand A, se retrouvera dans votre cinquième secteur : vous inventerez sûrement une histoire d'amour qui deviendra un roman, une nouvelle, un film ou une pièce de théâtre. Quoi qu'il en soit, vous allez faire un tabac ! Les critiques vous encenseront, les admirateurs vous feront savoir tout l'amour qu'ils vous portent, etc. Vous aurez surtout l'occasion de vous associer avec des artistes ou artisans talentueux et capables de vous propulser vers de nouveaux sommets.

Spiritualité
Vous développerez et raffinerez votre intuition grâce à des techniques de visualisation ou de méditation uniques.

Carrière
Jusqu'au 11 février approximativement, vous supporterez mal certaines restrictions, spécialement si elles sont imposées par quelqu'un qui en mène large… Ou alors, vous désamorcerez une action secrète engagée par des gens faux et sans scrupules. En ce sens-là, votre intuition sera phénoménale. Cela dit, vous ne serez pas la personne la plus facile à vivre durant ces quelques jours. Vous devrez gérer une certaine agressivité ou impatience qui se manifestera par moments. Il semble que ce sont vos mécanismes de défense mal contrôlés qui éveilleront votre esprit combatif. Entre autres choses, cela pourrait vous conduire à briser des liens professionnels, artistiques, politiques ou d'affaires. Il se pourrait même que votre autorité soit remise en question par votre groupe de travail ou un patron en particulier. Ou bien, la dictature d'un patron vous irritera au plus haut point.

Argent
La nouvelle lune se produira le 18 février et elle vous apportera plusieurs possibilités d'augmenter vos sources de revenus. Montrez-vous prudent dans vos placements d'argent. Autrement dit, assurez-vous de faire appel à des experts en finance avant de transférer vos avoirs dans un nouveau fonds de placement.

Mars

Climat général du mois

Une éclipse solaire se produira le 20 mars. Vous aurez une rare influence sur les événements et les gens, ce mois-ci. Vous saurez bien manœuvrer lorsque vous vous retrouverez sur les eaux troubles relationnelles, professionnelles, artistiques, d'affaires, politiques ou financières. Surtout, vous identifierez plus facilement les facteurs clés à votre réussite. Vous vous figurerez clairement comment les choses doivent être réalisées ou produites. De plus, vous accomplirez ce qui vous tient à cœur, ce qui est important pour vous. N'hésitez pas à planifier des rendez-vous avec vos amis ! Invitez-les à casser la croûte au resto, à un événement culturel ou à une sortie spéciale que vous aimeriez partager avec eux. Réciproquement, vous serez sûrement convié par l'un d'eux à partager une belle soirée ou une fin de semaine de rêve. Bref, vos sorties seront source de joie et les rencontres seront mémorables. Peut-être déciderez-vous de faire le grand ménage dans votre garde-robe pour vous débarrasser de vieux vêtements passés de mode, ce qui est très éclipse solaire.

Amour

Vous allez recevoir plusieurs invitations galantes, ce mois-ci. Il semble qu'une rencontre en particulier accrochera votre cœur. Sinon, les nouvelles personnes que vous rencontrerez seront vibrantes, chaleureuses et sûres d'elles. Ou bien, un nouvel élu se montrera attentif, compréhensif et prêt à s'investir. Il se pourrait aussi que votre partenaire de vie traverse des moments difficiles au travail ; il comptera alors sur votre compréhension. Vous discuterez beaucoup avant d'arriver à une solution satisfaisante. Faites-vous un devoir de ne pas pousser l'être aimé à prendre LA décision que vous aimeriez qu'il prenne… Autrement dit, respectez ses choix même s'ils vous insécurisent. À partir du moment où il se sentira pleinement appuyé dans ses choix, il foncera droit devant sans relâcher ses efforts ou sa détermination. Si c'est trop vous demander, montrez-vous stratégique en lui conseillant de conserver son emploi pendant qu'il en cherche un autre !

Arts

L'effet de l'éclipse solaire éliminera les blocages vécus depuis quelque temps tout naturellement. Cela signifie-t-il que vous vivrez ces changements dans l'harmonie ? Non, bien sûr... Mais au moins, vous pourrez vous réjouir des transformations qui se mettront en place dans votre secteur artistique. Après coup, vous vous sentirez soulagé et en meilleure posture pour remettre l'épaule à la roue et faire avancer vos projets. Vous donnerez un sens à votre travail et canaliserez mieux votre inspiration artistique. Vous devrez vous assurer que vos outils de travail, votre portable par exemple, sont bien entretenus.

Spiritualité

Qu'importe les difficultés, il semble nécessaire que vous affrontiez des aspects cachés reliés à votre passé. Demandez l'aide d'un professionnel, ne vous aventurez pas tout seul sur ce chemin sinueux.

Carrière

Saturne, votre planète maîtresse, visite ce secteur important et vous serez en mesure de vous démarquer. Une nouvelle assignation pourrait vous être offerte et vos nouvelles responsabilités seront exigeantes et parfois lourdes à porter, mais vous vous en sortirez très bien. Saturne vous offrira aussi la possibilité de trouver le moyen d'être mieux organisé ou d'orchestrer votre groupe de travail avec un doigté que vous ignoriez avoir. La planète Uranus, quant à elle, vous incitera à mettre en place une nouvelle méthode de travail, une application technologique de pointe ou un code d'éthique pour développer une nouvelle clientèle. Peut-être aurez-vous la tâche de créer un groupe d'intervention ou une structure administrative plus effective de tous les produits et services de l'entreprise. Chose certaine, vous allez réussir votre mandat haut la main !

Argent

Vos appareils, autrefois à la fine pointe de la technologie, se font de plus en plus désuets, vous auriez donc intérêt à débourser les frais nécessaires pour les mettre au goût du jour.

Avril

Climat général du mois

Une éclipse lunaire totale se produira le 4 avril. Vous éprouverez peut-être des problèmes avec la réservation d'un voyage et pour mille raisons possibles – l'agence de voyages fera faillite, une catastrophe naturelle détruira une partie de l'hôtel où vous aviez réservé ou une erreur de dates invalidera votre billet, ce qui vous obligera à retarder votre départ de quelques jours. Si rien de tout cela ne vous concerne, cette même éclipse vous inclinera à amplifier vos réactions et à exagérer vos emportements ou l'importance de ce qui vous arrive. Ainsi prévenu, vous pourrez mieux calmer vos émotions. Il semble que vous allez devoir transmettre vos connaissances par un discours accessible. L'acquisition d'un diplôme ne sera pas chose aisée, ce mois-ci. Vous allez devoir redoubler d'ardeur et donner tout ce que vous avez dans le ventre pour l'obtenir. De plus, vous négligerez votre corps, que vous fatiguerez par trop d'excès en tout genre. Le but ici est de vous prévenir pour vous faire prendre conscience des dangers potentiels.

Amour

Ce mois mettra l'accent sur vos amours. Vous pourriez donc faire une rencontre importante. L'éclipse réactivera une sorte d'inassouvissement inconscient qui vous fait fuir l'amour. Ou bien, elle réactivera une blessure amoureuse vécue il y a longtemps et que vous n'arrivez pas à oublier. À ce sujet, vous serez donc appelé à régler cette blessure pour faire la place à l'amour de nouveau. Sinon, vous prendrez conscience de vos démesures lorsque vous voyez trop grand, que vous vous exaltez trop rapidement sans avoir pris le temps de bien connaître la nouvelle flamme venue dans votre vie.

Arts

La publicité que vous comptiez recevoir pour la sortie de votre livre, CD ou pièce de théâtre pourrait faire défaut ou connaître certains ratés. Cependant, l'un de ces ratés se révélera être une chance déguisée, un coup de pouce inespéré de la vie… ce qui est très éclipse lunaire totale ! Vous vous appliquerez pour que tout soit parfait, puis boom !, l'éclipse provoquera une situation imparfaite et totalement imprévue qui s'avérera pourtant être la meilleure chose qui soit. Vous n'auriez même jamais pensé à faire une telle mise en scène pour attirer l'attention. L'éclipse vous obligera à regarder la raison qui fait que vous ne vendez pas bien vos écrits. En fait, ils ne sont peut-être pas accessibles à la majorité.

Spiritualité

Vous pourriez transformer du tout au tout votre manière de penser ou votre philosophie de la vie et du monde en général.

Carrière

La promotion d'un de vos produits ou services pourrait ne pas être à la hauteur de vos attentes ou ne pas donner les résultats escomptés. Ensuite, un revirement de situation de type « éclipse lunaire totale », comme un compétiteur qui ne sera pas en mesure de fournir sa clientèle ou un autre qui fermera ses portes pour mille raisons possibles, vous donnera la chance de repartir sur un pied neuf. Effectivement, le malheur des uns fait souvent le bonheur des autres lorsqu'une éclipse lunaire totale doit avoir lieu. Dans un autre ordre d'idées, si vous espérez recevoir une certaine reconnaissance pour le travail accompli et qu'elle ne vient pas, un événement redorera votre blason et vous rendra vos lettres de noblesse ! Il se pourrait que votre confiance ait été trahie ou que vous ayez été très mal dirigé ou conseillé par un patron, un mentor ou un employeur et que vous n'arriviez pas à lui pardonner sa faute. Lorsque vous vous déciderez à pardonner, vous vous libérerez de son emprise et, surtout, de ce passé malsain que vous maintenez en vous parce que vous refusez de décrocher. Sans contredit, cette personne ne fait plus partie de votre vie et vous entretenez la SOUFFRANCE de tout le mal qu'elle vous a fait ! Débarrassez-vous de ces souvenirs troublants...

Argent

Vous réglerez une dette d'un de vos enfants ou du conjoint. Il semble avoir manqué de jugement et vous lui sauverez la mise.

Mai

Climat général du mois

La planète Mercure entreprendra sa deuxième rétrogradation de l'année à partir du 11 mai. En ce mois de mai, vous aimerez vos proches et amis au point de ne pas toujours les voir tels qu'ils sont ; ouvrez votre cœur, mais ouvrez aussi l'œil. Par ailleurs, vous vous affranchirez de problèmes légaux, ce mois-ci, en acceptant un arrangement à l'amiable pour tourner la page sur ce chapitre de votre vie. Vos interactions sociales vous permettront de serrer la pince à des gens importants, des VIP capables de dérouler le tapis rouge, de faire arriver l'impossible. Dans un autre ordre d'idées, vous essuierez mal le refus, le trop grand conservatisme ou le manque d'ouverture d'esprit des gens qui vous entourent. Ils vous mettront dans tous vos états lorsqu'ils relâcheront leurs efforts ou qu'ils reculeront par manque de détermination ou de force. Lorsque Mercure rétrograde, il faut se méfier des beaux parleurs en matière de placement d'argent. Vérifiez leurs antécédents, discutez avec leurs clients et, s'il le faut, demandez une rencontre avec ces derniers. Mieux vaut prévenir que guérir !

Amour

La nouvelle lune se produira dans ce secteur important et elle vous fera rayonner de tous vos feux en société ! Vous allez surtout faire une forte impression sur une personne en particulier. Ou bien, vous vous amouracherez de deux personnes et vous ne serez pas en mesure de choisir. Si cette dernière prédiction devait s'avérer juste, une situation déciderait pour vous. Par exemple, vous serez pris en flagrant délit et l'une de ces personnes prendra du recul. Ou bien, vous attirerez bien des regards et votre popularité attisera la possessivité et la jalousie de votre douce moitié, qui pourrait refuser les sorties publiques et même des invitations lancées par des amis pour ne pas avoir à subir le regard des autres posé sur vous.

Arts

Vous accepterez plus facilement de vous soumettre aux exigences d'un réalisateur, d'un producteur, d'un metteur en scène, d'un agent d'artiste ou d'une agence spécialisée en mannequinat, etc. Vous répondrez aux standards et aux attentes du public et vous connaîtrez une popularité aussi soudaine qu'inattendue. Vous pourriez même signer un contrat d'édition pour la publication de votre livre. Sinon, vous inventerez des musiques qui connaîtront du succès. Vous vous exprimerez très bien à travers votre art. Votre belle créativité vous attirera d'intéressants projets créatifs qui s'avéreront lucratifs par-dessus le marché. En somme, une réussite sociale vous sortira de l'ombre. Toutefois, ne sautez pas sur la première occasion sans avoir pris le temps de réfléchir. N'oubliez pas que l'éclipse lunaire, même partielle, mettra l'accent sur l'œuvre du temps et la lenteur associée à toute maturation.

Spiritualité

Vous apprendrez à respecter votre prochain avec ses forces et ses faiblesses. Plus facile à dire qu'à faire : vous le constaterez tout à loisir!

Carrière

Vous allez devoir vous résigner à accepter les autres tels qu'ils sont, à respecter le fait qu'ils soient moins avisés ou peu visionnaires et à composer avec cette réalité. Vous devrez donc choisir vos batailles et ne plus perdre votre temps à chercher à améliorer les autres. La réussite de vos projets ou idées dépendra de la détermination qui se cache derrière votre intention. Accordez-vous du temps pour méditer sur l'importance des gens qui gravitent autour de vous actuellement. Vous soutiennent-ils? Vous retournent-ils l'ascenseur? Brillent-ils plutôt par leur absence lorsque vous avez besoin d'eux? Avez-vous l'impression de tout donner et de ne rien recevoir en retour? Si le bilan est négatif, vous venez de plonger au cœur même de la rétrogradation de Mercure. La bonne nouvelle est que cette même planète vous ouvre les yeux en vous invitant à vous questionner et à faire du ménage.

Argent

Vos finances connaîtront une hausse significative. Il se pourrait même que vous receviez des cadeaux luxueux, une augmentation de salaire ou de vos commissions. Ou bien, vous allez réaliser une vente qui renflouera votre compte en banque.

Juin

Climat général du mois

Mercure continuera sa rétrogradation jusqu'au 13 juin approximativement. Les gens manqueront de réflexion et vous comprendrez pourquoi
le monde tourne à l'envers par moments ! Vous vous demanderez si
vous avez fait les bons choix de carrière, si un plan d'action est adéquat
ou si les options qui s'offrent à vous en ce moment reflètent bien ce que
vous aimeriez vraiment faire dans la vie. Vous aurez surtout l'ambition
de regarder bien en face ce qui vous insatisfait actuellement, et ce qui
doit être changé pour améliorer votre condition de vie matérielle, professionnelle, d'affaires, politique ou artistique. Ou bien, vous vous demanderez, à la lumière des insatisfactions actuelles, quelles ont été vos
erreurs de parcours. Qu'est-ce qui s'est produit et qui fait que vous
n'avez pas réussi à atteindre votre but initial ? Dans un autre ordre
d'idées, vous pourriez vous envoler vers une destination à l'extérieur du
pays, ce mois-ci, et cela, sans même l'avoir planifié. Un bel imprévu qui
prendra plusieurs Capricorne par surprise ! Par ailleurs, vous déciderez
peut-être d'arrêter de fumer.

Amour

Il n'est pas rare, lorsque Mercure rétrograde, qu'un amour passé re-
vienne dans le paysage amoureux. Ou alors, peut-être que le nouvel
amoureux vous rappelle une ancienne flamme par ses agissements, son
allure ou sa façon de penser... Quoi qu'il en soit, vous rechercherez une
relation durable. Certains d'entre vous se marieront pour fonder une
famille. Le seul petit hic, ce mois-ci, est que vous infantiliserez souvent
l'être aimé et qu'il aura du mal à s'affirmer à tous points de vue. Le dialogue pourrait faire défaut et chacun se retrouvera dans son coin à ron-
ger son frein. Les non-dits seront parfois lourds à supporter, ainsi que
les bouderies de votre douce moitié, mais après le 13 juin, vous aurez
de belles conversations amoureuses. Un ami pourrait avoir une fâ-
cheuse tendance à se répéter et vous le fuirez comme la peste.

Arts

En tant qu'artiste, vous embrasserez une cause humanitaire qui dépassera, et de loin, vos attentes les plus folles. En revanche, vous ne serez
pas toujours d'accord avec la façon d'agir de certains grands décideurs

concernant un nouveau projet artistique. Sinon, vous pourriez vous retrouver entre deux courants : l'un plus public et l'autre qui vous amènera à œuvrer dans les coulisses, ce qui est plus Mercure rétrograde.
Vous vous démarquerez du lot avec une facilité désarmante ! Vos créations attiseront bien des jalousies. Évitez les commentaires désobli-
geants, d'autant plus qu'il vous arrive d'avoir les idées bien arrêtées ;
vous jetteriez alors de l'huile sur le feu et vous vous mettriez du monde
important à dos.

Spiritualité

Vous n'aurez de cesse de raffiner encore et encore vos connaissances
spirituelles. Ou bien, vous vous engagerez dans une nouvelle quête spirituelle. Ici, tout est possible !

Carrière

Vous vous découvrirez, par la force de certains événements, des aptitudes que vous ignoriez posséder. Ces habiletés nouvelles se révéleront
lorsqu'un collègue, par exemple, quittera son poste précipitamment et
que vous endosserez ses responsabilités. Plus vous vous impliquerez et
plus vous réaliserez que vous adorez ce travail. Vous déploierez votre
plein potentiel avec une assurance indéfectible. Par contre, les problèmes devront être résolus rapidement et vous ne serez pas toujours
bien outillé pour augmenter votre vitesse de croisière. C'est à ce sujet-
là qu'agira la rétrogradation de la planète Mercure ! Aussi, vous souhaiterez ardemment que la direction reconnaisse vos qualités de
« gestionnaire ». Certains d'entre vous se poseront en défenseurs de la
veuve et de l'orphelin, en adversaires de l'injustice… Vous pourriez être
nommé juge ou faire partie d'un jury.

Argent

Vous vous interrogerez très sérieusement sur le prix que vous êtes prêt
à payer en temps et en énergie pour gagner plus d'argent. Ensuite, vous
prendrez les engagements qui s'imposeront. Vous prêterez beaucoup
d'attention à l'argent, à vos acquis financiers; sans être avare, vous
compterez vos sous.

Juillet

Climat général du mois

Tout d'abord, laissez-moi vous parler de la lune bleue, la treizième lune de l'année selon les Amérindiens (même si elle se produit au mois de juillet). En fait, il s'agit de deux pleines lunes qui rayonneront dans le ciel étoilé ce mois-ci. La lune bleue se produira le 31 juillet. J'ai préparé un rituel que je vous invite à consulter et à mettre en pratique, dans la section *Alerte astrale importante pour le mois de juillet 2015*. Des miracles pourraient s'accomplir dans votre vie, puisque ce rituel est très puissant en plus d'être facile à réaliser. Cela dit, vous provoquerez des réactions pour savoir de quel bois se chauffent votre partenaire de vie, vos amis, vos parents ou vos enfants. Vous possédez une « logique discursive » capable d'absorber les contenus les plus divers. Sans même vous en rendre compte bien souvent, vous inspirerez les autres en amenant des points de vue uniques, intelligents et rassembleurs.

Amour

Le secteur amoureux sera le plus touché ce mois-ci. Tout d'abord, vous allez bénéficier d'un fort rayonnement solaire et vous ne passerez donc pas inaperçu; partout où vous mettrez les pieds, les têtes se retourneront sur votre passage. Vous pourriez faire la rencontre d'une personne sensuelle, sensible et d'une rare beauté naturelle. Elle vous subjuguera… littéralement ! Si vous êtes une femme Capricorne célibataire, l'homme qui entrera dans votre vie possédera un certain pouvoir financier, politique, d'affaires ou artistique. Ce personnage est reconnu pour son implication sociale et publique. Par ailleurs, ce n'est pas un bon mois pour vous offenser des imperfections des autres. Vous êtes même invité à passer par-dessus vos ambitions de perfection ! Pourquoi ? Parce que personne ne sera jamais en mesure de répondre à ces ambitions étant donné qu'elles n'existent que dans une utopie que vous entretenez. Ou bien, vous vous en servez comme bouclier pour vous protéger d'aimer et d'avoir mal. En agissant ainsi, vous vous condamnez à la réclusion. Mon rôle d'astrologue est de vous montrer du doigt différents facteurs psychiques dommageables afin que vous puissiez vous en libérer et accéder à la vie que vous méritez. Si vous creusiez un peu plus, vous en viendriez à la conclusion que « la vie n'attend pas »…

Elle continue inexorablement sa route en faisant fi de nos croyances, de nos peurs et de nos angoisses. Il lui arrive même de nous servir un remède de cheval pour nous réveiller !

Arts
Vous concrétiserez un projet d'écriture important. Votre niveau d'inspiration très élevé vous poussera à écrire des textes qui exprimeront haut et fort le mal de vivre. En somme, vous enverrez un direct au cœur aussi touchant que réaliste à vos lecteurs et lectrices. La radio, la télévision, le cinéma et même Internet vous offriront de nouvelles voies d'expression comme animateur, acteur, réalisateur ou coach de vie. Chose certaine, les oreilles médiatiques se tendront vers vous. En somme, vous susciterez un vif intérêt et, en tant que découverte, vous pourriez même remporter un contrat de travail ou un premier prix.

Spiritualité
Vous constaterez malheureusement que des gens, y compris vos proches, utilisent trop souvent des forces destructrices pour arriver à leurs fins ou pour faire passer leur message.

Carrière
Votre grand sens des responsabilités vous permettra de voir venir les choses et d'agir pour prévenir. Aussi, vous ne pourrez compter que sur vous-même pour tout ce que vous aurez à produire, réaliser ou développer. Bien sûr, des alliés prendront l'initiative de venir à votre rescousse, mais par à-coups seulement. Vous tiendrez mordicus à votre liberté d'action au travail. Ainsi, vous répondriez par la bouche de vos canons si jamais quelqu'un tentait de vous diriger ou de vous imposer sa volonté.

Argent
Vous accumulerez au-delà du nécessaire au grand dam de l'être aimé, de vos amis ou de vos proches parents. Ils ne souhaitent qu'une chose : vous voir profiter de la vie et vous offrir du bon temps.

Août

Climat général du mois

Vous vous laissez trop souvent limiter par le train-train quotidien, le « métro-boulot-dodo ». Vous déploierez vos ailes en vous lançant de petits défis, en vous interrogeant sur le genre d'aide que vous aimeriez offrir à autrui... Vous souvenez-vous du film intitulé *Le fabuleux destin d'Amélie Poulin* ? Amélie décide d'établir un marché avec elle-même : consacrer sa vie à aider les autres, mais d'une manière toute simple et très inspirée. Bref, juste de répandre le bien dans la vie des autres vous permettrait à vous aussi de sortir de votre routine et d'explorer des chemins que vous n'avez pas encore fréquentés. Dans un tout autre ordre d'idées, vous aurez la hantise d'être mal compris et vous vous perdrez dans des explications pour justifier ceci ou cela. Relâchez les cordeaux, donnez-vous du leste... Vous n'avez pas à vous imposer une telle pression intérieure !

Amour

La relation amoureuse et familiale sera plus chaleureuse. Cela dit, il se pourrait que vous ne digériez pas vraiment la décision d'un enfant (jeune adulte). Vous allez composer avec son choix, mais de là à l'accepter, il y a une marge ! Des événements inattendus, surprenants et même renversants vont se produire. Une certaine excitation, provoquée par les nouvelles expériences amoureuses qui se manifesteront, vous permettra de rayonner vraiment. Bref, de beaux imprévus vous sortiront de votre ordinaire. À la limite, vous susciterez de l'irritabilité chez l'être aimé lorsque vous refuserez de laisser sortir, ne serait-ce qu'un peu, votre fou. Il se pourrait aussi que des problèmes d'argent mettent la relation sous haute tension. Par exemple, le conjoint a perdu son emploi et le manque à gagner le rend nerveux, anxieux et peu ouvert au rapprochement. Le cas échéant, lisez le paragraphe *Argent* et vous constaterez que rien n'est jamais perdu pour toujours.

Arts

Vous comprenez la valeur de l'art et des bienfaits qu'il apporte aux gens. Vous ne serez pas toujours en mesure de vous exercer physiquement à écrire, produire, réaliser ou mettre en scène, ce mois-ci, mais vous aurez la tête totalement prise par vos créations. Vous serez le premier surpris de réaliser à quel point vous inventez des histoires et des mises en scène sous forme d'images dans votre tête ! Peut-être que votre sécurité financière est nébuleuse et que vous n'en pouvez plus de cette situation. Si cela devait être le cas, vous ne seriez pas long à trouver un contrat payant qui chasserait le « nébuleux » de votre vie. De plus, vous pourriez recevoir une offre pour exposer vos œuvres et faire un tabac.

Spiritualité

Vous souhaiterez trouver un certain équilibre spirituel : une belle paix d'esprit. Vous approfondirez vos connaissances dans le but d'enseigner vos découvertes dans un futur proche.

Carrière

Vous donnerez vos meilleures prestations lorsque vous devrez faire passer vos idées, plans d'action ou projets. Si vous œuvrez dans le domaine des relations publiques, vous obtiendrez une belle reconnaissance professionnelle ou une promotion. Les travailleurs autonomes développeront de nouveaux projets avec des clients de renom. Si vous êtes à la recherche d'un emploi, vous rayonnerez lors de vos entrevues et devrez choisir (un vrai casse-tête) le poste qui répondra le mieux à vos ambitions. Ou bien, vous changerez d'emploi parce qu'une nouvelle occupation vous séduira encore plus. Le moindre problème deviendra un moyen de vous propulser vers l'avant, de démontrer de quoi vous êtes réellement capable. Les solutions que vous présenterez seront simples et en même temps très efficaces. Votre tempérament de chef brillera sous les feux de la rampe professionnelle. Vous dominerez les dossiers compliqués haut la main. Bref, vous excellerez !

Argent

Quoi qu'il arrive à votre conjoint, à vos amis chers ou à vos enfants (jeunes adultes sur le marché du travail), vous ne devez pas paniquer ou vous laisser aller au découragement. D'heureux retournements de situation déferont leur infortune. Comme j'aime à le dire, la chance se cache souvent derrière le masque d'une épreuve !

Septembre

Climat général du mois

Une éclipse solaire se produira le 13 septembre dans votre secteur des biens matériels, des souhaits et désirs personnels. Le conjoint, par exemple, pourrait se retrouver dans une situation matérielle précaire après la perte d'un emploi, puis surviendra une occasion en or pour lui de reprendre le collier professionnel une semaine ou deux après l'éclipse approximativement. Les Capricorne qui ont fait faillite connaîtront une amélioration intéressante de leur condition financière et matérielle. Une femme serait à l'origine de ce retournement de situation (puisque l'éclipse lunaire totale se produira le 28 septembre) : une ancienne patronne, par exemple, se lancera à votre recherche pour vous faire une offre professionnelle intéressante. S'il ne s'agit pas d'une femme (énergie lunaire), il pourrait s'agir d'une entité corporative qui fera appel à vos services.

Amour

Vous allez devoir vous tenir tranquille pour ne pas susciter de désaccords avec l'être aimé, puisque des réactions trop vives de votre part ne feraient que déclencher une suite sans fin de discussions et de difficiles remises en question. Ou bien, vous sentirez être arrivé à une croisée des chemins avec un amoureux et vous déciderez de reprendre chacun votre route. Comme cela se produit trop souvent lors d'un mois où deux éclipses ont lieu, vous subirez ou provoquerez une rupture amicale. Par exemple, il peut s'agir d'une crise liée à une association professionnelle avec cet ami et causée par le sentiment d'avoir été lésé dans vos droits. Un proche pourrait « s'éclipser » : quitter le giron familial ou décéder subitement, par exemple. Quoi qu'il en soit, vous vous retrouverez devant un fait accompli, une nouvelle réalité familiale ou un rapport affectif difficile, ce qui vous obligera à faire une sorte de deuil.

Arts

Si vous subissez une rupture de contrat, vous recevrez un dédommagement compensatoire qui vous permettra de respirer un peu. Ce que les éclipses enlèvent, elles nous le redonnent en mieux… mais pas toujours rapidement. Donc, vous allez devoir vivre sur vos réserves pendant un certain temps et ne pas paniquer. Ce qui est plus facile à écrire qu'à vivre, j'en conviens parfaitement. La bonne nouvelle est que vous allez vous refaire une santé matérielle et financière, s'il y a lieu bien évidemment.

Spiritualité

Vous serez plus porté à faire le point, à vous remettre en question fondamentalement, à explorer ou à satisfaire vos aspirations profondes.

Carrière

Les gens pourraient chercher à vous faire obstacle ou à vous « éclipser » d'un projet tout bonnement parce qu'ils auront peur de se faire déclasser par votre gros bon sens, votre intelligence, votre savoir-faire. C'est pourquoi vous auriez intérêt à vous montrer stratégique en vous ralliant à leur manière de faire même si elle va à l'encontre de votre vision des choses. Ensuite, le mois prochain plus particulièrement, vous serez en mesure d'agir à votre guise et vous serez alors applaudi. Autrement dit, vous allez devoir porter un masque pour plaire aux autres ce mois-ci, si vous voulez entretenir de bonnes relations professionnelles. Vous sacrifier ainsi temporairement sera minime en comparaison de l'ascension sociale qui suivra. Voyez que c'est à ce niveau-là qu'agira l'éclipse solaire du 13 septembre. D'autres gens, qui sont nés eux aussi sous le signe du Capricorne, déclareront une guerre ouverte et hostile envers une figure d'autorité autour du 28 septembre, lors de la manifestation de l'éclipse lunaire totale. Un événement perçu comme une injustice ou une insulte pourrait en être la cause. Encore une fois, forgez-vous une approche diplomatique et vous obtiendrez justice !

Argent

Voici un mois où vous pourrez obtenir plus facilement un crédit bancaire, un prêt ou une bourse. Bref, vous compenserez le manque à gagner. Aussi étrange que cela puisse paraître, les dédommagements financiers, les dommages et intérêts et les préavis professionnels vous apporteront l'abondance...

Octobre

Climat général du mois

La planète Mercure terminera sa dernière rétrogradation de l'année le 11 octobre. La rétrogradation de Mercure agira de manière que la divulgation d'informations privilégiées déplaise au point de compromettre votre situation ou votre personne. Ainsi prévenu, vous devez absolument éviter toute forme d'indiscrétion. De plus, méfiez-vous des vols, de la subtilisation de documents ou des oreilles indiscrètes qui surveilleront vos propos pour les rapporter à des gens sans scrupules. Le proche entourage, voisins, frères et sœurs, neveux et nièces, oncles et tantes vous en feront voir de toutes les couleurs. Ils manqueront cruellement de réserve et de profondeur dans leur réflexion. Vous vous demanderez souvent s'ils ne subiraient pas une « rétrogradation » de leur intelligence tellement leurs propos seront vains et superficiels. Dans ces moments-là, prenez jusqu'à trois grandes inspirations que vous relâcherez par la bouche ! Vous décompresserez alors plus facilement…

Amour

Ici aussi, dans ce secteur important, la rétrogradation de Mercure se fera cruellement ressentir. Vous solliciterez l'appui de l'être aimé et il vous prodiguera des conseils qui n'auront rien à voir avec la situation ou alors il critiquera vos décisions, ce qui ajoutera à votre drame. Autrement dit, vous allez devoir vous débrouiller seul pour ramer jusqu'au rivage. D'autres Capricorne encore vont faire une rencontre de destin. Ils dénicheront la perle rare par comparaison à leur vécu amoureux passé. Par contre, vous élèverez une certaine barrière entre vous et ce nouvel amoureux, le temps d'apprendre à le connaître. Priez pour qu'il vous devine, parce que votre barrière risque de le décourager ! Aussi, des frais imprévus risquent de compromettre une rénovation, une réparation ou un *home staging*. Un parent pourrait devoir quitter sa maison pour aller vivre en centre d'hébergement et c'est vous qui vous retrouverez avec toutes les décisions à prendre et les changements à mettre en place, comme vendre la maison et vous occuper des finances de ce parent aîné. Ou encore, un enfant (jeune adulte) décidera peut-être d'aller étudier à l'étranger et les frais associés à ce changement de cap radical seront assez salés merci !

Arts

Si vous êtes un éditeur, un écrivain ou un libraire, essayez de vous diffuser au niveau international. Si vous ne le pouvez pas personnellement, tentez de trouver un diffuseur qui serait en mesure de vous propulser. Vous déploierez plus facilement vos talents et vous séduirez un nouveau public.

Spiritualité

Vous élargirez votre champ de conscience parce que vous souhaiterez vous engager dans une démarche de vie plus philosophiquement correcte.

Carrière

Un certain ralentissement se fera sentir, mais vous ne devez pas vous inquiéter à outrance. Les importateurs et les exportateurs seront particulièrement favorisés. Vos produits et services seront prisés hors frontières. Vos pensées sont parfois trop rationnelles, trop raisonnables et vous essuyez souvent des échecs relationnels avec certains patrons, clients, employés, collègues, etc. Bref, vous vous figez dans la position « j'ai raison » et les autres, qui sont tout comme vous persuadés d'avoir raison, vous rejettent ! Aussi, plus vous camperez sur vos positions et plus Mercure rétrograde les défera. Ainsi prévenu, vous savez maintenant à quoi vous en tenir.

Argent

La rétrogradation de Mercure s'amuse parfois à créer en nous un fort sentiment d'insécurité qui nous pousse à tout amasser. La moindre dépense se transforme alors en stress... Dans ces moments-là, posez-vous surtout la question suivante : cette dépense sert-elle mes intérêts ? Si vous en venez à la conclusion que oui, il ne vous restera plus qu'à délier les cordons de votre bourse !

Novembre

Climat général du mois

En plus de ce que vous pourrez lire dans *Carrière*, la communauté internationale vous ouvrira tout grand les bras, ce mois-ci. Vous pourriez même faire partie d'une entreprise qui se spécialise dans le management, la vente ou le commerce à l'étranger. Vos facultés de discernement serviront au plus haut point votre montée vers les sommets. Vous élargirez votre réseau social. Si vous êtes gestionnaire d'entreprise et que votre rôle consiste à faire valoir des produits et services, l'étranger pourrait devenir une plateforme lucrative pour vos affaires. Aussi, vous aurez souvent l'impression qu'une puissante force a pris le contrôle de votre vie.

Amour

Voici un mois où vos émotions seront profondes et pas toujours harmonieuses ! Donc, des conflits émergeront plus facilement lorsque vous vous sentirez blessé ou en désaccord avec l'être aimé. Vous devez vous attendre à vivre d'intenses discussions avec la famille, les amis et, encore une fois, la personne qui partage votre vie. Vous vous montrerez plus impulsif, facilement irritable et contrôlant. Des sentiments de culpabilité, de jalousie ou de possessivité extrême surviendront lorsque vous chercherez à contrôler les autres – ce qu'ils pensent, ressentent ou veulent faire. Heureusement que ce ne se sont pas TOUS les Capricorne qui traverseront cette phase émotive ! Cependant, si rien de tout cela ne vous concerne, vous éprouverez des difficultés à voir clairement dans vos sentiments envers une personne et vous fuirez les discussions concernant l'engagement et le mariage.

Arts

Vous pourriez signer un contrat avec une maison d'édition qui vous ouvrira des portes à l'étranger. Ou bien un projet artistique vous amènera à beaucoup voyager. Si ce n'est pas ce mois-ci, il y a fort à parier que vous planifierez vos futurs engagements à l'extérieur du pays pour janvier ou février 2016. Peut-être décrocherez-vous un contrat télévisuel important. Toutefois, assurez-vous d'arriver bien préparé et à l'heure. Un seul petit manquement de ce type vous ferait perdre des plumes. Si rien de tout cela ne vous concerne, vous pouvez compter recevoir le fruit financier de vos efforts passés et présents. Votre travail créatif vous amènera à vous déplacer fréquemment, ce mois-ci.

Spiritualité

Lors de vos méditations, vous atteindrez un état de relaxation peu commun. N'hésitez donc pas à mettre en pratique certaines techniques de respiration lente.

Carrière

Vous n'apprécierez pas qu'un associé, fournisseur, distributeur ou gestionnaire se réserve la plus grande part du gâteau. Si cela devait advenir, vous vous vexeriez vraiment, au point de remettre en cause votre relation d'affaires. Une grande instabilité régnera au bureau. En fait, vous serez surtout témoin de querelles à cause de diminutions de budget. Sinon, des collègues se crêperont le chignon parce qu'ils pensent négativement, qu'ils sont désappointés et frustrés. Ou bien, un client fera passer ses intérêts avant les vôtres ou agira sans respecter votre entente de base. En contrepartie, vous vous sortirez d'affaire mieux que tout ce beau monde parce que vous aurez l'intelligence d'entretenir vos intentions et de ne pas vous laisser tirer vers le bas par le négativisme ambiant. Vous vous montrerez persévérant, déterminé et toujours prêt à assumer de nouvelles responsabilités. Quoi que vous fassiez, quoi que vous disiez, vous n'empêcherez pas ces gens d'agir en bébés gâtés. Alors, vous vous résignerez à les accepter tels qu'ils sont. Vous vous montrerez plein de ressources et vous vous démarquerez ainsi par votre belle et mature intelligence.

Argent

Vous chercherez à structurer votre intention de mettre de l'argent de côté. Vous aurez surtout en tête que l'argent gagné servira vos desseins et qu'il fera des petits qui deviendront grands. Vous embrasserez une belle réussite matérielle, mais non sans avoir prêté le flanc à de grandes transformations qui vous obligeront à modifier vos objectifs.

Décembre

Climat général du mois

Au fil des événements de ce mois, vous vous surprendrez à faire un retour en arrière pour prendre le pouls de l'année qui s'achève et des changements qui se sont produits. Votre vie est maintenant tellement plus heureuse et bien remplie. Si elle ne l'est toujours pas, vous allez tout mettre en œuvre pour qu'elle le devienne. Vous verrez des possibilités nouvelles poindre à l'horizon et vous aurez l'intelligence de les attraper au vol. La nouvelle lune qui se produira le 11 décembre est remplie de belles promesses vous concernant. Le secteur des amis, des groupes ou associations en tout genre sera extrêmement favorisé. Vous serez invité partout, et les événements, soirées ou 5 à 7 auxquels vous serez convié seront à tomber par terre. Certains spécialistes du cerveau affirment que notre mémoire ne fait pas la différence entre nos souvenirs et nos rêves. Pour elle, c'est du pareil au même. Donc, si vous vous entraîniez à expérimenter le succès comme si vous étiez en train de rêver, ou si vous « l'expérimentiez dans vos énergies et vos émotions » de la même manière que vous êtes capable de raviver un souvenir heureux, vous vous assureriez de l'obtenir.

Amour

Le temps des fêtes et les réjouissances du Nouvel An seront animés comme jamais auparavant. Les soirées, partys et 5 à 7 vous laisseront sans voix ! Vous aimerez particulièrement vous retrouver en famille, en tête-à-tête avec l'être cher ou avec un ami cher à votre cœur. Vous renouerez avec une fille, une belle-fille, une sœur ou une amie et vous aurez la chance de rétablir certains faits. Vous devez cela à la nouvelle lune qui se produira dans votre douzième secteur et qui a le pouvoir d'activer le retour de gens qui ont pris leurs distances. Dans un tout autre ordre d'idées, vous pourriez renoncer à partir en voyage avec un ami parce qu'il n'en a plus les moyens ou qu'une situation d'urgence l'oblige à rester au pays. Vous trouverez une solution de rechange sans problème, mais non sans avoir un petit pincement au cœur.

Arts

Des événements faciliteront votre travail artistique, un peu comme si la brume se dissipait enfin. Ou bien, vous éclaircirez des situations et vous pourrez vous lancer dans une nouvelle action artistique. Vous verrez éclore encore ce mois-ci des offres ou propositions renversantes. Ne craignez pas de vous lancer dans ces aventures, vous avez le talent nécessaire pour bien les mener à terme.

Spiritualité

Vous avez fait des prises de conscience immenses concernant une injustice vécue par un membre de votre famille. À tout le moins, vous comprenez l'ampleur des dégâts ! C'est un premier pas dans le bon sens.

Carrière

Vous ferez de grandes et belles découvertes lorsque vous vous impliquerez dans des projets d'affaires, artistiques, professionnels ou politiques importants. Quoi qu'il en soit, vous atteindrez ce mois-ci les hauts sommets de la réussite et du succès. Sur le terrain, vous vous comporterez avec élégance tout en dégageant une force de frappe considérable. À tel point que vous décrocherez des contrats majeurs et ferez mordre la poussière à vos compétiteurs. Si vous êtes travailleur manuel, par exemple, vous accomplirez votre travail avec un grand savoir-faire et une impressionnante rapidité d'exécution. Si vous êtes commerçant, responsable d'une équipe de travail, vice-président, directeur général ou grand chef d'une entreprise, vous mettrez en pratique une discipline de fer que bien des gens auront de la difficulté à suivre. Vous devriez desserrer la vis juste un peu pour éviter que vos meilleurs pions quittent l'échiquier. Si vous œuvrez dans le monde de l'élevage, vous aurez la chance de nouer des liens importants ici et à l'étranger. Encore l'étranger qui revient, décidément, vous êtes appelé !

Argent

Il ne serait pas étonnant que vous receviez une promotion, sinon une meilleure rémunération et peut-être même les deux.

VERSEAU

Ses couleurs préférées : Vous aimez le bleu indigo, le gris-bleu et le bleu marine, les gris et les rouges sombres et chics, ainsi que le blanc. Bien sûr que le noir est un passe-partout et qu'il vous va à ravir, mais vous le portez avec une petite touche bien personnelle d'originalité.

Ses métaux : L'uranium, qui est devenu la principale matière première utilisée par l'industrie nucléaire.

Ses pierres de naissance : Le grenat et l'angélite.

Ce que ces pierres symbolisent : Le grenat est un talisman populaire. Cette pierre de protection permet au Verseau de briller en société. Aussi, elle protège celui qui la porte contre toute attaque. En plus, le grenat attire l'amour, ce qui la rend encore plus puissante. L'angélite est reconnue pour être la pierre des prises de conscience et est aussi connue sous le nom de la « pierre des Anges ». Un Verseau devrait toujours en porter une sur lui.

Les différents aspects de sa personnalité

Le Verseau est un être indépendant et il peut même se montrer indifférent si vous n'arrivez pas à attirer son attention. La constellation du Verseau est considérée par l'astrologie comme la onzième maison du zodiaque et, plus symboliquement, cela indique à un astrologue les amitiés tissées au fil de la vie de la personne qui le consulte : la durée, l'intensité, les relations importantes et souvent de passage qui joueront un rôle de premier plan pour débloquer une situation ou éveiller la conscience, etc. En résumé, un Verseau se crée de solides amitiés au fil de sa vie. Il adore communiquer, échanger, partager, même s'il demeure un être fondamentalement indépendant. Au pire, il paraîtra insensible au premier abord, mais ce n'est pas le cas en son for intérieur. Son signe opposé, son miroir si vous préférez, est le Lion et, tout comme lui, il aime briller et provoquer de fortes impressions. Le Verseau est reconnu pour son excentricité, mais la plupart des Verseau adorent la simplicité qui, bien sûr, doit rayonner d'un chic original et haut de gamme. Son manque de spontanéité lui joue souvent des tours, puisque les gens le jugent froid et distant alors qu'il n'en est rien. Réputé pour être un grand travailleur, il se surpasse à la tâche et il abat énormément de travail en une seule journée. Il lui arrive de se la couler douce, mais jamais bien longtemps. Le Verseau adore apprendre, il s'intéresse aux nouveautés pour se mettre au diapason de son époque, de la mode et des découvertes de l'heure. Son sens critique est extrêmement développé. Sa planète maîtresse est Uranus et celle-ci règne sur les innovateurs, les grands philosophes, les chercheurs, les développeurs d'idées qui sortent des sentiers battus, les artistes qui se démarquent par leur style de musique et vestimentaire avant-gardiste, etc.

Le Verseau est généralement très sexy et il a besoin d'admirer son partenaire et de se sentir admiré, désiré. Son partenaire ne devrait jamais blesser son amour-propre en le rabaissant, il réagirait en claquant la porte. Aussi, le Verseau entre en lutte de pouvoir avec la personne qui partage sa vie juste pour asseoir son pouvoir, ou simplement par esprit de provocation afin de connaître les vrais sentiments qu'éprouve à son égard l'être qu'il aime. Bref, sa vie sentimentale sort souvent de l'ordinaire et est perturbée par des crises importantes, une autre forme d'énergie de destruction qui caractérise Uranus.

Votre compatibilité avec les autres signes

Avec le Capricorne, le respect mutuel s'installera, mais les relations se détérioreront si vous l'utilisez pour satisfaire votre besoin de sécurité. Le signe des Poissons vous donnera l'occasion de vivre des moments magiques et sensuels. Vous pouvez être assuré qu'auprès du Gémeaux vous danserez avec le partenaire idéal en plein cosmos, ni l'un ni l'autre ne touchera terre. En compagnie du Lion, vous vous sentirez en compétition, mais la relation pourrait fonctionner si chacun met son ego de côté. La Balance vous permettra de parcourir une avenue amoureuse inexplorée. Vous finirez les phrases du Sagittaire et lui les vôtres...

Quelques Verseau célèbres

Diane Lane, Phil Collins, Luna Sheyfa, Kid Cudi, Sean Kingston, Daniel Auteuil, Michel Serrault, Sara Gilbert, Ashton Kutcher, feu James Dean, Robbie Williams, Alicia Keys, Rihanna, Adam Lambert, Justin Timberlake, Shakira, Jennifer Aniston, Axelle Red, Paris Hilton, Gregory Charles, Mario Pelchat, John Travolta.

L'année 2015 en général

Vous prendrez plaisir à la découverte et vous mettrez donc l'accent sur ce qui a une valeur réelle à vos yeux. Vous vous fabriquerez aussi une base stable professionnelle, artistique, d'affaires, politique ou financière. En fait, vous ne voulez plus être vulnérable aux caprices des marchés boursiers ni aux autres possibilités de vous faire perdre de l'argent. Vous avez appris à reconnaître l'utilité et aussi l'inutilité de certains luxes, biens ou objets durant les dernières années, puisque vous vous êtes serré la ceinture par choix ou pour répondre à des obligations matérielles importantes.

Cette année, vous allez mettre en place de nombreux projets, mais vous ne serez pas toujours en mesure de les mener à bien. Le fait d'avoir trop de plats sur le feu briserait votre énergie d'action. Ainsi prévenu, vous serez mieux armé pour faire face à vos responsabilités!

Chose certaine, vous aurez du pain sur la planche et les contrats de travail ne manqueront pas. Un autre effet spécial des planètes est que vous terminerez ce que vous aviez entrepris depuis des années. Il s'agit ici de compléter ce qui est resté en suspens pour ensuite passer à autre chose. Si vous avez déjà fait ce grand ménage, que tout est accompli et que la table est maintenant rase, l'année 2015 vous apportera des occasions ou des opportunités de réussite et de succès tant espérées.

Dans un ordre d'idées plus personnel, la vie vous obligera à comprendre la fragilité humaine et à mettre de côté une trop forte exigence de votre part envers les autres. En ce qui concerne les amours, certains Verseau mèneront une double vie pendant un temps. Ces Verseau-là ne choisiront même pas cette situation, elle leur tombera dessus comme la neige en novembre! D'autres Verseau seront aux prises avec un conjoint psychiquement ou physiquement malade ou carrément dépressif et vous allez vous battre pour qu'il reçoive les soins appropriés. Si tout ce qui vient d'être énoncé ne vous concerne pas, vous serez très doué pour nouer des liens et toucher le cœur des gens. Vous allez vous fabriquer, grâce aux bons soins de la belle planète Vénus, une vie amoureuse à votre mesure. Une absence de câlins, de douceur et de tendresse vous a souvent empêché de revendiquer votre droit à l'amour, de croire que vous méritez d'être aimé et d'aimer. Vous aurez la chance… le privilège, devrais-je dire, d'expérimenter l'amour dans toute sa puissance, cette année!

Bonne et heureuse année 2015, chers Verseau!

Alerte astrale importante pour le mois de juillet 2015

Il va se produire deux pleines lunes durant le mois de juillet. La première aura lieu le 2 juillet et l'autre le 31. La pleine lune du 31 juillet est aussi appelée « lune bleue » et les Amérindiens la vénèrent pour ses forces mystiques et magiques sacrées.

Quelques explications importantes

Le *Farmer's Almanac* est un almanach nord-américain datant du début du XIXe siècle. La définition qu'il donne de la « lune bleue » est la suivante : « Elle se produit lorsque la pleine lune apparaît deux fois dans un même mois. Ces pleines lunes reviennent toutes les 2,6 années, soit 1 année sur 3 approximativement. »

Quelles sont les forces magiques de la « lune bleue »?

Symbolisme : aussi appelée la « lune du Grand Esprit », la lune bleue permet d'entrer en contact avec des forces toutes-puissantes qui nous accompagneront et nous protégeront. Cette « lune bleue » a aussi le pouvoir de matérialiser nos vœux pour nous faciliter la vie.

La lune bleue ou lune du Grand Esprit

Le Grand Esprit dont elle est porteuse fera lever en nous un grand pouvoir de construire, d'ériger, de bâtir et de développer des projets, des idées, des plans d'action ou des concepts qui dureront dans le temps, et qui nous apporteront le succès et la réussite. Ces prises d'action nous permettront dans un même souffle de nous refaire une santé matérielle, amoureuse, professionnelle, artistique, d'affaires, politique, physique, psychologique et spirituelle.

Rituel à faire le soir de l'apparition de la lune du Grand Esprit

Lorsqu'elle illuminera le ciel le soir du 31 juillet, assoyez-vous paisiblement devant elle en vous assurant d'avoir une feuille de papier sur vos genoux.

Plume à la main (si vous n'en avez pas à votre portée, un crayon fera l'affaire), imaginez que vous trempez le bout de votre plume (crayon) dans la lumière de la lune, en plein centre du grand cercle blanc que forme la « lune bleue », comme si elle était un encrier suspendu dans le ciel.

Inscrivez sur votre feuille votre vœu, votre désir ou ce qu'il vous tient vraiment à cœur d'obtenir. Si vous avez choisi d'utiliser une vraie plume pour faire ce rituel, rien ne s'inscrira sur votre feuille bien évidemment. Le but de ce rituel est de vous amener à établir un contact avec cette puissante force. Mais plus encore, ce rituel a pour but ultime de vous inciter à écrire une « lettre de lumière au Grand Esprit » de manière symbolique.

Cette intention d'écrire ainsi une « lettre de lumière au Grand Esprit » fera en sorte que vous établirez un contact à un niveau très profond durant ces instants bénis. Durant le déroulement du rituel ou quelques heures ou jours après votre demande, vous allez recevoir des visions ou des rêves, des idées, des réponses, des inspirations soudaines qui émergeront de votre for intérieur ainsi que des prises de conscience puissantes capables de vous faire réaliser votre vœu. Chose certaine, ce rituel va transformer votre vie ou vos perceptions concernant l'invisible à tout jamais.

Janvier

Climat général du mois

Vous vous distinguerez par votre assurance et votre nature extravertie, ce mois-ci. La planète Mercure entamera sa première rétrogradation de l'année le 20 janvier prochain et cela affectera votre secteur des amis, vos souhaits, vos espoirs et vos rêves. Vous resterez détaché émotionnellement et mentalement et cette attitude jettera un « froid » sur votre secteur relationnel – amical, familial et amoureux. Ou bien, un ami déprimé vous obligera à prendre la poudre d'escampette pour ne plus entendre ses sempiternelles plaintes. Sinon, certains amis vous décevront par leur manque de sincérité, leur nature superficielle ou leur indiscrétion. De plus, la rétrogradation de Mercure pourrait entraver un projet de voyage qui vous tient vraiment à cœur. Essayez, autant que faire se peut, de ne pas ébruiter vos espoirs, vos rêves et vos souhaits, puisque des personnes tenteraient alors de vous aider de manière intéressée et malhabile. Au pire, elles ne tiendront pas leurs promesses et vous serez déçu. Le but ici est de vous prévenir afin que vous puissiez garder le contrôle et de vous éviter justement d'avoir à gérer ce genre de situation. Dans un tout autre ordre d'idées, vous prendrez en main un problème de santé. Il se pourrait même qu'une hospitalisation ainsi qu'une opération soient nécessaires. Sinon, la maladie d'un proche vous bouleversera : son comportement, par exemple, ses oublis ou quelque chose du genre.

Amour

Votre personnalité fort attachante ne laissera pas votre entourage indifférent. Dans un pareil contexte, vous courez la chance de faire une rencontre amoureuse marquante. Cette nouvelle personne vous chavirera totalement et obsédera même votre esprit. Bref, n'en pouvant plus, vous vous précipiterez à sa porte pour lui lancer une invitation galante. Aussi, votre vie familiale s'animera vraiment entre le 5 et le 13 janvier. Les sorties en famille seront nombreuses, ainsi que les rencontres familiales, et c'est la raison pour laquelle il vous arrivera de ne plus savoir où donner de la tête. Vous allez donc devoir bien planifier votre emploi du temps.

Arts

Comme artiste, vous obtiendrez un rôle important. Ou alors, le comédien en vous, par exemple, se tournera vers la mise en scène ou la réalisation d'un film. Bref, vous laisserez derrière vous un métier que vous aimez, certes, mais qui n'allume plus vraiment le feu de votre passion. Les producteurs nés sous le signe du Verseau dénicheront le bon projet... et vous embrasserez grâce à votre talent une belle réussite. Le domaine de la danse, du théâtre, de la musique ou de l'écriture sera particulièrement enlevant.

Spiritualité

Plus introspectif, vous vous connecterez très facilement à votre intuition et à l'essence cachée de votre vraie personnalité.

Carrière

Votre tempérament de chef a toutes les chances de s'émanciper dans de hautes fonctions, ce mois-ci. Si vous êtes un policier ou un soldat de profession, vous détestez étrangement obéir aux ordres, mais vous reconnaissez la nécessité d'une main de fer dans un gant de velours. Aussi, vous n'affectionnez pas la paperasse à remplir qui n'en finit plus; vous passez généralement vite à autre chose. Vous devez pourtant vous attendre à nager dans une mer de papiers à rédiger pour mener à bien votre fonction, vos responsabilités ou un projet d'affaires, politique, professionnel ou artistique. Vous poursuivrez vos buts avec assiduité et détermination au travail, ce qui vous vaudra une belle notoriété. En anglais, on dit : « *Walk your talk!* » (Traduction libre : « Agis en accord avec tes paroles! ») Alors, si vous adoptiez plutôt l'expression : « Faites ce que je dis et pas ce que je fais », cela vous vaudrait bien des critiques.

Argent

Les moyens et les idées pour faire de l'argent ne manqueront pas et vous mettrez tout en œuvre pour les réaliser et aller de l'avant. Au mieux, vous obtiendrez le soutien financier nécessaire à la bonne marche de vos affaires. La banque ou un bailleur de fonds vous appuiera parce qu'ils croiront en vous et en vos idées.

Février

Climat général du mois

Malgré la rétrogradation de Mercure qui se terminera le 11 février prochain, vous allez recevoir de bonnes nouvelles de la part de personnes que vous n'avez pas vues depuis des lustres. Aussi, vous correspondrez avec beaucoup de nouvelles personnes par courriel, téléphone, iPod ou tablette à écran tactile, et vos échanges s'avéreront cruciaux pour planifier, orchestrer et mettre de l'avant bien des projets, plans d'affaires ou de mises en scène, si vous êtes un artiste, un réalisateur ou un humoriste. Avec Neptune dans le décor et Uranus, votre planète maîtresse, vous devez extrêmement bien organiser et structurer votre travail. Sinon, vous risquez de vous perdre dans un dédale de choses à faire et de ne plus savoir par où ni par quoi commencer. Vous réfléchissez à un retour aux études, à terminer un doctorat, une maîtrise ou une formation. La bonne nouvelle est que vous serez en mesure de remettre votre vie sur ses rails. À la fin du mois, vous prendrez conscience que vous avez fait progresser vos idées, vos projets ou vos décisions.

Amour

Votre vie amoureuse sera plus heureuse. En fait, vous connaîtrez les joies de l'amour et vos relations intimes seront animées d'un nouveau souffle. Vous êtes attaché à l'être cher et vous aimez votre confort. À cet égard, vous fêterez sûrement en grand la Saint-Valentin! Toutefois, si vous êtes du genre frivole, léger et sensuel, vous risquez de vivre une vie plus dissolue et de rencontrer des personnes aux mœurs douteuses. Ainsi prévenu, vous serez en mesure de mieux choisir vos partenaires. Vous souffrez peut-être d'une sérieuse dépendance au sexe ou à l'amour, et le fait que vous tombiez toujours sur le mauvais partenaire, que votre vie amoureuse tourne toujours au drame vous obligera à consulter pour vous libérer une fois pour toutes de ce fâcheux penchant.

Arts

Une nouvelle aventure artistique vous attend; avant que ce mois de février ne se termine, vous vous impliquerez corps et âme dans ce projet. En revanche, vous n'échapperez pas à certaines difficultés en cours de route, mais vous les gérerez avec une belle ouverture d'esprit. Vous amorcerez souvent les projets et les gens vous suivront parce qu'ils croiront en vous. Voici donc un mois où vous serez extrêmement productif. De plus, vous réussirez à vous faire connaître. Cette sortie de l'ombre est bien méritée. En somme, un nouveau chapitre de votre vie artistique s'ouvrira.

Spiritualité

Lors d'une introspection, à moins qu'il ne s'agisse d'une méditation, vous aurez une compréhension subtile de la vie et d'une réalité de la vie qui vous avait échappé jusqu'à ce jour.

Carrière

Vos plans d'action professionnels, artistiques, d'affaires ou politiques seront novateurs. Préparez-vous tout de même à devoir expliquer vos projets dans leurs moindres détails, puisque Mercure rétrogradera jusqu'au 11 février. Les clients, employés et collègues, ou un patron, éditeur, adjoint, associé, employé, fournisseur ou distributeur réagiront rétroactivement à vos paroles, suggestions ou conseils et vous vous mordrez les doigts pour ne pas sauter un plomb. Avec Neptune, vous constaterez que les gens, même d'affaires, ont parfois tendance à pelleter des nuages, à se nourrir de folles espérances. Plusieurs Verseau reprennent leur vie professionnelle, artistique, d'affaires ou politique en main, et ils se questionnent sur ce qu'ils aimeraient vraiment accomplir et dans quel genre de travail ils s'émanciperaient le plus. Vous mettrez le doigt sur cette réponse d'ici la nouvelle lune du 18 février.

Argent

Les domaines foncier et de l'immobilier seront très favorables. Donc, si vous possédez ou exploitez un bien immeuble, un fonds de terre, vous ferez sûrement de bons profits. Certains d'entre vous pourraient décider de conserver le patrimoine familial après le décès d'un parent ou d'un beau-parent, selon le cas.

Mars

Climat général du mois

Vous devez savoir qu'une éclipse solaire se produira le 20 mars. Une éclipse fait survenir des changements souvent pas très agréables ou des événements troublants et insécurisants, mais, dans 90 % des cas, il s'agit de chances déguisées. Voilà pourquoi il ne faut jamais se laisser décourager par tout ce qui arrive durant un mois d'éclipse. Imaginons que vous subissiez une perte de revenus d'ici le 20 mars et pour mille raisons possibles – la compagnie ferme ses portes, l'entreprise déménage à l'étranger ou dans un endroit qui ne fait pas votre affaire du tout et vous ne pouvez pas suivre, etc. Presque simultanément, vous seriez embauché ailleurs et à un meilleur salaire en plus. Voyez : ce drame était en fait une occasion en or pour vous d'obtenir un travail mieux rémunéré. Si rien de tout cela ne vous concerne, vous allez recevoir d'excellentes nouvelles de votre père, d'un frère ou d'un enfant. Si vous pensez vous lancer en affaires, analysez bien toutes les facettes du projet et faites des recherches sur les antécédents des gens impliqués. Une découverte vous permettra de savoir très exactement si c'est une bonne ou une mauvaise idée de persévérer dans cette voie. Si vous pensez vendre votre maison, le bon acheteur va se présenter sur le pas de votre porte. Sinon, de nouveaux développements concernant une propriété en particulier dessineront un sourire sur vos lèvres.

Amour

Votre partenaire de vie réglera son horaire sur le vôtre et vous pourrez alors planifier de jolies rencontres amoureuses. De plus, vous aurez d'excellentes nouvelles à partager devant un bon repas à la chandelle. En tant que célibataire, vous serez très courtisé et vous aurez l'embarras du choix. Peut-être déciderez-vous d'un commun accord avec votre douce moitié de vous lancer dans une association d'affaires.

Arts

Ce secteur sera le plus favorisé malgré l'éclipse solaire qui se produira le 20 mars prochain, et je vais donc m'y attarder plus longuement. Voyons comment les choses vont se passer. D'abord, une maison d'édition pourrait s'intéresser à vos écrits et vous faire une offre de publication. En tant que journaliste, vos interventions seront remarquées en haut lieu. Ou alors, vous mettrez sur pied un blogue qui fera parler de lui sur presque tout le réseau Internet. Ensuite, vous gagneriez à vous faire connaître par la publicité, un agent ou différents médias. Si vous êtes recherchiste ou intervieweur, vous tomberez sur les meilleures histoires et vous donnerez des entrevues-chocs. De plus, vous effectuerez de bonnes recherches documentaires en vue de la réalisation d'une émission de radio, de télévision ou d'un film. Si vous êtes comédien, vous recevrez une offre pour endosser un rôle important. Vous possédez le talent d'auteur-compositeur-interprète? Vous créerez les plus belles mélodies et vos chansons joueront sur toutes les radios. Si vous souhaitez enseigner les arts, vous dénicherez la bonne école, institution ou université. En somme, vous serez vous-même très surpris de voir à quel point le succès vous sourit en ce moment. Si rien de tout cela ne vous concerne, vous pourriez décrocher un poste prestigieux dans une grosse boîte spécialisée en publicité.

Spiritualité
Il vous arrivera de vous sentir transporté par un sentiment d'émerveillement et d'admiration pour la vie.

Carrière
Les relations publiques vous permettront de vous démarquer, alors n'hésitez pas à vous pointer à des 5 à 7, à des dîners d'affaires ou à des séminaires-rencontres où vous pourrez distribuer vos cartes professionnelles. Vous croiserez dans ces endroits des gens de pouvoir capables de vous ouvrir bien des portes. Vous constaterez combien ils ont le bras long. Dans un autre ordre d'idées, vos paroles et commentaires auront une portée énorme et leurs effets seront destructeurs si vous ne prêtez pas attention à tout ce qui sortira de votre bouche.

Argent
Uranus, votre planète maîtresse, vous forcera à décider du meilleur moyen de gagner votre vie. Commencez par définir quel secteur professionnel vous allumerait le plus ; ensuite, développez votre plan d'action.

Avril

Climat général du mois

L'éclipse lunaire totale qui se produira le 4 avril vous portera à l'intro-version, au besoin de solitude ou de vous « éclipser » du monde : de la famille, des amis et même de l'être aimé. Jusqu'à l'arrivée de la nou-velle lune du 18 avril, vous vivrez tout cela par crises. Cela dit, vous ne manquerez pas d'ambition ni de désir de pouvoir, ce mois-ci. Vous chercherez surtout à structurer votre vie, l'intérieur de votre foyer, ou à vous défaire de cadres trop rigides et traditionalistes qui vous em-poisonnent la vie depuis trop longtemps déjà. Vous déraciner ainsi répondra aux exigences de cette éclipse lunaire totale! Si vous deviez vous présenter en cours de justice ce mois-ci, le magistrat pourrait avoir des idées bien arrêtées et ne pas être en mesure de vous faire jus-tice. Si vous pouviez reporter votre cause après le 18 avril, ce serait bien! S'il ne s'agit pas d'une cour de justice, vous attendez peut-être un règlement de vos assurances, un montant d'argent qui vous est dû par votre syndicat ou votre employeur, etc. Quoi qu'il en soit, vous obtien-drez justice, mais après de longues négociations.

Amour

Un déséquilibre amoureux risque d'être très mal vécu. Vous devriez ouvrir le dialogue pour clarifier ce qui ne va plus, ce qui vous dérange ou qui vous refroidit. Le gel amoureux existe bel et bien et il vaut la peine de raviver la flamme même si elle couve sous la braise. Les céli-bataires rechercheront un partenaire indépendant et qu'ils seront en mesure d'admirer. La bonne nouvelle est que vous allez trouver cette perle rare. Si vous souhaitez célébrer votre mariage le 4 avril, vous devez tenir compte de l'éclipse lunaire en vous assurant que le gâteau, les fleurs ou les anneaux de mariage seront bien livrés à l'heure conve-nue. En dehors de cela, vous passerez une journée inoubliable... Au pire, le gâteau de noce se sera « éclipsé » pour mille raisons possibles, et c'est une histoire rocambolesque que vous raconterez à vos futurs enfants et petits-enfants.

Arts

Une mauvaise entente ou une rupture de contrat vous entraînera à débattre de la question épineuse de vos droits d'auteur réciproques.

Cette question se réglera en cour de justice ou vous accepterez une entente hors cour. Chose certaine, vous recevrez un montant compensatoire qui vous rendra justice. Autour de la nouvelle lune du 18 avril prochain, vous vous attaquerez à un nouveau projet artistique qui vous redonnera le goût de créer, de réaliser, de développer et de produire. Vous vous investirez totalement et votre réussite n'en sera que plus éclatante!

Spiritualité

Si vous développez votre pouvoir spirituel depuis quelques années déjà, vous verrez clairement la façon dont les éléments apparemment dissemblables sont liés les uns aux autres.

Carrière

Vous jouerez un rôle plus important au travail ou dans vos affaires. Vos responsabilités seront plus lourdes qu'à l'accoutumée, surtout au début de ce mois d'avril. Les échanges que vous aurez avec les autres ne seront pas aisés, mais à partir du 18 avril approximativement, les discussions seront facilitées. D'ici là, le conseil astrologique le plus valable serait que vous vous armiez de patience et de tact pour mieux faire passer vos messages. Vos adversaires ou compétiteurs essaieront tant bien que mal de vous intimider, mais ils n'y arriveront pas puisque vous aurez la marge de manœuvre nécessaire pour contrecarrer leur action. Dans un autre ordre d'idées, la planète Saturne mettra en lumière des situations compromettantes qui alimenteront le feu conflictuel entre employés. Quand Saturne mettra en évidence ces situations, elles ne seront pas faciles à vivre, mais au moins, le chat sera sorti du sac et vous pourrez mieux gérer ces difficultés pour en finir une bonne fois pour toutes. Une fois ces difficultés résolues, vous devrez prendre une décision importante concernant le système de communications ou de facturation au sein de l'entreprise.

Argent

Vous prendrez des arrangements avec votre compagnie de téléphone, votre centre de services Internet ou de cartes de crédit. Ou bien, vous réussirez à faire baisser la facture, ce qui n'est pas rien!

Mai

Climat général du mois

La deuxième rétrogradation de la planète Mercure se produira à partir du 11 mai. Si vous êtes un type de Verseau très volubile, éloquent et dont le niveau de langage dépasse la moyenne, vous devrez ajuster votre « ton de voix » lorsque vous vous adresserez aux gens. Vous avez sûrement déjà constaté, et ce, à plusieurs reprises depuis le mois dernier, que les personnes s'arrêtent à votre façon de vous exprimer plutôt que de considérer vos messages! Mises à part ces complications envoyées par Mercure rétrograde, vous passerez un mois magnifique à bien des égards. La pire chose qui pourrait vous arriver est que Mercure vous prive d'influence et de rayonnement.

Amour

Vous n'avez peut-être pas le statut amoureux que vous désirez, car vous n'arrivez pas à trouver la bonne personne pour vous. Vous vous sentez parfois mal à l'aise et peu sûr de vous, mais il n'y a que vous-même qui en êtes conscient. Votre charmante personnalité et votre humour toujours bien placé vous font passer comme une « lettre à la poste ». Bref, les gens vous reçoivent tout naturellement avec respect, tendresse et amabilité. Vous devez savoir que cette situation de solitude ne va pas durer toujours. À ce sujet, vous êtes invité à lire la section *Spiritualité*. Votre thème astral vous donne la clé pour défaire ce karma de solitude ; si vous y arrivez, vous décadenasserez une porte qui s'ouvrira sur l'amour avec un grand A. Une femme pourrait même vous annoncer qu'elle attend un enfant de vous. Dans un autre ordre d'idées, vous mettrez un peu de piquant dans votre vie de couple. Vous connaissez sûrement le vieil adage qui dit que « le poids du silence divise plus qu'il ne rassemble ». Autrement dit, vous devez communiquer plus avec l'être cher ou lui témoigner par des mots clairs toute votre affection. La mise en lumière d'un événement ou d'un comportement que vous tenez caché ou secret serait possible.

Arts

Les idées que vous échangerez avec d'autres créateurs seront porteuses et elles vous permettront de développer des projets qui feront mouche auprès d'un vaste public. Vous serez vu, entendu et le succès vous sourira. Si vous deviez signer un contrat, assurez-vous de bien lire les petits caractères. Ils sont d'entre tous les plus importants!

Spiritualité

Mercure rétrograde vous dépouillera de votre besoin de vous faire voir et de vous faire valoir. Cela revient à dire qu'il vous fera réaliser à quel point vous « dépendez » du regard des autres. Ce n'est pas un chemin facile à emprunter, mais si vous acceptiez de lâcher prise ou si vous renonciez à cette « dépendance », vous vous épargneriez une percutante leçon de vie.

Carrière

Un compétiteur, un collègue, un patron ou un partenaire d'affaires vous déconcertera par moments. Toutefois, vous neutraliserez l'action négative, ou carrément casse-gueule, d'un associé, représentant, employé, patron, client, diffuseur ou fournisseur. Vous vous montrerez fin stratège, intelligent et très productif. En de pareilles circonstances, il serait normal de vous attendre à une belle reconnaissance de la part de vos pairs, sauf que Mercure rétrogradera à partir du 11 mai et que, dans son recul, les personnes haut placées ne seront pas en mesure de reconnaître votre performance et de lui donner toute l'attention qu'elle mérite. Voilà pourquoi vous auriez intérêt à tenir une sorte de journal de bord qu'il vous sera possible de présenter en temps voulu. La bonne nouvelle est qu'après le 25 mai, vous n'aurez plus à subir de telles injustices. Au contraire, les gens se remémoreront vos efforts, votre sens du devoir et vos grandes qualités de meneur. Pour compléter ce beau tableau, votre succès est à portée de main en ce moment et vous ne manquerez pas de le saisir avec une poigne de fer!

Argent

Étrangement, vous serez plus détaché en ce qui concerne vos finances. Ou bien, vous subirez un changement positif et radical dans votre manière de gagner votre argent.

Juin

Climat général du mois

Vous allez devoir analyser la colère qui vous habite et les raisons qui font que vous n'arrivez pas à lâcher prise. Soyez aussi présent à la « colère » et à tous les synonymes qui lui sont associés tels que la dureté du cœur, la haine, la hargne, la mauvaise humeur, l'irritation ou l'irritabilité, la malveillance, la maussaderie, la rancœur (c'est mon synonyme préféré), le ressentiment ou la rudesse – voilà autant de sentiments dérivés de la colère. Étrangement, cette négativité sous toutes ses formes est plus facile à assumer que le chagrin et le sentiment de culpabilité qui se cachent derrière. De plus, ces sentiments font beaucoup de dégâts sur le plan physique. Dans le film *Manhattan*, Diane Keaton annonce à Woody Allen qu'elle le quitte pour un autre homme; il ne répond pas. Diane Keaton lui demande alors pourquoi il ne se met pas en colère. « Je ne suis pas en colère, lui rétorque Woody Allen, je me fabrique un cancer. » Du grand Woody! Aussi, certains symptômes pourraient apparaître : du psoriasis, des réactions allergiques ou même de l'asthme. Vous devrez alors consulter immédiatement votre médecin ou un spécialiste en la matière. Encore une fois, le but ici est de vous prévenir et non pas de vous faire peur.

Amour

D'ici la fin du mois, plus précisément après la rétrogradation de Mercure qui se produira le 13 juin prochain, vous constaterez une nette amélioration concernant votre vécu amoureux au quotidien. Des événements aussi imprévus que surprenants réorienteront votre destinée sentimentale vers le meilleur. Ou bien, votre relation de couple se portera mieux. Vous pourriez recevoir d'excellentes nouvelles concernant un petit voyage planifié hors de la ville et il réactivera votre désir de rapprochement. Les échanges seront agréables et constructifs. Dans un autre ordre d'idées, un vieil ami semble avoir pris ses distances depuis quelques mois. Vous souffrez sûrement de ne plus avoir cette belle proximité avec lui puisque vos discussions sont devenues superficielles, vides de sens.

Arts

Votre expression artistique sera phénoménale et riche, voire magique, ce mois-ci. Que vous soyez acteur ou chanteur, vous allez faire fureur! Aussi, vous devriez mettre plus d'ego dans vos interprétations pour leur donner plus de solidité. Autrement dit, vous aurez tendance à faire preuve d'une trop grande sensibilité et cela pourrait vous faire perdre une partie du grand public. Avec peu de moyens, vous réussirez à mettre en scène un projet, à réaliser un film, une œuvre d'art, une BD ou une idée artistique d'envergure et de qualité! Bref, vous vous montrerez habile, ingénieux, inventif. Vous transformerez le plus petit projet en une source de revenus lucratifs.

Spiritualité

Si vous vous sentez victime de la vie ou de la malchance, c'est que vous n'avez pas vraiment SAISI ce que la vie tente de vous enseigner. En fait, l'hypersensibilité, l'ennui ou la confusion démontrent clairement que vous traversez la vie sans buts ou objectifs à atteindre et vous devez remédier à cela.

Carrière

Jusqu'au 13 juin approximativement, vous trouverez difficile de recevoir toute l'attention que vous méritez ou que vos projets méritent. Vous aurez souvent l'impression de passer en dernier, alors que les autres régleront leurs urgences sans problème. Les efforts que vous déploierez pour promouvoir un produit, un projet, une idée ou l'entreprise elle-même se solderont souvent par des répliques du genre : « nous ne sommes pas prêts à enclencher ce processus » ou « le budget ne permet pas les investissements nécessaires ». Dites-vous bien alors que la roue se remettra en marche autour du 16 juin, journée de nouvelle lune. Cela dit, vous pourriez décider d'étudier un nouveau logiciel ou l'entreprise investira dans une nouvelle technologie du genre tablette intelligente, mais en plus évolué encore.

Argent

Vous ferez tout en votre pouvoir pour vous assurer une nouvelle source de revenus stable et régulière. Par contre, vous ne devez pas laisser vos insécurités ou votre peur de manquer d'argent vous bousculer inutilement.

Juillet

Climat général du mois

Ce mois génial apporte deux pleines lunes dont la principale se produira le 31 juillet prochain aussi appelée « treizième lune ». Elle revient tous les deux ans et demi approximativement et les Amérindiens la nomment la « lune bleue ». D'ailleurs, pour le plaisir de la chose, je vous ai concocté un rituel très inspiré et inspirant qui vous permettra d'abord de vous connecter aux forces lunaires (très puissantes, cela dit) : elles provoquent les marées et bien d'autres phénomènes importants sur la Terre et au pouvoir du Grand Esprit dont elle est porteuse. Le but de ce rituel, que vous retrouverez à la section *Alerte astrale importante pour le mois de juillet 2015*, est de vous permettre de faire arriver de petits miracles dans votre vie. Même si vous n'y croyez pas vraiment, tentez l'expérience… vous ne serez pas déçu. Aussi, vous sentirez l'urgence d'accomplir beaucoup de choses en même temps, ce mois-ci. Ce qui risque de vous faire courir dans tous les sens et de vous faire rager contre tout ce qui ne fonctionnera pas vraiment bien. Je vous entends déjà vous heurter le petit orteil sur le bord de la table de lit au lever et crier d'impatience! Bref, vous serez mu par une puissante énergie d'action et elle provoquera quelques incidents. Ainsi prévenu, vous savez maintenant que le calme vous servira bien mieux que l'anxiété dévorante de tout vouloir accomplir.

Amour

La nouvelle lune se produira dans le secteur amoureux de votre carte du ciel. Vous allez donc faire une belle rencontre au hasard d'une sortie, d'un 5 à 7, d'un séminaire ou d'une rencontre sportive ou simplement amicale. Vous dégagerez surtout l'intention claire de rencontrer quelqu'un de bien et le destin servira (ce qui est assez rare) votre intention *subito presto*. Bref, vous vous retrouverez dans de nouveaux bras assez facilement. À moins, bien sûr, que vous souhaitiez ardemment vous libérer d'une situation amoureuse qui ne vous fait plus vibrer. Si vous faites partie de ces Verseau-là, vous serez heureux d'apprendre que la vie vous réserve de belles surprises, en plus de vous révéler que vous êtes encore capable de ressentir l'amour. Un ami vous reprochera d'être toujours trop pressé, de ne pas avoir assez de temps à lui consacrer. Cela dit, les discussions que vous entretiendrez avec un ami ou de bons amis seront intenses et riches de sens. Ils vous apporteront des prises de conscience qui vous laisseront sans voix.

Arts

L'influence dynamique de Vénus vous poussera à rechercher les plaisirs, la beauté, l'amour et l'harmonie. Sauf que vous serez aussi porté à prendre les choses plus aisément, bref, à ne pas forcer la note lorsque vous vous retrouverez dans un processus créatif. Aussi, vous prendrez conscience que des changements doivent être apportés dans vos affaires ou projets artistiques.

Spiritualité

Vous vous transformerez totalement grâce à une formation, à un séminaire ou à une prise de conscience étonnante. Ou bien, un problème de santé vous a ouvert les yeux sur la puissance de la vie et vous continuerez d'explorer cette avenue pour grandir encore plus intérieurement.

Carrière

Vous ne manquerez pas de pouvoir d'action autour du 16 juillet, jour où la nouvelle lune se manifestera. Vous n'aurez pas froid aux yeux non plus lorsque vous aurez à prendre une décision, à faire valoir votre point de vue ou à émettre des suggestions pour la bonne marche d'un projet, d'un travail ou d'un dossier chaud. Vous allez mettre la main sur une bonne affaire. De plus, votre accomplissement professionnel vous permettra de prendre un nouvel envol. La montée fut lente, mais constante… Vos deux mots-clés ce mois-ci seront *préparation* et *planification*! Vous pourriez juger un patron contrôlant et critique. Vous ne le trouverez pas si facile à vivre par moments. Travailleur infatigable, vous ne relâcherez pas vos efforts pour faire bouger les choses au travail.

Argent

Vous serez plus facilement porté à dilapider votre argent pour des peccadilles. Ensuite, vous vous mordrez la lèvre inférieure de culpabilité et de regret. Si l'achat en question ne vous a pas ruiné, acceptez vos laisser-aller sans vous culpabiliser outre mesure.

Août

Climat général du mois

Un proche (il pourrait s'agir de votre maman, d'une sœur ou d'une amie chère à votre cœur) vous lancera un appel à l'aide. Toutefois, vous devrez beaucoup vous déplacer pour aller à sa rencontre et lui apporter le réconfort et l'aide nécessaire. Ou alors, vous aurez une discussion franche avec lui concernant un geste qu'il a posé et qui bouscule la famille. Il pourrait s'agir d'un divorce éventuel ou d'une attitude négative ou abusive, d'une dépendance ou d'une mauvaise habitude qui le fait courir après sa propre destruction. De plus, vous vous rebellerez devant certaines restrictions professionnelles, amicales, amoureuses, familiales, artistiques, d'affaires, matérielles ou politiques. Celles-ci seront directement liées aux objectifs que vous vous fixerez. Imaginons que vous vous battiez pour une cause qui vous tient vraiment à cœur ; tout à coup, un événement inattendu ralentira votre avancée et vous fulminerez.

Amour

Vous formez peut-être un couple fort, solide, mais l'imprévisibilité (la vôtre ou celle de votre partenaire) vous laisse parfois des points d'interrogation en tête. Vous n'aurez qu'un seul et unique souci ce mois-ci : faire plaisir à la personne qui partage votre vie depuis bien des années déjà, peut-être. Ou bien, votre douce moitié reconnaîtra vos qualités extraordinaires dans ses gestes et ses paroles. D'ailleurs, une promesse d'amour vous conduira à prendre un engagement sérieux : des fiançailles ou un mariage. Les Verseau moins chanceux feront la rencontre d'un prétendant qui s'emportera pour des riens et vous refuserez carrément de le revoir à cause de son tempérament violent ou agressif. Si tout cela ne vous concerne pas, vos élans se porteront vers une nouvelle personne. Vous deviendrez peut-être vous-même parent et cette expérience unique changera votre système de valeurs! En plus, ce nouveau rôle transformera votre vécu quotidien du tout au tout! Plusieurs Verseau auront donc la chance de mettre au monde un petit être humain. L'arrivée de cet enfant activera en vous un amour inconditionnel qui dépassera votre propre entendement.

Arts

De nouveaux projets artistiques se présenteront tout naturellement. Vous devrez choisir ou vous déciderez de mener deux projets de front. Chose certaine, vous ne chômerez pas, ce mois-ci. Au début du mois, vous subirez un certain ralentissement à cause d'un manque de gestion ou d'organisation d'un distributeur, ou alors un synopsis ne sera pas suffisamment bien fignolé, ou encore l'équipe de travail ne formera pas un ensemble homogène. Après le 14 août approximativement, vous constaterez que les choses tendront à s'améliorer grandement. Un vif succès vous sourira alors et vos efforts seront reconnus. Toutes vos initiatives vous mèneront loin. De plus, vous pourriez vous associer avec une grosse firme artistique qui a un pied à l'étranger et qui désire promouvoir votre talent là-bas.

Spiritualité

Si vous œuvrez dans ce domaine en tant que coach spirituel, par exemple, vous chercherez à mettre à profit vos nombreuses connaissances dans le but d'aider les gens à progresser intérieurement. Vos techniques seront judicieuses et finement amenées.

Carrière

Une situation particulière nécessitera que vous vous imposiez un code de conduite sévère. Certains parmi vous terminent un cycle important de vie professionnelle, et ils se retrouvent peut-être à l'aube de prendre leur retraite. Si c'est le cas, ce changement de vie vous donnera l'occasion de vaquer à des occupations nouvelles et tellement plus stimulantes. Ou peut-être qu'un contrat de travail, un projet professionnel ou artistique tire à sa fin parce qu'il n'a pas été renouvelé. Vous ne serez pas long à embrasser de nouveaux défis. Bref, vous ne subirez pas cette page blanche indéfiniment, même si vous ne tournerez pas la page en deux jours! Vous pourrez vous appuyer sur votre solide expérience de travail lorsque viendra le temps de vous engager sur une nouvelle voie professionnelle, artistique, d'affaires ou politique.

Argent

Vous trouverez des solutions efficaces en ce qui concerne un problème d'argent, s'il y a lieu bien sûr.

Septembre

Climat général du mois

Voici un mois où deux éclipses vont se produire; l'une, solaire, se pointera le 13 septembre et l'autre, lunaire, se manifestera le 28. Vous chercherez à vous distinguer, sauf que votre réussite dépendra de la façon dont vous vous y prendrez. Bref, vous allez devoir manier doucement votre détermination et la manière de l'imposer aux autres, ce mois-ci! Étrangement, beaucoup de Verseau décideront de se consacrer à la médecine, à des professions médicales ou paramédicales. La profession de sage-femme vous intéresse depuis des années et vous pensez vous recycler dans ce domaine? Allez-y, foncez! Ou alors, peut-être déciderez-vous de vous consacrer à une cause humanitaire. Dans un autre ordre d'idées, les éclipses lèvent le voile sur des situations cachées, secrètes, qui jouaient contre nous et dont nous n'avions pas conscience. Vous allez donc découvrir que des gens (des proches, peut-être) sont passés maîtres dans l'art de vampiriser l'énergie, le temps et l'argent des autres. Les vôtres tout particulièrement! Vous vous dégagerez de ces personnes une bonne fois pour toutes et pour votre plus grand bien. Bref, vous les « éclipserez » de votre vie. Surtout, éloignez-vous de la drogue, ce mois-ci.

Amour

Vous allez devoir trouver un équilibre entre ce que vous pensez donner, offrir, et simultanément prendre en compte les besoins réels de la personne aimée. Vous agirez en accord parfait avec ce que vous ressentez vraiment… et c'est à cet instant précis que vous trouverez une paix intérieure et une plus grande confiance en vos moyens de séduction. Vous entretiendrez des relations amicales électrisantes, excitantes, à la limite magiques. Il se peut même que vous soyez appelé à vivre en tant que célibataire des situations insolites, abracadabrantes et dont vous vous souviendrez longtemps. Au pire, vous vous sentirez incompris, ce qui pourrait soulever une énergie très négative en vous.

Arts

Votre inspiration, en tant qu'artiste, sera plus « contemporaine » et reflétera la société d'aujourd'hui. Vous pourriez même participer à un projet artistique collectif ayant une portée internationale, ou le produire, l'engager ou le développer. Il pourrait s'agir de la mise sur pied d'une chorale, d'une création musicale, d'une pièce de théâtre, d'un livre dont les photos parleront d'elles-mêmes et qui visera à faire prendre conscience au vaste public de la précarité de notre planète. Le résultat sera étonnant, et le succès retentissant qu'il engendrera vous permettra de croire que tout est possible même en période de récession importante.

Spiritualité

Vous serez réceptif aux réalités nouvelles qui s'installent sur notre planète. Vous pourriez même décider de vous consacrer à un projet d'eau potable (après tout, n'êtes-vous pas le porteur d'eau par excellence dans le grand zodiaque ?) qui fait si cruellement défaut dans les pays pauvres.

Carrière

Un dirigeant se fera montrer la porte de sortie d'une manière très cavalière. Sinon, l'entreprise qui vous emploie pourrait décider de fermer ses portes, ou de « s'éclipser » d'un marché, essuyant par le fait même une importante perte d'argent. Quoi qu'il en soit, vous devez savoir que les « éclipses » sont souvent des chances déguisées, et qu'une fin sert les possibilités infinies qu'elles sont en mesure de créer pour vous. Après le choc, offrez-vous le luxe d'attendre l'occasion idéale si vous en avez les moyens. Si l'argent vous fait défaut, lancez-vous dans une démarche pour obtenir un emploi. Votre prise d'action vous mènera loin. Si vous décidiez, par exemple, de profiter de ce retournement de situation pour vous perfectionner ou pour aller chercher le diplôme rêvé, vous ne regretteriez pas d'avoir mis en branle ce beau projet de vie!

Argent

Vous devez surtout vous demander si attendre le bon emploi avant de donner votre démission serait la meilleure chose à faire. Par exemple, en quittant tout maintenant, combien de temps tiendriez-vous sans salaire? À quelle indemnité de départ avez-vous droit? Bref, tant qu'à changer de travail, aussi bien le faire dans les meilleures conditions financières possible!

Octobre

Climat général du mois

Si vous subissez un procès, des occasions de règlement vont se présenter, mais elles ne feront peut-être pas vraiment votre affaire. Autrement dit, examinez bien le règlement qui vous sera proposé avant de repousser l'offre du bout des doigts et de la faire glisser vers la partie adverse. Il semble que vous deviez renoncer à quelque chose pour obtenir plus… Ainsi prévenu, vous prendrez sûrement une décision éclairée. Dans un autre ordre d'idées, la planète Mercure rétrogradera jusqu'au 11 octobre prochain et vous attiserez certaines jalousies provoquées par votre réussite, votre allure ou votre chance amoureuse. Ou bien, un excès d'énergie désordonnée vous poussera à faire plusieurs choses en même temps pour finalement vous retrouver épuisé et sans avoir vraiment fait avancer les choses. Aussi, une situation vous ouvrira les yeux sur une illusion familiale, amicale ou amoureuse que vous entreteniez sans trop vous en rendre compte. Cet éveil ne sera pas si facile à digérer sur le coup, mais vous réaliserez vite qu'il s'agit en fait d'une occasion en or de pouvoir enfin vivre sous les feux de la réalité, libéré du fardeau de l'illusion.

Amour

Vous serez plus obsédé par les petites choses à faire comme comment faire l'amour si les lunchs n'ont pas été préparés, si la vaisselle traîne dans l'évier… Bref, si vous n'arrivez pas à vous détendre parce qu'il y a toujours quelque chose d'autre à faire que l'amour avec votre partenaire, il se peut que vous n'éprouviez aucun plaisir véritable à vous laisser aimer physiquement. D'ailleurs, je vous inviterais à vous interroger à propos de vos obsessions et des raisons qui vous poussent à les laisser vous dominer ainsi. Vous pourriez même consulter un sexologue et lui confier vos angoisses et vos stress. Si rien de tout ce qui vient d'être énoncé ne vous concerne, votre approche un peu trop conservatrice vous empêche sans doute d'entrer facilement en contact avec les autres. Essayez, autant que faire se peut, de ne pas prendre les choses trop au sérieux! Donnez-vous du lest et le naturel reviendra au galop! Vous serez alors en mesure de nouer des amitiés agréables ou un lien amoureux très spécial. Ou bien, un mariage serait possible.

Arts

Que vaut une idée sans la maîtrise du savoir-faire? Rien. Elle repose dans le cimetière des idées de grandeur qui n'ont pas été matérialisées. L'entrée en la matière est peut-être un peu dramatique, mais vous devez comprendre que si vous avez le savoir-faire, vous devez absolument vous lancer dans l'action, chers Verseau! Si vous possédez le savoir-faire, mais vous doutez de vos idées, vous faites du surplace. En pareil cas, vous êtes invité à maîtriser le doute ou la peur de l'engagement qui vous empêche de tisser votre destinée artistique.

Spiritualité

Lorsque nous nous intéressons à une nouvelle doctrine ou connaissance spirituelle, nous nous soumettons à ses lois souvent strictes et exigeantes. Vous êtes un être totalement libre, souvenez-vous de cela! Le mot *spiritualité* signifie à la base « agir avec intuition ».

Carrière

Si une carrière dans l'univers de la santé (naturopathie ou médecine), de l'esthétique (cela inclut la coiffure) et de l'entraînement physique et de beaucoup d'autres métiers vous intéressait, vous mettriez votre talent artistique en valeur comme concepteur ou dessinateur. Les portes s'ouvriront toutes grandes pour vous, ce mois-ci. À ce sujet, n'hésitez pas à présenter artistiquement et originalement votre expérience de travail ou CV de manière à vous démarquer de la masse des demandes d'emploi. Steve Jobs, feu le grand maître d'œuvre de la compagnie Apple, s'était donné pour ligne de conduite « de ne pas faire mieux que les autres, mais de faire différent des autres ». Cette intention a engendré la grandeur de sa réussite! Jusqu'au 11 octobre, Mercure terminera sa troisième et dernière rétrogradation de l'année. Vous serez donc porté à vous sous-estimer en silence et cela aura une incidence sur votre prise d'action, qui deviendra incertaine; vous douterez de vos choix, de vos décisions.

Argent

Vous vivez des situations agitées qui ne semblent jamais offrir la stabilité que vous voudriez. Vous obtiendrez ce que vous recherchez, n'ayez crainte!

Novembre

Climat général du mois

Votre intellect sera vif, tranchant, pointilleux. Vos amis ou vos proches manqueront parfois de logique et vous vous impatienterez. Quoi qu'il en soit, ce mois sera merveilleux pour tout ce qui touche l'enseignement, l'écriture, l'étude, la communication et les médias. Vous devez cela à la nouvelle lune qui se produira dans votre neuvième secteur – les études, la publicité, les voyages et la philosophie. Voilà donc un bon mois pour présenter au grand public vos œuvres littéraires, vos sketches, vos BD ou vos créations artistiques et même vos inventions. Si vous souhaitez vous inscrire à l'université, allez-y! Votre décision ne sera pas facile à prendre pour autant puisque vous rencontrerez l'incompréhension de certaines personnes, mais vous finirez par avoir le fin mot de l'histoire après le 11 novembre, jour de nouvelle lune. Par ailleurs, la lune vous poussera fortement à agir ou à prendre des décisions importantes en ce qui concerne la maison. Vous pourriez décider d'investir dans l'achat d'un condo neuf ou d'une nouvelle maison. À tout le moins, vous entreprendrez des rénovations importantes et les coûts seront proportionnels à vos goûts de luxe…

Amour

Vous aurez sûrement l'occasion de rencontrer une personne digne et pleine de ressources. Vous apprécierez grandement sa compagnie, son style de vie et sa façon de se comporter avec vous, un peu comme si son énergie vous allait comme un gant. Si vous formez un couple bien assorti, vous entretiendrez d'excellents rapports avec l'être cher. En tant que famille recomposée, vous agirez pour entretenir l'harmonie et la bonne humeur. Ou bien, il ne serait pas étonnant que vous planifiiez un projet de voyage dans un vieux pays tel que la Grèce ou l'Italie avec l'être aimé, ce qui aura pour effet d'épicer la relation.

Arts

Vous allez faire preuve d'une intense concentration et le surmenage vous guette. Cela dit, vous aurez le privilège de travailler sur un nouveau concept artistique. Il s'agira très certainement d'allier l'ancien au nouveau, de moderniser une vieille manière de faire ou de vous inspirer de vos anciennes connaissances pour créer quelque chose de novateur et de très inspiré. Quoi qu'il en soit, vos réalisations seront phénoménales et appréciées du grand public. En résumé, en combinant votre grand talent et vos efforts, vous prendrez un nouvel envol artistique.

Spiritualité

Vous chercherez des réponses pour distinguer le vrai du faux, alors qu'au fond vous devriez créer votre propre moralité en déterminant pour vous seul ce qui a du sens à vos yeux maintenant. Puis, petit pas par petit pas, la vie vous enseignera avec preuve à l'appui, selon la richesse et la profondeur du niveau spirituel que vous avez atteint, tout ce que vous devez croire ou ne pas croire. D'ici là, continuez de pratiquer et de parfaire votre développement spirituel pour atteindre les hauts niveaux par l'entremise de la gymnastique respiratoire, du Qi Gong ou Chi Gong, du Taï-chi, de la visualisation ou de la méditation, pour ne nommer que ces techniques.

Carrière

Vous accepterez un nouveau travail ou vous vous lancerez dans une nouvelle aventure professionnelle, artistique, d'affaires ou politique. La direction que vous prendrez sera certainement la bonne puisque vous agirez dans votre intérêt fondamental. Vous n'êtes pas du genre à vous laisser dominer si facilement. Par contre, vous vous retrouverez souvent en train de vous soumettre au zèle intempestif ou aux décisions extravagantes de certains dirigeants au travail. La bonne nouvelle est que tout rentrera dans l'ordre autour du 11 novembre. Aussi, un nouveau patron pourrait imposer son point de vue sur l'entreprise, qui divergera totalement de celui de son prédécesseur. Vous agirez stratégiquement en vous pliant à sa manière de voir les choses et vous retirerez de cette situation délicate des bénéfices fort intéressants, dont l'appui inconditionnel de ce nouveau dirigeant, ce qui n'est pas rien!

Argent

Une promotion ou un nouveau travail s'offrira à l'être cher, ce qui aura un impact important sur vos finances. Si ce n'est pas le cas, il s'agira d'une occasion de vous libérer d'une dette.

Décembre

Climat général du mois

Vous éprouverez un grand sentiment d'accomplissement. L'activité constitue la clé de votre bonheur, ce mois-ci. Plus vous serez actif et plus vous vous sentirez bien dans votre peau, votre travail ou votre vie amoureuse, amicale ou familiale. Vous utiliserez vos talents au mieux, puisque vous maîtriserez intuitivement un grand savoir-faire. Autrement dit, vous « intuitionnerez » vraiment bien ce qui doit être fait et comment bien faire les choses tout naturellement. De plus, votre sens de l'observation sera grand et, à travers lui, vous figurerez comment vous y prendre pour, encore une fois, bien faire les choses. Quel mois, les Verseau! Inutile de préciser que vous passerez un temps des fêtes mémorable et merveilleux. Vos proches et amis s'arracheront votre présence.

Amour

Vous serez porté à idéaliser un nouveau prétendant. Apprenez surtout à bien le connaître avant de lui offrir votre cœur et votre confiance, étant donné que la planète Jupiter fera un carré avec Saturne et que cette combinaison n'est pas toujours agréable. En fait, ce carré vous obligera surtout à faire plusieurs ajustements et à vous séparer de personnes ou de circonstances qui ne sont pas très bonnes pour vous. Voilà pourquoi vous êtes invité à vous montrer prudent et sélectif. Chose certaine, vous saurez profondément en vous-même que quelque chose ne va pas et soit vous vous fermerez les yeux et le réveil sera difficile, soit vous ouvrirez les yeux et vous prendrez les décisions qui s'imposeront. Après le 18 décembre, vous ne subirez plus ce « carré » et vous goûterez des jours heureux en amour. La vie vous apportera alors des occasions magnifiques pour reconstruire votre vie.

Arts

Un perfectionnement donnera lieu à beaucoup de nouvelles formes d'expression artistique. De nouveaux contacts vous aideront à régler des problèmes de diffusion ou de promotion et il s'ensuivra des gains financiers importants. Les auteurs, les compositeurs, les écrivains, les journalistes et les chanteurs prendront conscience de leur talent. Vous excellerez dans votre domaine d'expertise et serez reconnu. De beaux projets d'écriture vont se présenter. Sinon, vous saurez saisir au vol de très belles occasions artistiques de vous démarquer.

Spiritualité

Vous serez plus sensible aux forces de la nature, mais il vous faut apprendre à agir en fonction d'elles plutôt que demeurer un observateur strictement passif. Imaginons que vous vous retrouviez en train de faire du ski de fond dans un sous-bois et que vous vous laissiez prendre par la grande beauté de la nature qui se déploie sous vos yeux. Comment pourriez-vous vous connecter avec ce « grand pouvoir de la nature » au lieu d'observer passivement ce décor enchanteur? Trouvez une roche qui vous semblera confortable, enlevez vos skis et assoyez-vous tranquillement. Inspirez profondément en fermant les yeux et, à voix haute, prononcez ce mantra (petite phrase sacrée servant à atteindre un état spirituel donné dans la religion bouddhiste et hindouiste) : «J'inspire ta beauté, ta splendeur et ta grandeur...» Ensuite, relâchez le souffle tout en prononçant la syllabe OM[1]... tout simplement!

Carrière

Aussi étrange que cela puisse paraître en ce mois de décembre où tout tourne au ralenti, vous pourriez recevoir une offre d'emploi qui ne se refuse pas. Ou bien, de nouvelles offres de travail vous permettront de vous défaire d'un « vieux » travail qui a fait son temps et qui ne vous apporte plus rien de bon. Aussi, vous vous libérerez des limitations qui vous tirent vers l'arrière. De plus, tout ce que vous entreprendrez, réaliserez ou produirez ce mois-ci aura un impact très grand sur votre situation professionnelle, artistique, d'affaires ou politique.

Argent

Il n'est pas toujours facile de s'engager financièrement, par exemple en achetant une première maison. Il arrive alors que la crainte de ne pas pouvoir effectuer les paiements reste sous-jacente et qu'elle mine la confiance en soi. Mais voilà... pour investir et consolider des acquis, vous ne devez pas craindre de vous commettre.

---

1 **Om, aum** est une syllabe sanskrite que l'on retrouve dans plusieurs religions : l'hindouisme, le bouddhisme, le jaïnisme, le sikhisme, et le brahmanisme. On la nomme aussi *udgitha* ou *pranava mantra* (mantra primordial). Référence : http://fr.wikipedia.org/Om

POISSONS

Ses couleurs préférées : Les différentes teintes de bleu et particulièrement le bleu indigo vous vont à ravir. Sinon, le turquoise qui représente les fonds marins ainsi que certaines teintes de violet, le blanc et le noir sont des couleurs porte-bonheur.

Ses métaux : Le palladium, le platine, l'iridium, le rhodium, l'osmium et le ruthénium.

Ses pierres de naissance : Le saphir, l'agate bleue et la turquoise.

Ce que ces pierres symbolisent : Le saphir protégera le signe des Poissons contre les mauvaises vibrations de la planète Mercure qui est en chute lorsqu'elle se retrouve dans son signe du zodiaque. De plus, il semblerait que le saphir aide à prédire l'avenir. L'agate bleue offre une puissante protection aux Poissons en agissant tel un bouclier pour empêcher les autres de lui drainer son énergie. Cette même pierre l'aide à réveiller ses talents endormis. La turquoise est reconnue pour attirer l'argent, le succès et l'amour. Elle agit aussi favorablement sur les amitiés du signe des Poissons.

Les différents aspects de sa personnalité

Le natif du signe des Poissons affiche un fort désir d'évasion, de vivre sa vie personnelle et même professionnelle librement et selon ses propres lois, et cette attitude lui vaut l'incompréhension des autres. En fait, il voyage à contre-courant en allant ainsi à l'encontre d'une vie normale de travail et d'obligations. Il ne se réalisera pleinement que lorsqu'il assumera sa grande liberté d'action dans un premier temps et qu'il la mettra au service des gens qui souffrent ou qui éprouvent des difficultés à vivre.

La femme Poissons est une grande sentimentale, une émotive et sa sensibilité est souvent mise à l'épreuve par la froideur ou la méchanceté gratuite des autres. En général, le signe des Poissons aime plaire, c'est un ami sincère, généreux et dévoué. L'homme Poissons déteste les grandes discussions. La femme tout comme l'homme Poissons ont la capacité d'embellir la réalité et ce piège finit toujours par se refermer sur eux. Ce n'est pas tant qu'il manque de confiance en lui, ce sont plutôt sa nonchalance naturelle et son grand désir de liberté qui l'empêchent de réussir sa vie à la mesure de ses talents. Le signe des Poissons possède des qualités d'organisation et il excelle comme collaborateur et dans les postes de confiance. Sa capacité de compréhension et d'assimilation d'informations fait de lui un autodidacte perspicace, rusé et très allumé intellectuellement. Intuitif et clairvoyant, il est souvent attiré par les sciences occultes.

Le Poissons a généralement peu d'aventures sentimentales à cause de sa timidité légendaire, mais il y a toujours des exceptions à cette règle, puisque certains Poissons sont reconnus pour être des « tombeurs de ces dames» ou des «briseuses de cœur ». De manière générale, ce natif sera souvent déçu en amour tant qu'il ne mettra pas un terme à sa tendance à idéaliser l'être qu'il aime. Ce faisant, il néglige la réalité qui le rattrapera à coup sûr.

Votre compatibilité avec les autres signes

Votre côté mystérieux et passionné se trouvera attisé dans les bras d'un Scorpion. Avec le Bélier, vous vivrez des moments intenses, mais qui ne dureront pas. L'aspect visionnaire, protecteur et sensuel du Taureau vous comblera. Le Cancer sera votre meilleur partenaire de vie, mais attention de ne pas vous aveugler réciproquement, puisque la réalité finira par vous rattraper et par vous éloigner l'un de l'autre. Si le Lion ne se montre pas dominateur, vous coulerez ensemble des jours heureux.

Quelques Poissons célèbres

Feu Albert Einstein, Xavier Dolan, Lady Gaga, Queen Latifah, Eva Longoria, Justin Bieber, Jon Bon Jovi, James Blunt, Rachel Weisz, Josh Groban, Tiziano Ferro, Bruce Willis, Juliette Binoche, Drew Barrymore, Jennifer Love Hewitt, Sharon Stone.

L'année 2015 en général

Le domaine des unions, des fusions et des associations d'affaires, artistiques, politiques ou professionnelles sera des plus profitables, cette année. Vos nouvelles alliances dans l'un ou l'autre de ces domaines vous rapporteront gros et sur bien des plans. Vous auriez intérêt à faire équipe parce que, seul, vous vous retrouveriez vite débordé et incapable de tout assumer. Bref, vous devrez adhérer aux autres même si à certains moments vous vous soumettrez difficilement et à contrecœur. Il vous arrivera même d'exiger la pleine liberté d'explorer de nouvelles avenues, idées, de nouveaux concepts ou plans d'action à votre guise! Donc, choisissez bien les gens qui formeront vos associations en 2015! Une mauvaise association, par exemple, ferait en sorte que vous seriez vite jugé et catalogué comme quelqu'un d'excentrique et d'imprévisible, alors qu'en réalité c'est votre esprit inventif et original qui sera aux commandes. De plus, des événements extraordinaires, surprenants, et dont vous n'avez même pas idée, vous permettront de développer de nouvelles facultés intellectuelles, psychiques, psychologiques ou créatrices. Vous mettrez à profit ces nouveaux pouvoirs uniques d'ingéniosité dans votre travail, vos créations, vos formations, vos projets ou vos développements d'affaires. Dès que vous reconnaîtrez l'originalité et l'aspect prophétique de vos idées en avance sur votre temps, vous découvrirez la réalité à laquelle votre âme aspirait depuis toujours. Plusieurs personnes nées sous le signe des Poissons mettront en action leur mission de vie en 2015... Rien de moins! Vous pourrez alors partager avec les autres le fruit de vos recherches et leur offrir des outils brillantissimes.

Le succès phénoménal de feu Steve Jobs, cofondateur d'Apple, reposait sur le fait qu'il refusait d'être meilleur que les autres. Son but unique était simplement d'imposer sa différence et il s'est distingué comme un être totalement créatif et un grand visionnaire. Agissez de même, vous posséderez ce pouvoir en 2015! En ce qui concerne vos amours, la planète Jupiter, la grande bénéfique, se positionnera dans ce secteur important. Alors, tous les espoirs sont désormais permis. Autrement dit, vous n'avez qu'à faire un vœu au beau Cupidon et il le réalisera...

Bonne et heureuse année 2015, chers Poissons!

Alerte astrale importante pour le mois de juillet 2015

Il va se produire deux pleines lunes durant le mois de juillet. La première aura lieu le 2 juillet et l'autre, le 31. La pleine lune du 31 juillet plus particulièrement est aussi appelée « lune bleue » et les Amérindiens la vénèrent pour ses forces mystiques et magiques sacrées.

Quelques explications importantes

Le *Farmer's Almanac* est un almanach nord-américain datant du début du XIXe siècle. La définition qu'il donne de la « lune bleue » est la suivante : « Elle se produit lorsque la pleine lune apparaît deux fois dans un même mois. Ces pleines lunes reviennent toutes les 2,6 années, soit 1 année sur 3 approximativement. »

Quelles sont les forces magiques de la « lune bleue » ?

Symbolisme : aussi appelée la « lune du Grand Esprit », la lune bleue permet d'entrer en contact avec des forces toutes-puissantes qui nous accompagneront et nous protégeront. Cette « lune bleue » a aussi le pouvoir de matérialiser nos vœux pour nous faciliter la vie.

La lune bleue ou lune du Grand Esprit

Le Grand Esprit dont elle est porteuse fera lever en nous un grand pouvoir de construire, d'ériger, de bâtir et de développer des projets, des idées, des plans d'action ou des concepts qui dureront dans le temps, et qui nous apporteront le succès et la réussite. Ces prises d'action nous permettront dans un même souffle de nous refaire une santé matérielle, amoureuse, professionnelle, artistique, d'affaires, politique, physique, psychologique et spirituelle.

Rituel à faire le soir de l'apparition
de la lune du Grand Esprit

Lorsqu'elle illuminera le ciel le soir du 31 juillet, assoyez-vous paisiblement devant elle en vous assurant d'avoir une feuille de papier sur vos
genoux.

Plume à la main (si vous n'en avez pas à votre portée, un crayon fera
l'affaire), imaginez que vous trempez le bout de votre plume (crayon)
dans la lumière de la lune, en plein centre du grand cercle blanc que
forme la « lune bleue », comme si elle était un encrier suspendu dans le
ciel.

Inscrivez sur votre feuille votre vœu, votre désir ou ce qu'il vous tient
vraiment à cœur d'obtenir. Si vous avez choisi d'utiliser une vraie plume
pour faire ce rituel, rien ne s'inscrira sur votre feuille bien évidemment.
Le but de ce rituel est de vous amener à établir un contact avec cette
puissante force. Mais plus encore, ce rituel a pour but ultime de vous
inciter à écrire une « lettre de lumière au Grand Esprit » de manière
symbolique.

Cette intention d'écrire ainsi une « lettre de lumière au Grand Esprit »
fera en sorte que vous établirez un contact durant ces instants bénis, et
que vous allez recevoir, durant le déroulement du rituel ou quelques
heures ou jours après votre demande, des visions ou des rêves, des
idées, des réponses, des inspirations soudaines qui émergeront de votre
for intérieur ainsi que des prises de conscience puissantes capables de
vous faire réaliser votre vœu. Chose certaine, ce rituel va transformer
votre vie ou vos perceptions concernant l'invisible à tout jamais.

Janvier

Climat général du mois

Vous aurez peu d'intérêt pour les règles ou les codes de conduite que les autres tenteront de vous imposer, ce mois-ci. Vous pourriez même leur témoigner une « opposition tranquille » en leur dessinant un oui de la tête sans jamais passer à l'action. Vous vous identifierez surtout avec tout ce qui est nouveau et unique, un peu comme si vous étiez l'enfant rebelle et surdoué qui voit plus loin et plus grand que les autres. Tout se passera très bien si la personne concernée n'est pas un patron ou une autorité familiale à laquelle vous devez vous soumettre. En pareil cas, vous vous retrouverez devant le choix de tenir tête ou de capituler. Si vous choisissiez de tenir tête à ce personnage, il fera tout en son pouvoir pour vous casser et vous obliger à rejoindre les rangs. Ainsi prévenu, vous serez en mesure d'assumer votre choix totalement et de subir les conséquences qui lui sont associées en toute connaissance de cause. Vous devez cette prédiction à la planète Mercure qui commencera sa première rétrogradation le 20 janvier. Ce n'est pas un bon mois pour partir en voyage, vous risqueriez même la prison en pays étranger et pour mille raisons possibles. Mais si vous devez absolument vous rendre là-bas, respectez à la lettre les règles et les restrictions imposées par le pays hôte.

Amour

Certains d'entre vous rencontreront quelqu'un de totalement nouveau. Vous éprouverez une grande peur lorsque cette personne voudra entrer dans votre cercle privé. En passant, cette personne n'agira pas de manière conventionnelle, et c'est peut-être pour cette raison que vous hésiterez tant à la présenter à votre famille et à vos amis. Ou bien, vous aurez l'impression de ne pas être assez bon pour mériter l'amour qui vous sera offert sur un plateau d'argent. Sinon, vous n'avez toujours pas digéré une situation passée et cela a des répercussions sur votre capacité d'aimer, alors vous subissez des blocages importants. Dans un autre ordre d'idées, vous pourriez apprendre que vous êtes enceinte. Sinon, vous devez savoir que vous serez extrêmement féconde. Le but ici est de vous mettre en garde afin que vous preniez les précautions nécessaires, puisque mieux vaut prévenir que guérir, n'est-ce pas ?

Arts

Un ami vous prêtera main-forte pour mener à bien un processus de création plutôt ardu. Vous lui devrez une fière chandelle! Un aspect important apparaît dans votre carte du ciel : vous avez peur de votre propre potentiel créatif et vous craignez de prendre des risques. Autrement dit, chaque fois que vous levez la main vers le ciel dans l'intention de saisir la chance, vous passez plutôt les doigts dans vos cheveux, nerveusement. Vous n'osez tout simplement pas. Tout cela est d'une tristesse infinie compte tenu le grand talent qui vous habite! Je vous invite donc, par respect pour lui, à oser passer par-dessus vos doutes et vos hésitations comme jamais vous ne l'avez fait jusqu'à aujourd'hui. Quoi qu'il en soit, vous êtes appelé à faire œuvre créatrice et un grand succès vous attend au tournant...

Spiritualité

Vos connaissances mystiques sont parfois révolutionnaires et peu de gens arrivent à vous suivre sur ce terrain-là. Voilà pourquoi vous auriez intérêt à les mettre au goût du commun des mortels qui, soit dit en passant, ne demande qu'à comprendre. Une autre grande leçon de vie spirituelle vous sera servie ce mois-ci et elle va comme suit : votre vérité n'est pas LA vérité avec un grand V.

Carrière

Votre carrière prendra un nouvel essor. Les domaines de la recherche, du développement, de l'enseignement et de la littérature seront extrêmement favorisés. Des responsables pourraient même vous convoquer à une rencontre importante où ils vous offriront un poste ou une nouvelle responsabilité professionnelle. Vous n'auriez pu espérer mieux! Vous êtes tout de même invité à lire la section *Climat général du mois* pour vous mettre au parfum de ce qui pourrait se produire.

Argent

Vous dépenserez votre argent plus facilement, ce mois-ci. Si vous exercez une profession libérale ou que vous êtes un travailleur autonome ou un artisan, votre grande fécondité d'idées vous rapportera gros et vos clients vous paieront rubis sur l'ongle.

Février

Climat général du mois

La planète Mercure continuera sa rétrogradation jusqu'au 11 février. Voici ce qu'il vous réserve... Imaginons que vous méprisiez la mollesse de certains, la rétrogradation de Mercure vous enverra des situations qui vous feront découvrir que ce n'est pas si facile d'être fort en toutes circonstances. Un peu comme si cette planète vous forçait à porter les souliers de la « mollesse » pour défaire vos jugements. Les deux points chauds karmiques toucheront le mariage et les associations d'affaires, culturelles, sociales, etc. Si vous faites partie des gens nés sous le signe des Poissons qui ont appris à se battre, vous allez maintenant devoir vous civiliser. Si, au contraire, vous êtes quelqu'un d'hypersensible, vous allez être contraint de vous imposer. Vous pourriez décider d'acheter une propriété ou un immeuble, mais avec Neptune (sérieux dégâts d'eau) dans le secteur des épreuves possibles, faites vérifier le système de plomberie au grand complet... juste au cas où! La planète Neptune a aussi le chic pour créer des situations où la confiance risque d'être trahie! Vous devez respecter l'ensemble des exigences techniques de la loi sur le bâtiment.

Amour

La vie à deux demande de faire certains sacrifices et vous ne serez pas toujours prêt à vous brimer. Ou bien, vous en avez royalement marre de mettre de l'eau dans votre vin alors que le conjoint se permet toutes les extravagances et vous allez ruer dans les brancards. Ou bien, vous vous marierez ce mois-ci – pourquoi pas le 14 février prochain? – et vous êtes terrifié à l'idée de vous mettre la corde au cou. Chassez tout simplement cette image de votre tête et remplacez-la par une association amoureuse où vos deux destinées s'unissent pour se fabriquer du bonheur! Vous ressentirez alors une nouvelle joie de vivre et la peur se dissipera. Dans un autre ordre d'idées, si votre partenaire n'a pas beaucoup de patience, ses réactions pourraient jeter un froid sur vos sentiments à son endroit.

Arts

Vous aurez plusieurs chapeaux à porter si vous œuvrez dans le domaine des médias : radio, télévision, revue, journal ou Internet. Vous sentirez clairement que les gens qui ont une connaissance multidisciplinaire des différents métiers sont plus populaires et mieux rémunérés que ceux qui sont spécialisés dans une seule branche. Vos qualités de réalisateur, de producteur ou de metteur en scène seront particulièrement appréciées. Autour de la nouvelle lune du 18 février, vous ne saurez plus vraiment où donner de la tête.

Spiritualité

Vous serez en mesure d'insuffler aux autres votre foi, votre énergie, votre espérance et votre courage. Vous aurez surtout le don d'encourager les personnes souffrantes et qui ont perdu espoir.

Carrière

Si vous êtes un agent immobilier, un architecte, un ingénieur, un entrepreneur, un maître d'œuvre, un camionneur ou un ouvrier spécialisé en machinerie lourde, vous serez tout simplement choyé. De gros contrats se pointeront le bout du nez. Sinon, vous allez devoir prendre le contrôle d'une situation particulière. Par exemple, vous devrez former des équipes de travail sans préavis. Assurez-vous alors de faire affaire avec des gens qui ont des compétences reconnues et qui font partie d'un syndicat ou d'une grosse firme qui a fait ses preuves. Ainsi, vous vous épargnerez bien des ennuis. Le mois de février ouvrira le bal à une série d'événements en lien avec votre travail. Si vous vouliez apporter des changements importants à votre situation, vous serez très heureux de la tournure des événements. Mieux, vous vous féliciterez d'être allé de l'avant avec vos idées.

Argent

Peut-être que votre salaire actuel vous donne des maux de ventre. Si c'est le cas, vous serez en mesure de trouver un terrain d'entente satisfaisant accompagné d'une clause qui vous donnera la possibilité de recevoir une autre augmentation ou un pourcentage réévalué dans quelques mois.

Mars

Climat général du mois

L'éclipse solaire qui se produira le 20 mars prochain s'attardera sur les affaires légales, l'éducation sous toutes ses formes et la reconnaissance de vos efforts passés et présents. Aussi étrange que cela puisse paraître, vous serez enfin reconnu pour vos créations anciennes. Elles étaient trop avant-gardistes et elles feront maintenant sensation. Bref, vous serez acclamé, respecté et même encensé par vos nouveaux admirateurs et la critique. Dans un autre ordre d'idées, un événement particulier vous amènera à évaluer la valeur et l'étendue de vos connaissances. Ainsi, il ne serait pas étonnant que plusieurs d'entre vous décident de retourner aux études ou d'aller chercher une spécialisation. Le plus important est que vous vous renouvellerez de belle manière chaque fois que vous en éprouverez le besoin. En effet, vous donnerez une nouvelle existence, une forme adaptée à vos besoins actuels amoureux, professionnels, artistiques, d'affaires ou financiers.

Amour

Vous aurez tendance à exiger l'impossible de vos enfants, de l'être cher, de vos amis et de vos proches. Vous allez devoir adopter une attitude différente, et surtout vous pencher avec attention sur les besoins de vos enfants et de la personne qui partage votre vie. En tant que couple, vous pourriez vous intéresser à de nouveaux loisirs. Imaginons que vous aimiez la danse et que vous compétitionniez ici et à l'étranger pour le plaisir, vous pourriez décider d'enseigner votre savoir et d'ouvrir une école de danse. Ceci n'est qu'un exemple parmi tant d'autres possibles! Par ailleurs, certains amis se révéleront peu fiables. Les événements qui se produiront vous donneront l'heure juste sur leurs véritables intentions. Sous cet éclairage nouveau, vous aurez très certainement à prendre une décision souffrante.

Arts

Vous allez recevoir une bonne couverture médiatique, ce mois-ci. Sinon, tout ce que vous mettrez en branle pour vous faire connaître portera des fruits presque instantanément. Si vous pensez à développer une campagne publicitaire pour un produit, un projet ou un nouveau CD, n'hésitez surtout pas à consulter une agence de publicité. Ensuite, voyez avec eux, selon votre budget, quel genre de plan serait susceptible d'aider le développement et la mise en marché de ce que vous avez à offrir. Dans un autre ordre d'idées, vous vous éveillerez à un nouveau potentiel artistique avec un plaisir fou. Autour de l'éclipse qui se produira le 20 mars prochain, vous devriez considérer l'avis des autres et, surtout, suivre leurs conseils. En étant un peu moins sur vos gardes (il vous arrive d'avoir tellement peur de vous tromper !), vous reprendrez confiance en vous. De plus, vous pourriez bien vous assurer une place de choix dans une série télé ou une pièce de théâtre qui connaîtra un vif succès.

Spiritualité

Vous vivrez des expériences spirituelles fascinantes et aidantes, ce mois-ci. Aidantes dans le sens où elles vous apporteront des percées lumineuses significatives.

Carrière

Un patron ou collègue « s'éclipsera » et vous prendrez la place laissée vacante. Après coup, vous réaliserez que vous n'auriez pu imaginer un meilleur scénario. Vous éprouvez peut-être un problème d'incompatibilité de caractère avec un patron ou une autorité au travail. Vous vous envoyez un message de rejet de part et d'autre, semble-t-il. Même si vous ne le faites pas toujours de manière consciente, vous vous nuisez. Si rien de tout cela ne vous concerne, des événements positifs et que vous n'aurez pas nécessairement prévus se manifesteront. Bref, vous jouerez de chance sur bien des tableaux.

Argent

Vous devrez faire un effort constant et conscient pour finaliser et régler une entente de pension alimentaire, s'il y a lieu, bien sûr. Sinon, vous finirez par recevoir ce fameux montant d'assurance dont vous semblez avoir été lésé. Traversez-vous une période de perte financière importante ces temps-ci? Si oui, vous verrez poindre très bientôt une lumière au bout de ce noir tunnel...

Avril

Climat général du mois

Une éclipse lunaire totale se produira le 4 avril. Voici un mois où vous douterez de ce que vous avez à offrir aux autres et éprouverez une grande difficulté à recevoir ce que les autres ont à offrir. Vous allez devoir analyser ce qui vous rebute tant... Serait-ce la peur d'être jugé comme étant une personne faible et sans talent? Si vous répondez oui, c'est que ce qui se cache derrière vos doutes et votre refus d'accepter l'aide des autres est un orgueil mal placé; vous devriez calmer votre ego. L'éclipse lunaire semble vouloir vous enseigner que vous êtes un être humain et qu'il peut vous arriver de ne pas être parfaitement en contrôle. Bref, il s'agit ici d'une leçon d'humilité. Souvenez-vous de vos prédictions pour l'année 2015 en général et qui allaient comme suit : «Vous auriez intérêt à faire équipe parce que, seul, vous vous retrouveriez vite débordé et incapable de tout assumer. Bref, vous devrez adhérer aux autres même si à certains moments vous vous soumettrez difficilement et à contrecœur.»

Amour

Ici aussi, dans ce secteur important, l'éclipse lunaire fera des siennes. Elle vous invitera à laisser aller votre peur de fusionner avec une autre personne. Cette « fusion » ou union présume que vous deviez «mourir» d'une certaine manière, en tant qu'individu unique, pour former ce couple. Il ne serait donc pas étonnant que vous résistiez et refusiez de vous engager! Ou bien, *a contrario*, vous fusionnez trop et cette dépendance affective vous nuit terriblement; l'éclipse lunaire totale s'organisera pour vous obliger à lâcher prise. Au mieux, un grand amour viendra vers vous et vous obligera à défaire une relation déjà existante, ou pas du tout, selon que vous êtes déjà engagé ou libre comme l'air. Si toutes ces prédictions ne vous concernent pas, vous allez probablement être mis au courant d'un passé familial caché, secret, et dont vous n'aviez peut-être même pas idée avant cette révélation. Une sœur, votre maman, une tante, votre marraine ou une cousine révélera ce secret au vu et au su de tous. Ensuite, vous pourrez travailler tous ensemble pour guérir les nombreuses blessures conscientes ou inconscientes occasionnées par ce vieux vécu familial.

Arts

Vos créations seront visionnaires et inspirées. Il vous revient donc de les présenter à qui de droit puisque de grandes maisons de production vous ouvriront leurs portes et, par ricochet, vous offriront l'aide nécessaire pour faire avancer vos projets de films, de télévision, de télé Internet ou de radio. Tout ce qui touche à l'univers du dessin (BD, livres pour enfants, peinture au fusain, pour ne nommer que ces exemples) vous donnera l'occasion d'élaborer des projets particulièrement inventifs. Vous pourriez même voir vos œuvres diffusées à l'international. Vous possédez un énorme cadeau intellectuel : vous pouvez actualiser vos visions et vos rêves.

Spiritualité

Vous pourriez décider d'accompagner jusqu'aux portes de la mort des personnes en phase terminale. Sinon, vos plus grandes idées émergeront lorsque vous ferez silence en vous!

Carrière

Vous pourriez décrocher un travail qui vous mettra en contact avec l'argent des autres personnes en tant que banquier, consultant en investissement, agent de change et comptable ou toute autre profession administrative de haut niveau. Vous excellerez en ces domaines. Certains parmi vous subiront les aspects de la planète Uranus qui fera changer la direction de votre destin et vous le vivrez mal parce que les choses ne se passeront pas comme prévu. Ou bien, vous espériez une chose et vous en obtiendrez une autre. Vous devez savoir qu'une éclipse est souvent une chance déguisée. Alors, attendez un peu avant de paniquer ou de crier au désespoir, car ce changement vous donnera de nouvelles ailes et bien plus performantes. Si vous avez des dispositions pour la fine cuisine, vous pourriez accéder au poste de grand chef.

Argent

La nouvelle lune se produira dans ce secteur important ; vous pourriez donc recevoir enfin des montants d'argent espérés. Ou bien, vous partagerez en trois parties un héritage familial et vous prendrez une nouvelle direction de vie.

Mai

Climat général du mois

La planète Mercure entamera sa deuxième rétrogradation de l'année. Vous vous montrerez souvent trop émotif et vous entraverez votre marche vers le succès et la réussite. Autrement dit, la leçon de vie que vous envoie cette rétrogradation, ce mois-ci, est que vous devez faire en sorte de vous renforcer et de vous enraciner émotionnellement. Comment ce renforcement ou cet enracinement se produira-t-il? Après une déception amère, par exemple un rejet familial ou amoureux. Au lieu de vous culpabiliser, de jouer à la victime ou de penser que la terre entière ou Dieu lui-même est contre vous, vous devriez accepter et vous soumettre à cette épreuve de vie. Dites-vous alors : « Bon… je subis un rejet familial. Je souffre et c'est normal, puisque je suis un être humain. J'assume ma part de responsabilité dans tout ça, même si elle est inconsciente. » Puis, mettez en action la méthode Ho'oponopono[1] : « Je suis désolé. S'il te plaît, pardonne-moi. Je t'aime. Merci. » Vous sortirez alors de votre immaturité et votre vraie personnalité se révélera enfin, beaucoup plus assumée et renforcée. Ces prédictions ne sont pas là pour vous décourager, bien au contraire. La fin de l'histoire est magnifique et magique. Vous devez savoir que ce ne sont pas tous les Poissons ou les ascendants lunaires Poissons qui vont traverser cette épreuve de renforcement émotif, mais ceux qui la subiront seront heureux d'utiliser cette technique merveilleuse pour s'en sortir rapidement.

Amour

Vous pourriez vous retrouver le cœur déchiré entre deux amours. Ou bien, vous ne vous laisserez pas séduire si facilement, mais vos résistances ne tiendront pas longtemps. Bref, un nouvel amour vous subjuguera et vous défierez vos peurs. Sinon, le nouvel amoureux se montrera vaniteux, trop indépendant ou trop attaché à sa liberté pour s'attacher à qui que ce soit et vous tournerez les talons une larme à l'œil. Sinon, une demande en mariage serait possible et vous passerez une journée inoubliable. Chose certaine, les célibataires ne passeront pas inaperçus et ils feront d'heureuses conquêtes. Votre joie de vivre

---

1 Rendez-vous sur le site Internet http://www.vivreavechooponopono.com pour obtenir plus d'informations.

illuminera les gens que vous rencontrerez et même vos amis apprécie-ront grandement votre présence à leurs côtés. À ce sujet, vous serez invité partout et votre agenda se remplira jusqu'à déborder.

Arts

Les mêmes prédictions que le mois passé s'appliquent encore ce mois-ci, vous êtes donc invité à les consulter. Voilà une façon originale d'expé-rimenter un « retour en arrière » tout comme Mercure!

Spiritualité

Mettez en action la méthode Ho'oponopono déjà évoquée dans la sec-tion *Climat général du mois*, vous ne le regretterez pas!

Carrière

Vous pourriez décider d'embrasser une carrière politique dans le but d'améliorer la vie des plus démunis, pour vous porter à la rescousse de la veuve et de l'orphelin. La planète Mercure entreprendra sa deuxième rétrogradation de l'année à partir du 11 mai, ce qui vous obligera à re-voir et à corriger votre vision des choses si elle est trop utopique. Com-ment? Vous pourriez, par exemple, recevoir une douche froide en réalisant que le système est long à se transformer parce que la volonté politique n'est pas vraiment axée sur ces sujets humanitaires et que la veuve et l'orphelin doivent attendre. Ne laissez pas votre émotivité entraver votre vocation. Au contraire, réajustez votre tir à partir de votre intention première et continuez de déployer vos efforts. Si rien de tout cela ne vous concerne, appliquez cette même prédiction, mais dans votre domaine d'expertise. Par exemple, vous êtes un chasseur de têtes et vous souhaitez aider le plus de gens possible à dénicher un bon em-ploi, mais la méthode de placement de personnel utilisée par votre employeur ne le permet pas vraiment. Essayez de trouver une solution différente, autre, basée sur votre intention première qui est d'aider le plus de gens possible à se trouver un emploi décent et bien rémunéré. Ensuite, laissez opérer la magie de la vie! Au moment où vous vous y attendrez le moins, des percées lumineuses vous feront vous écrier : «Eurêka! J'ai trouvé LA solution! »

Argent

Vous gagnerez bien votre argent. Une nouvelle source de revenus pour-rait vous permettre d'arrondir vos fins de mois.

Juin

Climat général du mois

La planète Mercure continuera sa rétrogradation jusqu'au 13 juin approximativement, mais ce mois-ci elle agira pour vous sortir de vos rêveries et fantasmagories. Bien sûr que la féerie, la magie, le mystère, le surnaturel et le merveilleux sont inspirants, excitants, mais un retour sur terre vous sera imposé! Autant vous y préparer, ainsi vous ne tomberez pas de trop haut! Cela dit, voici un mois magnifique pour renouer avec des personnes que vous n'avez pas vues depuis des mois et même des années. Par ailleurs, vous ne serez pas dupe des stratagèmes que certains utiliseront pour satisfaire vos attentes. Si rien de tout cela ne vous concerne, sachez que vous avez le droit de demander tout ce que vous aimeriez à la vie. Autrement dit, vous avez droit au bonheur et à la paix d'esprit. L'urgence de reprendre bien en mains votre vie professionnelle, artistique, politique ou d'affaires se fera fortement sentir autour du 16 juin prochain, jour de nouvelle lune. Les voyages seront fortement favorisés, alors assurez-vous que votre passeport ne soit pas périmé.

Amour

Vous mettrez tout en œuvre pour entretenir la flamme et vous cimenterez davantage votre couple. Vous apprécierez grandement les tête-à-tête et les discussions avec votre douce moitié. Parions qu'il y aura beaucoup de grands dîners à la chandelle! Cela dit, vous vous sentirez très concerné par la famille. Certains proches traversent peut-être des épreuves de santé physique ou morale importantes. Si c'est le cas, vous vous tiendrez à leurs côtés tout en leur apportant le meilleur de vous-même et les encouragements qui agiront tel un baume sur leur cœur. Une sœur ou un frère, par exemple, se morfondra dans un chagrin d'amour. Un ami, que vous considérez comme un membre de votre famille, subira une séparation ou une trahison qui le démoralisera complètement. Bref, vous en aurez plein les bras, comme on dit! La planète Pluton s'attaque souvent à l'édifice que l'on s'est construit pour nous obliger à regarder la réalité bien en face.

Arts

Votre thème créatif central pourrait être l'amour, mais uniquement pour son côté tyrannique, bouleversant, vibrant et parfois ses non-sens.

Sinon, vous entamerez une nouvelle phase de votre vie d'artiste. Elle s'ouvrira grâce à un tout nouveau projet. En ce sens-là, beaucoup d'imprévus surviendront et serviront votre destinée. Plusieurs scènes internationales vous permettront de rayonner en tant qu'artiste, mais ne perdez jamais de vue que le pays hôte a ses lois et ses exigences auxquelles vous devrez répondre avec respect. Aussi, vous pourriez décrocher un rôle dans un feuilleton télévisé, un film à grand déploiement ou une production théâtrale majeure. Somme toute, vous serez comblé!

Spiritualité

Vous ferez preuve d'une vive intuition et si vous œuvrez dans le domaine de la voyance ou de la médiumnité, vous tomberez pile et vos prédictions impressionneront vraiment ceux qui font appel à votre savoir-faire.

Carrière

Les relations avec vos collègues, que vous considérez même comme des amis, seront plutôt complexes : des intrigues, par exemple, feront en sorte que certains parleront dans le dos des autres ou l'esprit de compétition envenimera l'ambiance de travail, à moins que certains ne vous envient carrément et qu'ils vous mènent la vie dure. Bref, vous sentirez le besoin de vous protéger en vous tenant loin de ces personnes, et ce, même si vous les appréciez beaucoup en temps normal. Cela dit, vous vous accorderez à merveille avec les décideurs, patrons et V.I.P. Durant le déroulement de ce mois, vous pourriez aussi vous retrouver chez un gros client, puis constater qu'un drame a éclaté juste avant votre arrivée! Vous lui apporterez votre soutien et votre grande générosité sera récompensée au centuple. En revanche, votre intention de l'aider doit être pure et spontanée parce que ce client possède le don inné de détecter les faux-semblants.

Argent

Si vous travaillez dans le domaine de la vente, vous aurez la chance de conclure de bonnes ententes. Cela dit, c'est un très mauvais mois pour parier et jouer vos économies, puisque Mercure rétrogradera jusqu'au 13 juin.

Juillet

Climat général du mois

Vous n'oublierez pas de sitôt ce mois de juillet, puisque de merveilleuses surprises vont se manifester pour vous rendre la vie belle et heureuse. Rien de moins! De plus, la treizième lune se manifestera le 31 juillet prochain. À ce sujet, j'ai créé un rituel amérindien très efficace qui pourrait transformer votre vie en réalisant vos rêves. Vous le trouverez dans la section *Alerte astrale importante pour le mois de juillet 2015*. Même si nous ne sommes qu'en juillet, il n'en demeure pas moins que vous vous engagerez à fond dans l'éducation de l'un de vos enfants. Il suit peut-être des cours de rattrapage en ce moment. Si tel est le cas, vous lui inculquerez une méthode de travail et d'étude qui améliorera ses performances, et cela, malgré ses rebuffades.

Amour

Vous aurez la chance d'être « l'élu » tant recherché par la gent féminine ou masculine. En fait, vous représenterez l'idéal féminin ou masculin pour bien des prétendants. Imaginez les conquêtes! Même si vous ne faites rien de spécial, on vous tombera dans les bras! Bien sûr qu'au hasard de ces rencontres plusieurs personnes agiront d'une manière « intéressée » et pas toujours par amour ou pour apprendre à vous connaître davantage. Règle générale, vous apprécierez les petits plaisirs de la vie que vous partagerez avec l'être aimé, vos enfants, votre famille ou vos amis. Dans un autre ordre d'idées, si vous faites partie de ces gens nés sous le signe des Poissons qui éprouvent des ennuis légaux à la suite d'une séparation, vous devrez vous assurer d'être bien représenté. Cela dit, les ententes pourraient être difficiles à négocier au début du mois, mais après le 16 juillet un accord semble possible.

Arts

En ce qui concerne votre carrière artistique, vous serez choyé. Vous allez rayonner et faire mouche à chacune de vos représentations, auditions ou lors de vos interventions pour démontrer la valeur d'un projet. Vous serez peut-être même édité par une grande maison d'édition. De plus, un de vos projets semble avoir besoin d'une bonne campagne de publicité! Justement, vous aurez la chance de tomber sur la bonne équipe, qui permettra de vous faire connaître enfin. Le cas échéant, vous signerez un contrat avec cette agence entre le 24 et le 31 juillet. Si vous êtes mannequin et que vous êtes à la recherche d'une agence professionnelle, vous la dénicherez ou elle vous dénichera quelque part durant ces dates fatidiques.

Spiritualité

Pythagore avait raison lorsqu'il prétendait que les sphères célestes émettent une forme de musique – un rayonnement d'énergie que certains initiés arrivaient à entendre comme nous pouvons parfois entendre les entrechoquements des circuits électriques (un microphone convertit le son reçu en un signal électrique). Cet enseignement a pour but de vous amener à vous concentrer sur votre oreille interne et à méditer sur les sons ambiants, et une nouvelle conscience s'installera en vous tout naturellement.

Carrière

En tant que psychanalyste, psychiatre, psychologue, psychothérapeute ou art-thérapeute, vous serez en mesure de déceler les subtiles prisons mentales où s'enferment vos clients. Vous aurez pour ainsi dire une puissante capacité d'interprétation, à la limite de la divination. Dans un autre ordre d'idées, vous serez porté à jeter un œil très critique sur vos collègues, patrons, fournisseurs, distributeurs ou employés. Cela dit, vous allez réaliser et produire de nouveaux projets ou développer et conquérir de nouveaux marchés ou territoires. En somme, vous jouerez gagnant sur plusieurs tableaux, ce mois-ci, mais non sans travailler fort pour arriver à vos fins. Vos affaires prospéreront comme jamais auparavant. Les chroniqueurs se verront offrir un nouveau contrat de travail.

Argent

Vous n'hésiterez pas à mettre votre argent dans des soins de santé naturelle, ou dans ceux dispensés en clinique privée pour gagner du temps d'attente. Vous verrez cela comme un investissement et non comme une dépense... Aussi, un gain au jeu de hasard serait possible, je dis bien SERAIT possible !

Août

Climat général du mois

Vous verrez les situations dans leur ensemble et vous agirez avec un savoir-faire étonnant. Ensuite, autour du 22 août, vous sentirez une perte d'énergie et de votre élan dynamique. Vous bougerez au ralenti et, à certains moments, vous vous demanderez ce qui vous arrive. Ou alors, vous pourriez éprouver de la difficulté à vous motiver pour faire bouger les choses, faire évoluer les dossiers et terminer ce qui a été commencé. Ces moments seront passagers et peut-être occasionnés par votre secteur amoureux, que vous êtes invité à lire. Cela étant dit, vos amis et vos proches se plaindront souvent de ne pas comprendre votre nature assez secrète et parfois complexe. Lorsqu'ils vous aborderont en ce sens, ouvrez vote cœur tout simplement. Votre santé reprendra du mieux, ce mois-ci. La nouvelle lune se produira dans ce secteur important. Donc, si vous deviez subir une intervention chirurgicale, elle se passerait très bien et vous récupéreriez à la vitesse de l'éclair.

Amour

L'être aimé pourrait effectuer un changement de vie majeur comme prendre sa retraite, quitter son emploi pour se lancer en affaires ou vendre son entreprise parce qu'il souhaite embrasser de nouveaux défis. À travers ces décisions imposées ou respectées, si vous êtes d'accord avec ses choix, la vie vous invite à découvrir très exactement ce pour quoi vous vous tenez debout. Cela ne veut pas dire que tout se réalisera ce mois-ci, mais le passage à l'acte sera probablement amorcé et il trouvera son aboutissement en septembre ou en octobre. Donc, il ne s'agit plus de paroles en l'air. Ou bien, l'être cher vous mettra devant des faits accomplis et, encore une fois, cette mise à l'épreuve vous obligera à prendre position pour vous-même et en accord avec vous-même.

Arts

Vous déploierez une grande ambition artistique. Vous rayonnerez sur la scène, à la télévision ou à la radio et même sur Internet. Si vous pensez produire des capsules originales grâce à une caméra d'appoint, vous ferez un tabac sur le site YouTube. Les sujets que vous traiterez surprendront, étonneront, mais vous adopterez une autre vision des choses ou de la vie et, par effet de ricochet, vous apporterez une ouverture de conscience à bien des spectateurs. Si tout cela ne vous concerne pas, vous produirez, réaliserez et développerez d'autres beaux projets. L'un d'eux s'avérera très novateur. Vous l'aborderez d'un point de vue créatif très évolué en premier lieu, pour ensuite le mettre au goût du commun des mortels.

Spiritualité

Les décisions **que vous ne tenez pas** vous nuisent en tout premier lieu ; les dommages collatéraux sont inévitables et affectent les autres domaines de votre vie : l'amour, l'amitié, la carrière, l'argent, les arts et la famille. En anglais, on dit : *Walk your talk*. (Traduction libre : «Respecte ta parole.») L'intégrité exige la fidélité de la pensée, de la parole et de l'action.

Carrière

Le début du mois constituera un moment favorable pour faire avancer certains projets ou dossiers importants. Peut-être y aura-t-il confusion par rapport à la direction que l'entreprise souhaitera prendre. Au pire, vous subirez certaines interférences qui vous empêcheront de pousser plus avant certains projets. Il serait aussi possible que l'entreprise subisse une baisse d'activités, qui, bien sûr, reprendront plus tard. Profitez de ce ralentissement temporaire pour revoir et corriger certains problèmes techniques ou de coordination des tâches. Aussi, vous vous montrerez plus passionné et ambitieux. Bref, vous développerez un goût très fort pour le pouvoir sans pour autant devenir dictateur. Une première place pourrait donc vous être offerte et vous apprendrez sur le tas à faire bon usage de ce pouvoir. Un seul piège vous guette : le pouvoir n'est pas une fin en soi et l'objectif de servir doit constamment primer.

Argent

Pour vous, l'argent est un moyen d'assurer votre liberté. Cela dit, vous ferez preuve d'une grande générosité envers vos proches et amis. Vous distinguerez aussi l'essentiel de l'accessoire. Ou encore, l'argent qui entrera par une porte ressortira par une autre, en ce mois d'été.

Septembre

Climat général du mois

Ce mois est chargé, puisque deux éclipses se produiront; la première sera solaire et aura lieu le 13 septembre, et la deuxième sera lunaire et se manifestera le 28 septembre. Pour compléter ce beau tableau, la planète Mercure entamera sa troisième et dernière rétrogradation de l'année à partir du 17 septembre approximativement. Vous aurez des sueurs froides par moments parce que les changements se manifesteront presque tous en même temps. Bref, vous aurez la tête partout, en train de régler ceci tout en étant angoissé par cela et préoccupé par d'autres choses encore. Vous êtes donc invité à prendre le temps de RESPIRER dans ces moments-là. Vous avez lu à plusieurs reprises que les éclipses sont majoritairement des chances déguisées et que nous ne le réalisons pas toujours sur le coup. Le drame est que bien souvent les éclipses nous retirent un bien, un travail ou un amour et que nous le vivons très mal. La bonne nouvelle est qu'après l'obtention d'un nouveau travail ou la rencontre d'un nouvel amour, nous prenons alors conscience que la perte antérieure est la plus belle chose qui pouvait nous arriver. Dans un autre ordre d'idées, vous pourriez totalement vous transformer physiquement – nouvelle coupe de cheveux, changement de style de vêtements, perte de poids importante ou mise en forme de votre silhouette.

Amour

Votre nature ardente, amoureuse et démonstrative prendra le dessus, ce mois-ci. Cependant, il se pourrait que vous vous montriez moins constant dans vos affections. Vous vous lancerez, par exemple, dans les bras d'un nouvel amoureux avant même d'avoir rompu avec l'ancien. Ou bien, vous aurez le flirt facile et vous attirerez beaucoup d'ennuis, jusqu'au point de voir s'éclipser l'amoureux pour de bon. Insouciance, légèreté et infidélité seront donc au rendez-vous pour vous tenter et vous pousser dans d'autres bras. Si vous avez été un parent « démissionnaire » et pour mille raisons possibles, il n'y a pas de jugement ici, des événements vous pousseront à faire de sérieuses prises de conscience à ce sujet. Dans un autre ordre d'idées, vous allez devoir piler sur votre orgueil et accepter d'être critiqué sans vous fâcher.

Arts

Certains d'entre vous pourraient renoncer à une forme d'art pour en embrasser une autre, qui s'avérera plus lucrative et qui garantira une source de revenus stable dans un avenir proche. Voyez que c'est sur ce plan qu'agiront les éclipses et le début de la rétrogradation de Mercure. Cela dit, après le 17 septembre, un tout nouveau contrat devra être vérifié et contre-vérifié pour éviter de vous faire avoir. S'il le faut, engagez un avocat spécialisé en droit d'auteur pour vous conseiller. La planète Mercure, lorsqu'elle rétrograde, jette de la poudre aux yeux et cet aveuglement est parfois nocif. Combien de gens m'en ont fait des témoignages : «J'étais certain d'avoir bien lu, d'avoir tout compris et je me suis fait avoir!» Ainsi prévenu, vous vous épargnerez cette difficile situation.

Spiritualité

Utilisez des techniques de respiration pour vous relaxer.

Carrière

En tant que professeur, enseignant ou formateur de tout acabit, vous allez faire régner la discipline tout en étant très aimé de vos élèves. Certains d'entre vous recevront une promotion comme directeur d'école ou adjoint administratif, par exemple. Un nouveau travail serait possible ou vous réfléchirez à propos de vos engagements professionnels, artistiques, d'affaires ou politiques.

Argent

Lorsque Mercure rétrograde, il est préférable de repenser les plans d'action, un prix de vente ou un achat, de réévaluer toute négociation compliquée en arrêtant le tout temporairement. Autrement dit, reculer pour mieux sauter plus haut et plus loin éventuellement s'avère parfois la meilleure chose à faire! Si, au contraire, vous souhaitiez acheter une propriété, accordez-vous tout le temps qu'il faut pour dénicher l'endroit rêvé. Vous ne serez pas déçu d'avoir pris votre temps! Sinon, une rénovation risque de coûter plus cher que ce qui avait été prévu – ce qui est très éclipse... Au pire, l'entrepreneur engagé s'éclipsera après avoir empoché votre argent. Vérifiez bien ses antécédents avant de lui ouvrir votre porte. Aussi, les pertes au jeu ainsi que lors de spéculation sur des valeurs seront au rendez-vous, ce mois-ci. Agissez donc avec une grande prudence!

Octobre

Climat général du mois

La planète Mercure terminera sa dernière rétrogradation de l'année le 11 octobre prochain. Des possibilités d'internement sont à prendre en considération pour un proche ou un ami. Ou bien, il fera un séjour forcé à l'hôpital parce qu'il aura surconsommé de la drogue, de la boisson ou des médicaments nocifs pour sa santé mentale. Ou encore, il se retrouvera dans une institution carcérale pour mille raisons possibles. Tout cela n'est pas dû qu'à la rétrogradation de Mercure, mais aussi aux rayonnements des éclipses solaires et lunaires qui se sont déroulées le mois passé et qui continuent de faire des leurs encore ce mois-ci. Heureusement, vous verrez poindre la lumière au bout du tunnel à partir du 20 octobre. Si tout ce qui vient d'être énoncé ne vous concerne pas, vous entendrez parler de ces événements malheureux par l'entremise d'amis ou de gens que vous connaissez bien et respectez beaucoup. Dans un autre ordre d'idées, les gens vous témoigneront tout le bonheur qu'ils ont de vous connaître.

Amour

Vous comprendrez plus facilement les événements qui ont contribué à faire de votre vie amoureuse ce qu'elle est aujourd'hui. Si vous êtes très heureux en amour, vous compterez vos chances et bénirez sûrement le ciel de vous avoir fait rencontrer une personne aussi merveilleuse. Sinon, vous allez faire une rencontre déterminante qui transformera votre vision de l'amour et du couple. Vous vous marierez peut-être ce mois-ci, mais dans la plus grande simplicité. Vous afficherez un beau sourire lumineux tout simplement. Il se pourrait aussi que plusieurs d'entre vous décident de fonder une famille.

Arts

Vous vous inspirerez des problèmes de l'humanité pour créer, produire ou réaliser vos projets artistiques. Chose certaine, vous goûterez à la gloire et au succès, en ce mois d'octobre. Dans un même souffle, il se pourrait que vos proches et amis ne comprennent pas vraiment l'ampleur de votre travail, de vos œuvres artistiques ou qu'ils ne réalisent pas à quel point vous êtes connu et respecté dans votre sphère d'activité. Puis, des événements ou des rencontres fortuites leur ouvriront les

yeux. Ensuite, ils poseront un regard différent sur vous et vous n'arriverez pas toujours à bien composer avec ce fameux regard. La meilleure
façon de gérer ce malaise serait d'ouvrir le dialogue et d'amener le sujet
sur le tapis tout en douceur.

Spiritualité

Vous formerez de nouvelles personnes et elles vous en seront
reconnaissantes au plus haut point. Vos connaissances spirituelles vous
apporteront le succès et une belle réussite. Spirituellement, vous avez
sûrement eu une existence bien remplie!

Carrière

Vous allez signer de nouveaux engagements professionnels, artistiques,
d'affaires, politiques ou financiers, mais vous devez soigneusement examiner les clauses et les exigences reliées à ces engagements. Vous ne
pourrez plus faire machine arrière après avoir apposé votre signature
au bas des contrats. D'ici la fin de la rétrogradation de Mercure qui se
produira le 11 octobre, vos idées seront plus facilement discréditées.
Sinon, vous vous comporterez sans réfléchir, de manière à perdre votre
réputation, votre prestige, votre influence. Après coup, vous vous direz :
«Mais qu'est-ce qui m'a pris d'agir ainsi, d'agresser verbalement telle ou
telle personne ou de monter sur mes grands chevaux ?» Si les paroles
s'envolent, les écrits restent! Assurez-vous donc de faire parvenir vos
courriels aux bonnes personnes (vérifiez deux fois plutôt qu'une les
noms d'envoi), de ne pas envoyer une lettre de démission sur un coup
de tête ou des reproches par écrit à une autorité ou à un collègue. Le
but est de vous aviser des dangers possibles... vous voilà donc prévenu!

Argent

Mis à part certaines dépenses importantes, vous entretiendrez un bon
rapport avec l'argent. Si vous deviez obtenir une promotion, le nouveau
salaire satisfera à vos attentes.

Novembre

Climat général du mois

Vous serez plus vulnérable aux influences négatives de certains proches et amis. Vous ressentirez profondément leur agressivité ou encore leur manque de courage vous atteindra vraiment. Autrement dit, vous attraperez leurs émotions comme d'autres attrapent un bon rhume et vous vous angoisserez, alors que ces angoisses ne vous appartiennent pas du tout. Vous allez donc devoir vous détacher émotionnellement pour retrouver une certaine harmonie intérieure. Si ces dernières prédictions ne vous concernent pas, une grande impulsivité engendrera des coups de tête que vous risquez de regretter par la suite. Vous voilà prévenu, la prudence reste de mise. Vous pourriez même vous brouiller avec un ami et claquer la porte. Sur un plan plus personnel, vous devrez avoir le courage de tenir vos promesses, de ne pas mentir, d'être honnête, ce qui n'est jamais si facile, surtout si vous êtes tiraillé depuis longtemps par la « peur du regard des autres » et que vous êtes habitué de vous cacher derrière un *poker face*.

Amour

La belle Vénus vous donnera un sérieux coup de main amoureux, et cela, qu'importe votre statut matrimonial, ou si vous êtes toujours célibataire. Cela dit, les célibataires pourront avoir plusieurs amours à la fois ou successivement. Chose certaine, vous ne passerez pas inaperçu! Si vous formez déjà un couple, quelques petites animosités jetteront de l'ombre sur votre relation autour du 19 novembre. La bonne nouvelle est que vous dépasserez ces difficultés et que vous vous retrouverez plus amoureux encore. Vous visiterez peut-être un ami ou un proche collègue de travail à l'hôpital ou chez lui où la maladie le tient cloîtré. Malgré certaines difficultés amicales, les relations se stabiliseront vers le 11 novembre, jour de l'arrivée de la nouvelle lune.

Arts

Vos idées seront concrètes et porteuses d'un gros bon sens. Vous avez sûrement un don d'enseignement ou d'écriture et vous pourrez le mettre à profit en enseignant vos connaissances musicales ou littéraires. Vous serez reconnu à votre juste valeur par le grand public. Il reconnaîtra l'artiste talentueux et brillant que vous êtes vraiment. Vous reprendrez en main certains projets pour leur donner un second souffle. À l'instar de bien d'autres artistes de votre calibre, vous vous servirez de votre renom pour lever le voile sur des injustices sociales. Par exemple, vous pourriez devenir porte-parole d'une cause humanitaire ou vous impliquer dans un projet communautaire pour venir en aide aux enfants qui se présentent à l'école le ventre vide. Votre action touchera vraiment les cœurs et vous ferez une belle collecte des fonds.

Spiritualité

Lorsque vous vivez une épreuve, vous vous isolez complètement. Dans un autre ordre d'idées, vous pourriez dédier votre vie aux plus démunis.

Carrière

Le mouvement général de l'entreprise est ralenti ou elle est peut-être entrée dans une phase de réorganisation, probablement parce que son chiffre d'affaires a largement baissé. Plusieurs postes devront être sacrifiés et vous vous demandez ce qu'il adviendra du vôtre. Grâce à votre grand savoir-faire, vous serez sans doute épargné par la tourmente. Si tout cela ne vous concerne pas, mais que vous êtes à la recherche d'un travail depuis quelque temps déjà, vous trouverez bientôt l'emploi fait sur mesure pour vous. Bref, soyez assuré que toutes les actions que vous pensez entreprendre en ce sens-là serviront votre destinée professionnelle de belle manière. Assurément, ces transformations importantes seront commandées par les patrons, mais après qu'ils auront bien pesé le pour et le contre. Aussi, une rupture d'association serait possible pour les mêmes raisons indiquées à la première ligne de ce paragraphe.

Argent

La question « salaire » pour obtenir une meilleure rémunération se posera. Si tout se passe bien et que vous obtenez satisfaction, vous aurez alors réellement l'impression d'être reconnu à votre juste valeur. Vous placerez un héritage dans des valeurs sûres, s'il y a lieu bien entendu!

Décembre

Climat général du mois

Vous aurez le courage d'agir, ce mois-ci, et les résultats ne se feront pas attendre. Sur le plan des amitiés, vous échangerez sur le plan du cœur et vous partagerez les mêmes centres d'intérêt. Cela dit, vous allez devoir bien choisir vos nouveaux amis, puisque certains pourraient se montrer abusifs et peu respectueux envers vous. Surtout, n'essayez pas de les changer, vous créeriez votre propre piège et ils en profiteraient pour vous manipuler à leur guise. Ainsi prévenu, au moindre manque de respect de leur part, tournez les talons et quittez la relation!

Amour

Le partenaire amoureux ne comprendra pas toujours ce qui vous préoccupe. Vous devriez ouvrir le dialogue avec lui pour clarifier cette situation avant qu'il ne soit trop tard. Aussi, vous passerez un temps des fêtes magnifique et un Nouvel An formidable, si j'en crois la part de fortune qui se positionnera dans votre secteur amoureux. Les cœurs solitaires feront la rencontre d'une personne qui aura la capacité de faire de leurs rêves des réalités. Sachez que ce nouvel amour partagera entièrement vos idéaux et qu'il stimulera vos espérances et vos souhaits. Si cela ne vous concerne pas, vous serez en recherche constante d'équilibre amoureux, ce qui n'est pas nécessairement facile à trouver. Vous examinerez de plus près vos besoins émotionnels et vos exigences amoureuses pour les corriger, le cas échéant.

Arts

Vous savez mieux que quiconque qu'il existe une grande différence entre savoir qu'on peut faire quelque chose et le réaliser concrètement. Cependant, vous allez vous démarquer et obtenir très exactement ce que vous recherchez comme travail ou projet artistique. D'ailleurs, ces projets seront aventureux et sortiront des sentiers battus. Qui plus est, vous aurez tous les courages et votre pouvoir d'action atteindra presque la perfection… C'est tout dire! Chose certaine, vous aurez la main heureuse et décrocherez des contrats de travail à la mesure de votre talent. N'hésitez pas à passer des auditions pour obtenir un rôle convoité ni à faire des demandes pour faire partie d'une production ou de la réalisation d'un film. Non seulement il y aura beaucoup d'activités artistiques, mais un beau succès en découlera. Vous renouerez avec le plaisir de créer.

Spiritualité

Il se pourrait, tout comme il vous l'a été prédit le mois passé, que vous employiez toutes vos forces à libérer les êtres pour qu'ils puissent enfin vivre pleinement leur vie. Bref, vous endosserez le rôle de thérapeute spirituel. Si cela ne vous concerne pas, vous serez cette grande oreille à qui l'on peut tout confier sans se sentir jugé. C'est une denrée si rare de nos jours!

Carrière

Vous assumerez très bien les responsabilités de votre métier. À vrai dire, vous orienterez vos études pour travailler dans les hôpitaux, les prisons, les CHLD ou CHSLD, l'assistance sociale ou la vente et le service à la clientèle, l'administration, etc. Si vous œuvrez déjà dans ces domaines, vous irez chercher un nouveau perfectionnement. Le travail que vous faites est très apprécié et vous aurez la chance de le constater au tournant de ce mois lorsqu'un patron vous offrira une promotion. En tant que médecin ou chirurgien, vous aurez un bon flair médical capable de diagnostiquer des symptômes très complexes. Si vous œuvrez dans d'autres domaines d'expertise, grâce à vous, ce qui semblait insoluble ne le sera plus. Cela risque de provoquer quelques jalousies. Cela dit, vous vous questionnerez beaucoup quant à votre avenir professionnel au sein de l'entreprise, vous évaluerez surtout vos conditions de travail, vos relations professionnelles et d'affaires, vous remettrez en cause votre participation à certains dossiers parce que vous douterez du bienfondé de tout cela. De manière générale, vous ferez une bonne analyse qui vous permettra de voir clair dans votre « futur professionnel ».

Argent

Vous analyserez les relations financières que vous entretenez avec la banque, le crédit. Puis, après mûres réflexions, ou vous mettrez un point final à cette relation d'affaires ou vous irez de l'avant avec elle!

Carte du ciel 2015

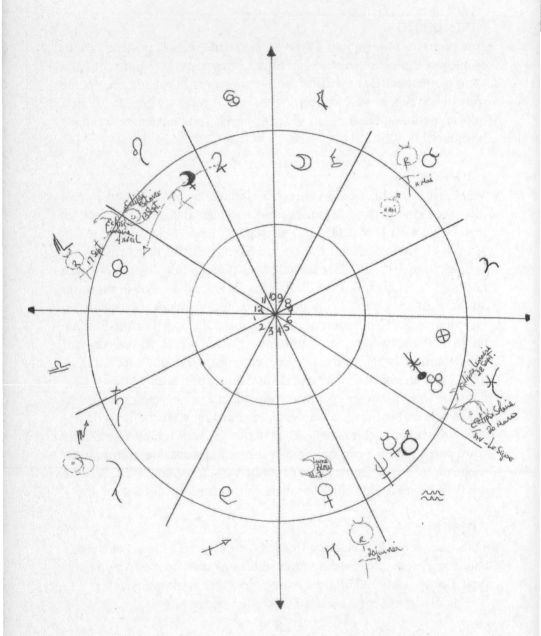

Table des matières

DU MÊME AUTEUR

Horoscope 2014, Éditions La Semaine, 2013
Les Anges et la numérologie, Éditions La Semaine, 2013
Horoscope 2013, Éditions La Semaine, 2012
Horoscope 2012, Éditions La Semaine, 2011
Horoscope 2011, Éditions La Semaine, 2010
Rêves prémonitoires et coïncidences, Éditions Trajectoire, 2011 (France)
Rêves prémonitoires et coïncidences, Éditions La Semaine, 2010
Horoscope 2010, Éditions La Semaine, 2009
Horoscope 2009, Éditions La Semaine, 2008
Horoscope 2008, Éditions La Semaine, 2007
Horoscope 2007, Éditions de Mortagne, 2006
Horoscope 2006, Éditions de Mortagne, 2005
Horoscope 2005, Éditions de Mortagne, 2004
Chasseurs de rêves, Éditions de Mortagne, 2002 Éd. françaises
Chasseurs de rêves, Éditions de Mortagne, 2002

MARQUIS

Québec, Canada

Distributeur
Messageries ADP*
2315, rue de la Province
Longueuil (Québec) J4G 1G4
Téléphone: 450 640-1237
Télécopieur: 450 674-6237

* Une division du Groupe Sogides inc.,
filiale du Groupe Livre Québecor Média inc.